# Ein Lehrwerk für Erwachsene

Grundstufe in 2 Bänden
GS 1 Arbeitsbuch
Kapitel 1–12

Gerd Neuner, Theo Scherling, Reiner Schmidt und Heinz Wilms

LANGENSCHEIDT
BERLIN · MÜNCHEN · WIEN · ZÜRICH · NEW YORK

Zeichnungen und Layout: Theo Scherling
Fotografie: Ulrike Kment (s. a. Quellennachweise, S. 208)
Umschlaggestaltung: Theo Scherling, unter Verwendung eines Fotos
© Presse- und Informationsamt der Bundesregierung, Bonn
Redaktion: Gernot Häublein
Verlagsredaktion: Sabine Wenkums

**Deutsch aktiv Neu**
Ein Lehrwerk für Erwachsene

| **Ausgabe in 3 Bänden** | **1 A** (Kapitel 1–8) | **1 B** (Kapitel 9–16) | **1 C** (Kapitel 17–24) |
|---|---|---|---|
| **Lehrbuch** | 49100 | 49120 | 49140 |
| **Arbeitsbuch** | 49101 | 49121 | 49141 |
| **Lehrerhandreichungen** | 49102 | 49122 | 49142 |
| **Glossare** | | | |
| *Deutsch–Englisch* | 49103 | 49123 | 49143 |
| *Deutsch–Französisch* | 49104 | 49124 | 49144 |
| *Deutsch–Griechisch* | 49109 | 49129 | 49149 |
| *Deutsch–Italienisch* | 49105 | 49125 | 49145 |
| *Deutsch–Polnisch* | 49108 | 49128 | 49148 |
| *Deutsch–Russisch* | 49111 | 49131 | 49151 |
| *Deutsch–Spanisch* | 49106 | 49126 | 49146 |
| *Deutsch–Türkisch* | 49107 | 49127 | 49147 |
| **Cassetten** | | | |
| *1 Hörtexte* | 84550 | 84555 | 84560 |
| *2 Sprechübungen* und | 84551 | 84556 | — |
| *Begleitheft* | 49110 | 49130 | — |
| **Folien** | 84552 | 84557 | 84562 |
| **Ausgabe in 2 Bänden** | **GS 1 Lehrbuch** (Kapitel 1–12) 49160 | **GS 2 Lehrbuch** (Kapitel 13–24) 49165 | |
| | **GS 1 Arbeitsbuch** (Kapitel 1–12) 49161 | **GS 2 Arbeitsbuch** (Kapitel 13–24) 49166 | |

Druck: 5. 4. 3. 2. 1. | Letzte Zahlen
Jahr: 94 93 92 91 90 | maßgeblich



Druck: Druckhaus Langenscheidt, Berlin
Printed in Germany · ISBN 3-468-49161-1

# Inhaltsverzeichnis

# Unterrichten und Lernen mit dem Arbeitsbuch

Informationen für Lernende und Lehrende

Da Ihre Kursteilnehmer gerade beginnen, Deutsch zu lernen, verstehen sie natürlich diese Arbeitshinweise noch nicht. Bitte erklären Sie als Lehrer(in) deshalb die wichtigsten Hinweise in der Muttersprache der Lernenden; oder machen Sie einfach vor, wie eine Aufgabe gelöst werden soll.

1. Das *Arbeitsbuch* bietet zu fast jedem Abschnitt des *Lehrbuchs* eine oder mehrere Übungen. Die Bezeichnung der Abschnitte (z. B. 2A1, 2B1) ist in *Lehrbuch* und *Arbeitsbuch* identisch. Innerhalb der A-Teile und innerhalb der B-Teile sind die einzelnen Übungen durchnumeriert. (Ü1, Ü2, ...).

2. Es gibt zwei Gruppen von Übungen: (a) Übungen, zu denen es in der Regel nur eine richtige Lösung gibt; diese haben das Symbol . Die Lösungen finden sich im "Lösungsschlüssel." Sie sind insbesondere für die häusliche (Nach-)Arbeit geeignet, können aber auch zuvor mündlich und/oder schriftlich im Unterricht durchgeführt werden. - (b) Übungen, die zunehmend "freieren" Sprachgebrauch von den Lernenden fordern; sie reichen von der Rekonstruktion von Dialogen/Gesprächen mit Hilfe von Verlaufsdiagrammen (vgl. 2A1, Ü1) über die gesteuerte Produktion (vgl. 2A1, Ü2) bis zur freien Produktion (vgl. 2A4, Ü9). Die Lösung dieser Aufgaben muß von dem/der Lehrenden auf jeden Fall überprüft und evtl. korrigiert werden.

3. Um mehr Übungen aufnehmen zu können, wurde das *Arbeitsbuch* so angelegt, daß alle Schreibaufgaben, bei denen Schreiben ins Buch nicht unumgänglich ist, von den Lernenden auf einem Extrablatt ausgeführt werden; bei diesen Schreibaufgaben erscheint das Symbol . Die Lernenden sollten alle Arbeitsblätter in einem Schnellhefter sammeln.

4. Zu allen reinen Hörtexten des *Lehrbuchs* enthält das *Arbeitsbuch* Übungen, vor allem in Form von Lückentexten (z. B. 2A3); dabei entspricht jedem fehlenden einzusetzenden Wort ein Strich ________. Da das Hörverstehen neben dem Sprechen und als Voraussetzung des Sprechens die höchsten Anforderungen an die Lernenden stellt, wird es hier konsequent und extensiv geübt. Dabei kann jede Höraufgabe durch Vorgabe weiterer Wörter (vgl. *Lehrerhandreichungen*, wo alle Hörtexte abgedruckt sind) weiter vereinfacht und so dem Leistungsvermögen der Lernenden angepaßt werden. Nach Lösung dieser Aufgaben haben auch die Lernenden den jeweiligen Hörtext in schriftlicher Form vorliegen. Bei anders gearteten Höraufgaben, z. B. Richtig-Falsch-Aufgaben oder Fragen zum Text (vgl. 7A2), kann der/die Lehrende den vollständigen Text aus den *Lehrerhandreichungen* zur Verfügung stellen.

5. Bei allen Übungen und Aufgaben werden Vorschläge zu möglichen Arbeitsformen gemacht, die alternativ bzw. nacheinander eingesetzt werden können; die verwendeten Symbole am Seitenrand bedeuten:
 = Einzelarbeit, = Partnerarbeit, = Gruppenarbeit, = Arbeit im Plenum.

6. Am Ende der A-Teile jedes Kapitels (wobei die Kapitel 1 und 2 als eine Einheit behandelt werden) finden sich Spiele und Rätsel; sie dienen vor allem der Wiederholung und sind deshalb mit W gekennzeichnet (vgl. 3AW, Ü1-Ü3).

7. Am Ende eines Blocks von jeweils vier Kapiteln finden sich Wiederholungsübungen, gekennzeichnet mit z. B. 1-4W: Dabei müssen die Lernenden Redemittel zu den wichtigsten Sprechintentionen anwenden und werden gezielt auf den entsprechenden Teil der mündlichen Prüfung des "Zertifikats Deutsch als Fremdsprache" vorbereitet.
Ebenfalls zu je 4 Kapiteln gehören Kontrollaufgaben (z. B. 1-4K) zu den Lernzielbereichen A: Wortschatz, B: Grammatik, C: Orthographie, D: Lesen, E: Sprechen, F: Schreiben. Sie können als informelle Tests in der Klasse oder in häuslicher Einzelarbeit eingesetzt werden.

8. Im Anhang finden sich Lösungsschlüssel und Grammatikübersicht. Die Grammatikübersicht ist für das "Nachschlagen" gedacht.

Viel Spaß bei der Arbeit!

**Ü1** **Wer sagt was?**

## 3 Ü 2 Buchstabieren Sie bitte

G wie Gustav | B | C
E | A | O
I | R | N
G | B | R
E | I | A
S | E | D
 | R |
 | I |

## Ü 3 Sprechen Sie und schreiben Sie die Zahlen

1 eins | 0 | 9
3 | 2 | 8
5 | 4 | 10
7 | 6 | 11
12 | 13 | 14
17 | 16 | 15
18 | 20 | 19

## Ü 4 Nummer (1): Wer ist das?

**Weltelf**

Maier (1)

Vogts (2) Maradona (4) Beckenbauer (5) Smith (3)

Rivera (6) Pelê (10) Platini (8)

Eusebio (7) Krankl (9) Garrincha (11)

Nummer (1): Wer ist das? – Nummer (1) ist Maier.
Er kommt aus Deutschland. – Nummer (2) ...

# Der Deutschkurs

**Ü 5 Schreiben Sie bitte**

o

Der Deutschkurs ________ zwölf ______________, ________ Frauen und sieben __________. Der Lehrer heißt ________ ________. Nummer 11 ist ________ ________, sie kommt ______ ____________.

Jim Sampson __________ aus ____________. Nummer 9 ____________ aus ____________. Herr und Frau Scoti __________ aus __________.

Frau Scoti _____ nicht da, sie ____ ________. Aber ihr Mann _____ _____.

Maria Barbieri __________ auch ____ ____________. ......

# 2A

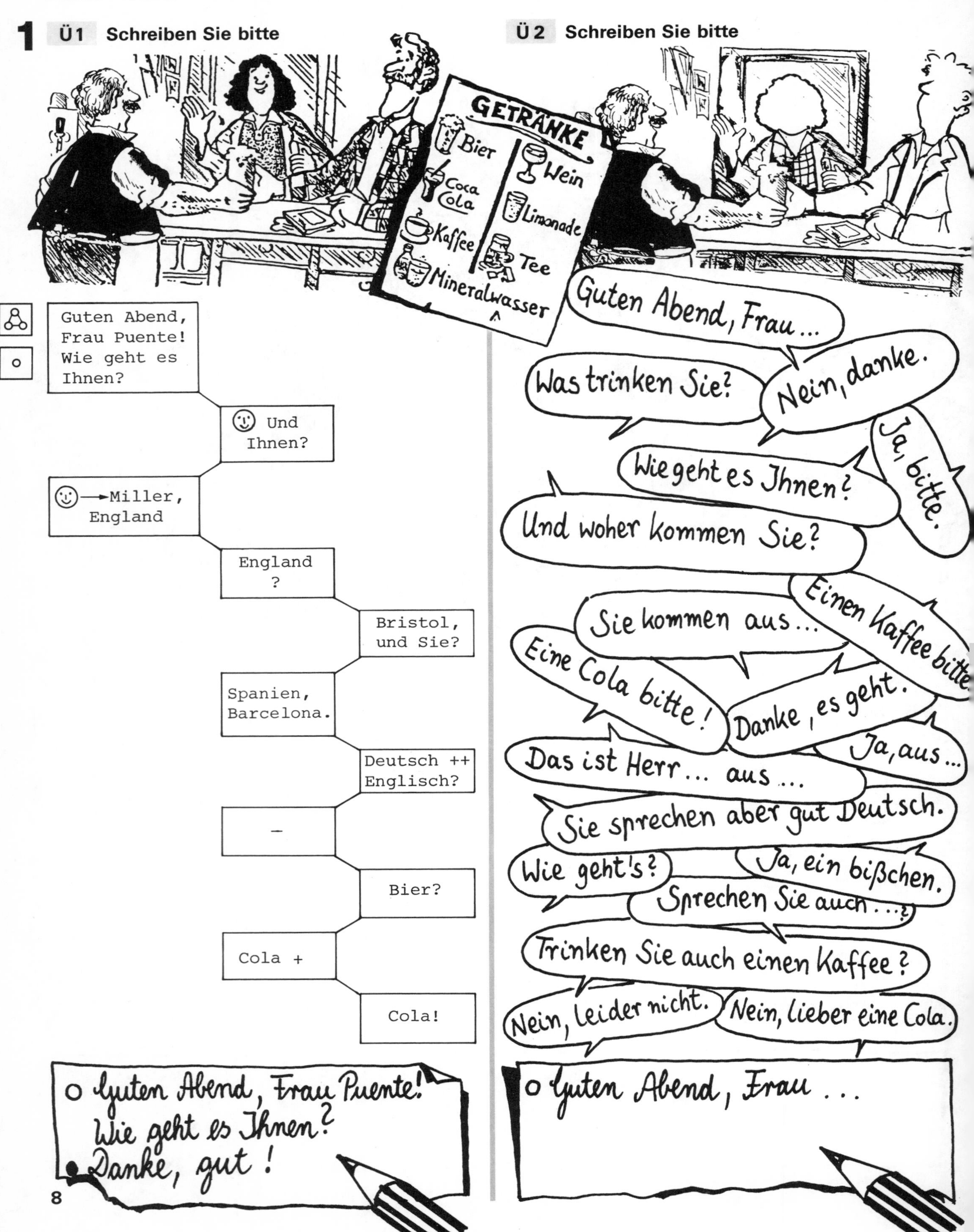
1
Ü1 Schreiben Sie bitte
Ü2 Schreiben Sie bitte
GETRÄNKE
Bier
Wein
Coca Cola
Limonade
Kaffee
Tee
Mineralwasser
Guten Abend, Frau Puente! Wie geht es Ihnen?
Und Ihnen?
Miller, England
England ?
Bristol, und Sie?
Spanien, Barcelona.
Deutsch ++ Englisch?
–
Bier?
Cola +
Cola!
○ Guten Abend, Frau Puente! Wie geht es Ihnen?
● Danke, gut!
Guten Abend, Frau ...
Was trinken Sie?
Nein, danke.
Ja, bitte.
Wie geht es Ihnen?
Und woher kommen Sie?
Einen Kaffee bitte
Sie kommen aus ...
Eine Cola bitte!
Danke, es geht.
Ja, aus ...
Das ist Herr ... aus ...
Sie sprechen aber gut Deutsch.
Wie geht's?
Ja, ein bißchen.
Sprechen Sie auch ...?
Trinken Sie auch einen Kaffee?
Nein, leider nicht.
Nein, lieber eine Cola.
○ Guten Abend, Frau ...

**Ü 3** **Zeichnen Sie bitte**

eins → sieben → vier → zwei → fünf → achtundzwanzig → neunundzwanzig → drei → sechs → achtzehn → einunddreißig → elf → acht → zehn → dreizehn → neunzehn → siebenundzwanzig → sechzehn → einundzwanzig → neun → zwölf → dreiundzwanzig → sechsundzwanzig → vier → vierunddreißig → vierzehn → ✶✶!! → zwanzig → fünfzehn → zweiundzwanzig → dreißig → vierundzwanzig → zweiunddreißig → fünfundzwanzig → siebzehn → dreiunddreißig → vierzehn – FERTIG!!

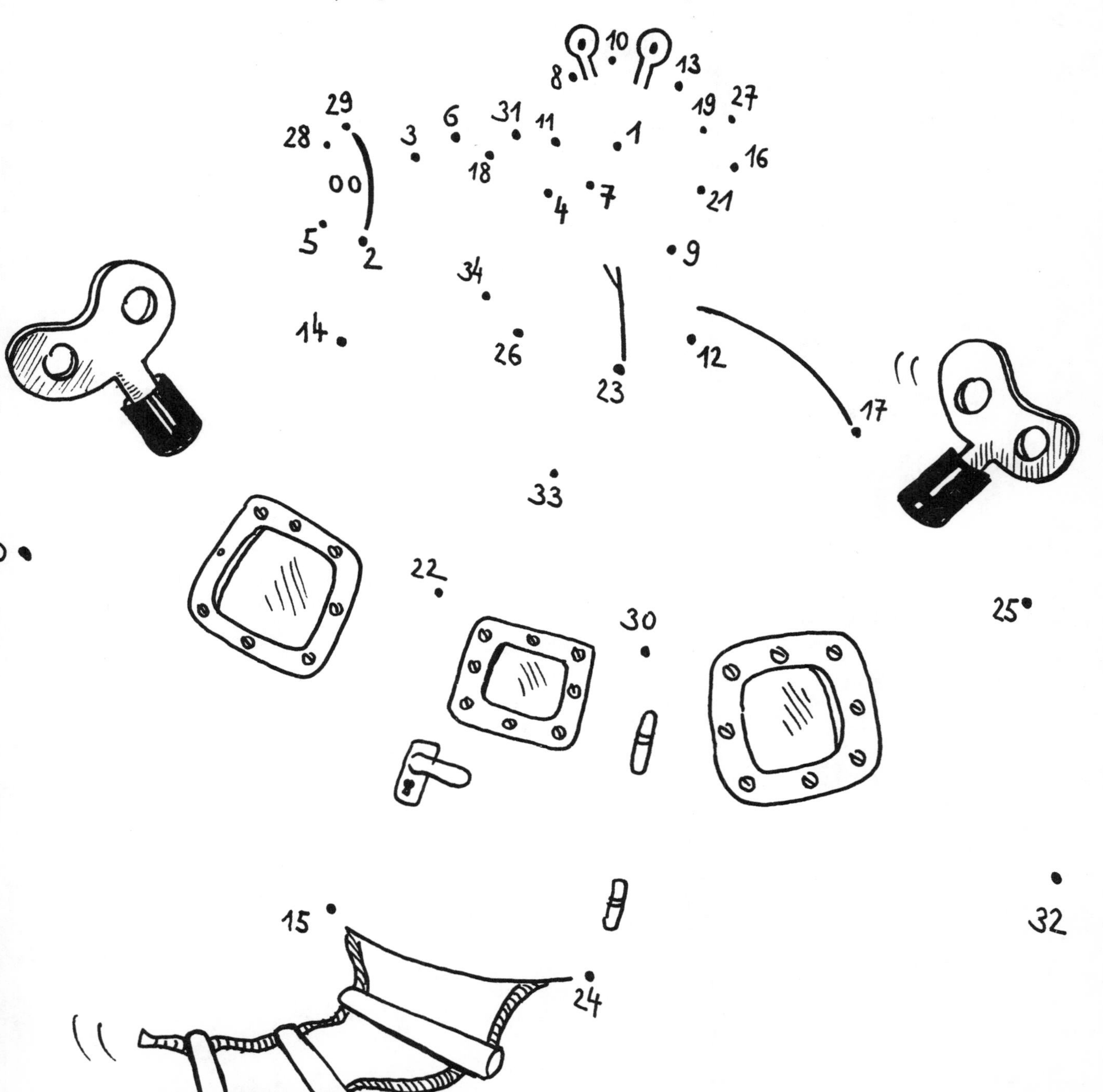

3

**Ü 4 Hören Sie das Gespräch.**
**Lesen und ergänzen Sie bitte**

○ Auskunft 10. Grüß Gott!

● Bitte ________ ______________ von Willi Decher ______ Kirtorf.

○ Wie, wie ___________ der Ort?

● Kirtorf. Das wird geschrieben KARL - __________ - RICHARD - THEODOR - ________ ___________ - _____________ - FRIEDRICH.

○

● Kirtorf.

○ Wo ist das in der Nähe?

● In Hessen. Ich ________________ nochmal: __________ - _____________ - ______________ - _____________ - ________________ - ____________ - ______________. Kirtorf.

○ Wie heißt der Teilnehmer?

● Willi ____________ .

○ Decher mit ________ am Anfang, ja?

● ___________, genau.

○ ____________ ___________________, Moment mal, null - sechs - ________ - _________ - __________ .

● ___________ _____________ ______________ __________ ________ .

○ Und die Rufnummer: zwo - __________ - ___________ .

● ________ - _________ - __________. Herzlichen Dank. Auf Wiederhören!

○ __________ _______________!

3

## Ü 5 Notieren Sie die Rufnummern bitte

1. siebeneinssechsneun: 7169
2. zehnachtundvierzigachtundfünfzig: 10 48 58
3. dreizwoeinsdreisieben: ______ 4. achtdreidreisechsnull: ______
5. sechsfünfnullsechssieben: ______ 6. achtdreieinsneunzwo: ______
7. siebenvierneunsechs: ______ 8. zwölfeinundzwanzigdreiundsechzig: ______
9. zehnzweiunddreißigvierundachtzig: ______
10. dreiunddreißigsechsundvierzigvierundneunzig: ______
11. siebzehneinundneunzigsiebenundfünfzig: ______.

## Ü 6 Schreiben Sie bitte

157 einhundertsiebenundfünfzig

① 423 ② 648 ③ 395 ④ 276 ⑤ 567 ....

## Ü 7 Schreiben Sie und sprechen Sie bitte

**Widdenhausen** (Bü) - Bünde (0 52 23) (En) - Enger (0 52 24x) (He) - Herford (0 52 21)

Flessner A. (He) 5 45 25
BünderStr. 335
Fliege Karl (Bü) 7 50 50
WaldeckerStr. 7
Flömer Dietmar (Bü) 7 43 17
AmLienkamp 3
Focke Horst (Bü) 7 34 27
Betr.Ltr. AmReesberg 12
Foerdermann (Bü) 7 30 75
Horst Massage Bachstr. 6
Foerster Josef (He) 5 42 29
AlterSchulweg 37
Förster M. (He) 5 27 48
Wiesenstr. 18
Förster Manfred (Bü) 7 60 35
LöhnerStr. 280
Foerster Willi (He) 5 44 92
SchönebergerStr. 24
Fordemann (He) 5 19 69
Fordemann (He) 5 47 66
Barbara FriedrichEbertStr. 4
Fordemann Karl (He) 5 90 10-1
Gesch.Führer (He) <5 91-0>
Forth Karl (Bü) 7 33 60

Fring Werner (He) 5 36 43
AlterSchulweg 41
Frischmann Lothar (He) 5 17 66
AlterKirchweg 22
Fritsche Johannes (He) 5 10 40
HansBöcklerStr. 23
Fritz Dieter (Bü) 7 46 05
GrünerWeg 48
Fritz Jürgen (He) 5 29 39
Malerstr. 13
Froböse Friedrich (He) 5 53 73
Bäckerei HerforderStr. 195
Frölich Karl- (Bü) 7 65 02
Heinz jun. Dieselstr. 22
Froese Heinrich (He) 5 47 87
Elisabethstr. 12
Froesta Lufttech- (Bü) 7 80 40
nische Anlagen u. Gerätebau
GmbH DunstabsaugAnl.
Dieselstr. 22
Frölich Karl-Heinz (Bü) 7 80 40
jun. Großküchenplanung
Lufttechn.Anl. Dieselstr. 22
Frowitter Hans (Bü) 7 39 57
Buchenkamp 9

Gaststätten
Alter Dorfkrug (He) 5 17 81
BünderStr. 221
Am Bustedter (Bü) 7 45 86
Holz Industriestr. 52
Am Felsenkeller (He) 5 22 24
BünderStr. 38
Böke Edith (He) 5 13 36
Holtstr. 82
Candle-Light (Bü) 7 89 77
LöhnerStr. 165
Dorett-Bar (He) 5 33 52
Nightclub HerforderStr. 434
Generotzky (He) 5 14 74
Friedrich-Wilhelm
HerforderStr. 217
Grünewalds Krug (He) 2 22 55
Engerstr. 2
Haus Schäfer (Bü) 7 22 85
CharlottenburgerStr. 12
Kreuzeck (He) 5 20 06
ObereWiesenstr. 61
Kuhlmann August (He) 6 13 09
HerforderStr. 136
Meyer (He) 6 50 79

Generotzky (He) 5 16 51
Wolfgang WurstwarenAgt.
HerforderStr. 204
Gennrich Elfriede (He) 5 56 88
Steinstr. 1
Gennrich Erhard (He) 5 20 62
Schäfferbrink 11
Gennrich Karl- (He) 5 36 79
Heinz Flachsweg 7
Geppert (Bü) 7 60 10
Geppert Wolfgang (He) 5 43 52
ImWerregrund 3
Gerber Baldur (Bü) 7 43 89
AmReesberg 5
Gerber Wilhelm (Bü) 7 49 05
TrockeneWiese 3
Gerbsch Heinz (He) 5 27 31
Brunnenstr. 23
Gerbsch Herbert (He) 5 53 00
Brunnenstr. 23
Gerdes Elisabeth (He) 5 51 07
Pestalozzistr. 4
Gerdes Volker (He) 5 55 55
AlterKirchweg 36
Gerdt Uwe (He) 5 24 25

1. Karl Fliege wohnt in Widdenhausen. Er hat die Telefonnummer 7 50 50, Vorwahl 0 52 23 (Bünde).
2. Barbara Fordemann .....
3. Karl-Heinz Frölich .....
4. Elisabeth Gerdes .....
5. Die Gaststätte "Alter Dorfkrug" hat die Telefonnummer 5 17 81, .....
6. Die Gaststätte "Candle-Light" .....
7. Die "Dorett-Bar" (Nightclub) .....

.....

## 4 Ü 8 Spielen Sie das Interview und notieren Sie bitte

Wie heißen Sie?

Woher kommen Sie?

(Stadt?)

(Geburtstag?)

Wo wohnen Sie?

Wie ist Ihre Telefonnummer?

(Straße?)

(Beruf?)

Name: ______

Vorname: ______

Land: ______

Stadt: ______

Geburtstag: ______

Wohnort: ______

Straße: ______

Telefonnummer: ______

Beruf: ______

## Ü 9 Beschreiben Sie die Person aus Ü 8

*Das ist ______. Er/Sie kommt ______*

______

______

______

______

5

## Ü 10 Richtig? – Falsch? (→ Lehrbuch, 2A5) 

| | richtig | falsch |
|---|---|---|
| 1. Marlies Demont wohnt in Bern. | X | |
| 2. Sie ist Ärztin. | | |
| 3. Sie spricht Deutsch und Italienisch. | | |
| 4. Peter Martens wohnt in Leipzig. | | |
| 5. Er ist Ingenieur. | | |
| 6. Er spricht Deutsch und Russisch. | | |
| 7. Fritz Wenzel ist Lehrer. | | |
| 8. Er spricht Deutsch und Englisch. | | |
| 9. Anni Sinowatz wohnt in Wien. | | |
| 10. Sie ist Studentin. | | |
| 11. 100 Millionen Menschen lernen Deutsch. | | |

## Ü 11 Ergänzen Sie bitte

1. Marlies Demont w__________ in Bern. Sie spr__________ Deu__________ __________ Franz __________. Sie i______ Stud__________.
2. Fritz Wenzel w__________ in Leipzig. Er i______ Lehrer und sp__________ Deu__________ und Russ__________.
3. Alexandra Karidakis le__________ schon 15 Ja__________ in München. Sie s__________ Griech__________ und Ital__________.
4. Miza Lim k__________ aus Korea. Sie stud__________ Deu__________ i___ Bielefeld. Sie i______ 24 Jahre alt.
5. Mustafa Benhallam i______ Mar__________, er k__________ aus Fez. Jetzt arb__________ er in Berlin. Mustafa i______ Arzt.
6. Barış Önal a______ der Tür__________ ist Arb__________ bei Ford. Er w__________ schon sehr lange i______ Köln. Die Fam__________ ist da__________ in d__________ Türkei.
7. 100 Millionen Menschen spr__________ Deu__________. Und 15 Mil__________ Men__________ ler__________ D__________ als Fremdsprache.

**Ü1** 1. Wer ist das? – Raten Sie bitte
2. Beschreiben Sie die Personen
(→ Lehrbuch)

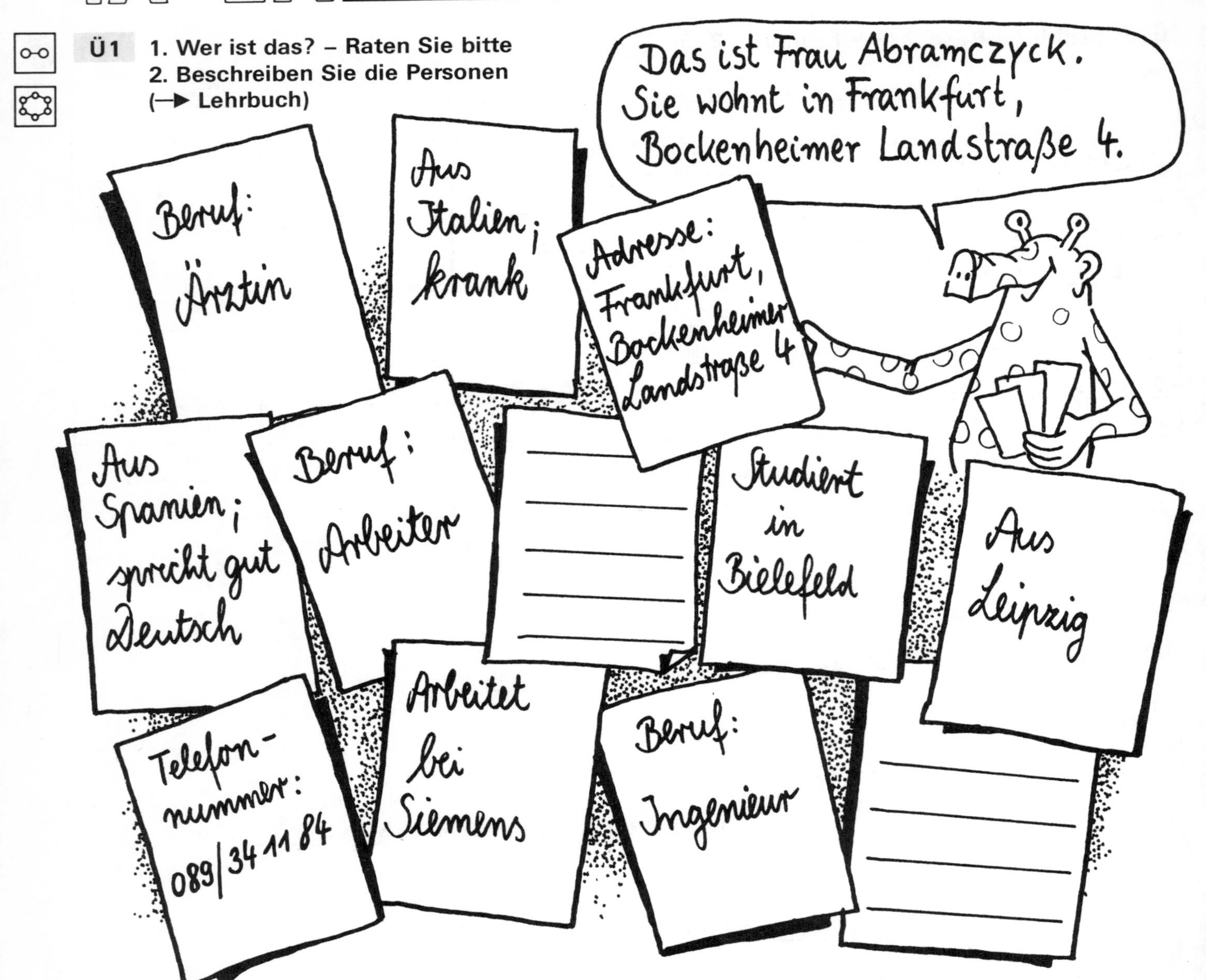


**Ü2** "So ein Mist!"

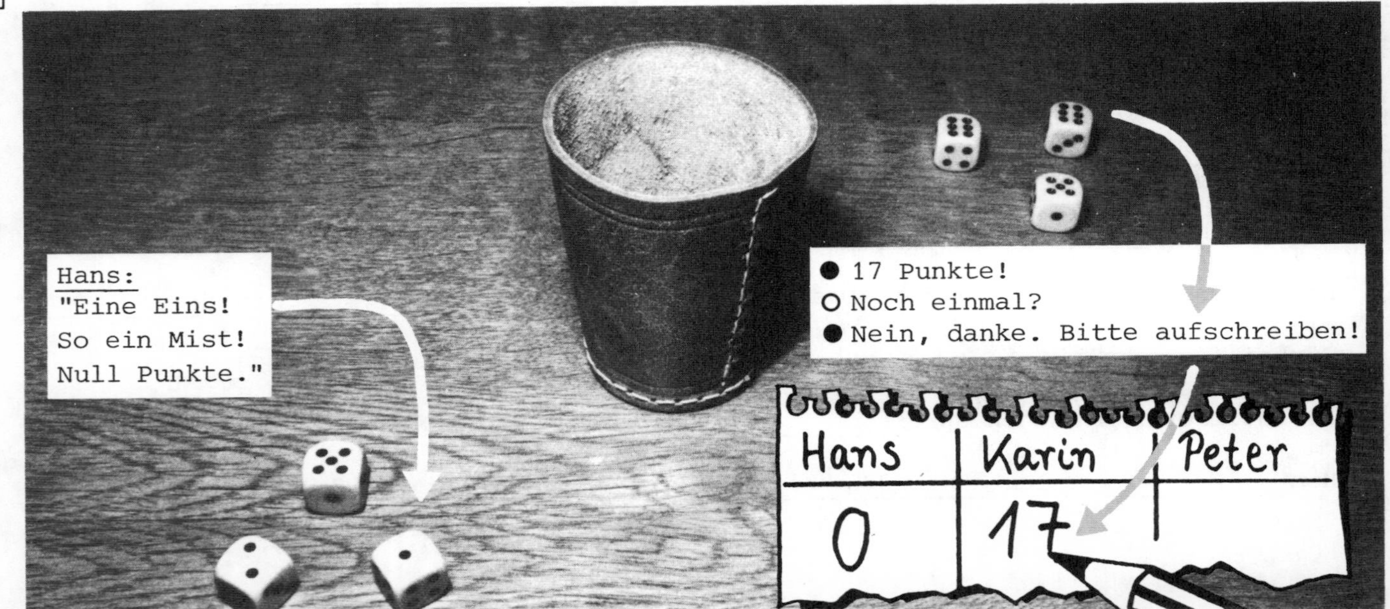

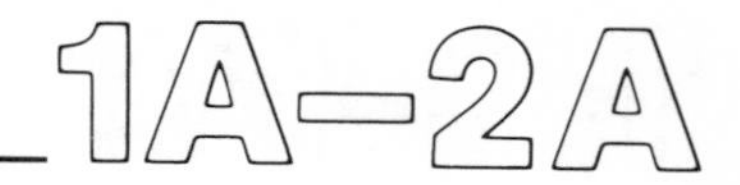


**Ü 3** **Wie heißen die Wörter?**

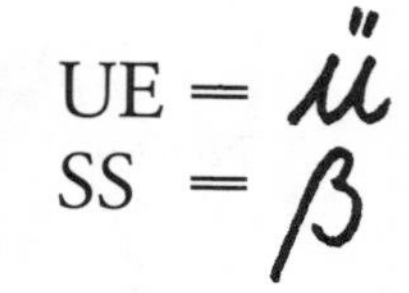


| T | E | I | L | N | E | H | M | E | R | A | W | C | F |
|---|---|---|---|---|---|---|---|---|---|---|---|---|---|
| E | R | T | B | E | W | E | I | N | H | K | O | W | S |
| E | L | F | O | U | N | I | S | L | M | V | H | E | A |
| P | R | U | T | N | U | S | T | U | D | I | E | R | T |
| W | I | E | V | A | U | S | W | B | I | E | R | Z | Z |
| O | C | N | A | R | B | E | I | T | E | R | B | S | A |
| D | W | F | N | Z | E | L | T | A | G | H | I | P | K |
| K | O | M | M | T | M | L | A | N | D | L | D | A | S |
| R | H | E | I | N | O | E | L | E | R | N | E | N | T |
| A | N | N | E | P | R | B | I | E | R | T | S | I | E |
| A | T | C | O | L | A | T | E | K | A | F | F | E | E |
| K | U | W | Z | A | O | U | N | E | H | M | E | N | X |

aus, Arzt,

**Ü 4** **Machen Sie Wörter**

~~ar~~, ärz
~~bei~~, bier
co
de, den, di, dol
fee
ge
in
kaf, ken, kran
la, leh, li
mat, met, mi, mo
na, ne, nieur
plo
ral, rer, rin
sche, schwe
ser, ster, stu
~~tee~~, ~~ter~~, tin, tin
was, wein

## Ü 5 Das Länder-Spiel

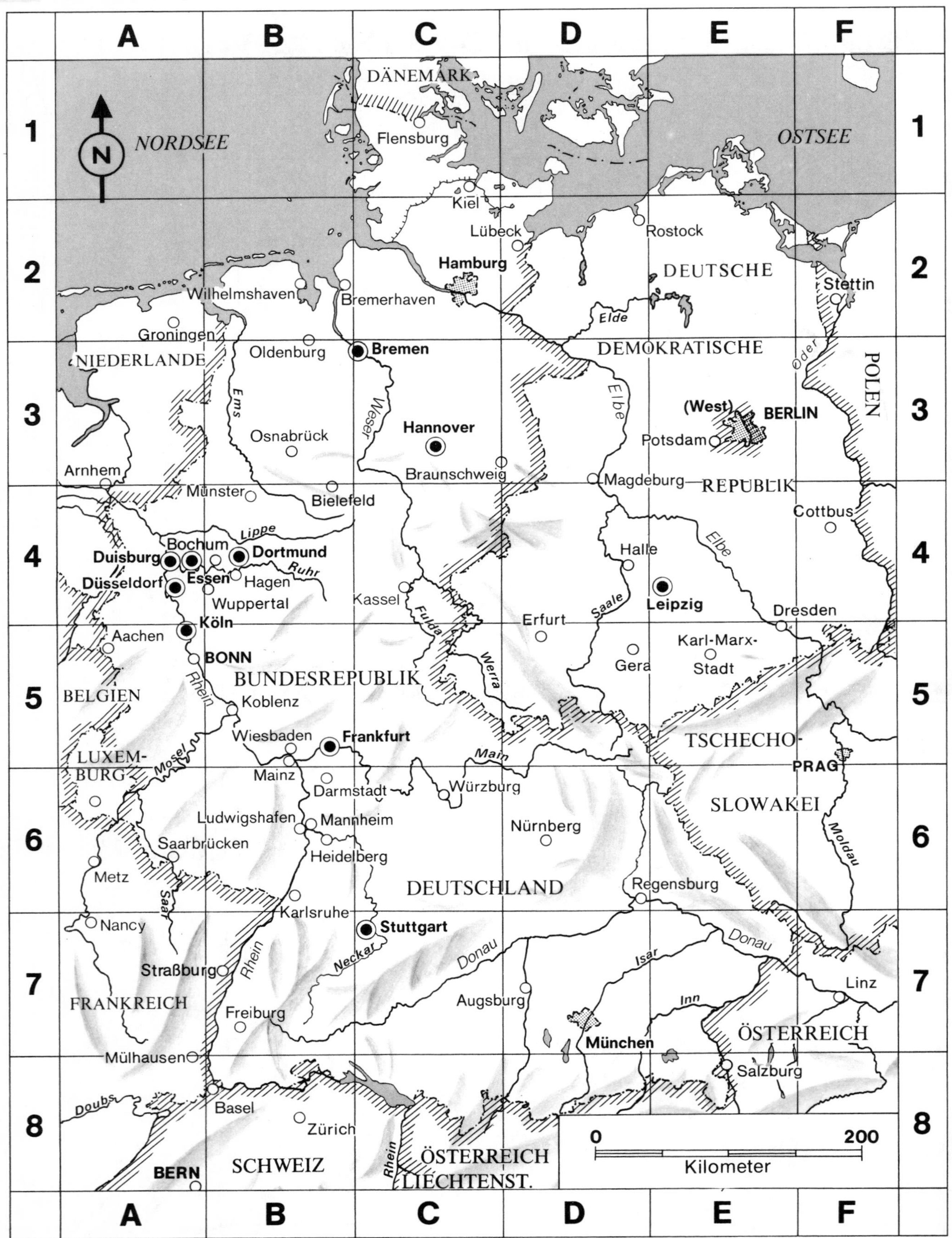

## (1) Wo ist Bonn?

| Stadt | Fluß | ⌗ |
|---|---|---|
| Bonn | Rhein | A5 |
| Hamburg | | |
| Köln | | |
| München | | |
| Frankfurt | | |
| Dresden | | |
| Mainz | | |
| Dortmund | | |
| Kassel | | |
| Bremen | | |
| Würzburg | | |
| Stuttgart | | |
| Heidelberg | | |
| Magdeburg | | |
| Koblenz | | |
| Ludwigshafen | | |
| Saarbrücken | | |
| Düsseldorf | | |
| Halle | | |
| Karlsruhe | | |
| Duisburg | | |
| Regensburg | | |

## (2) Wie heißt der Fluß?

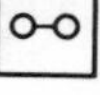

- ○ Bonn: Wie heißt der Fluß?
- ● Rhein. Das ist A5.
- ○ Hamburg: ____________________
- ● ____________________

.....

## (3) Wie heißt die Stadt?

- ○ Wie heißt die Stadt?
- ● Buchstabe?

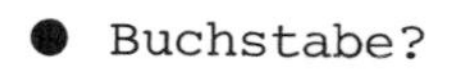

- ○ K.
- ● Kassel?
- ○ Nein.
- ● Fluß?
- ○ Rhein.
- ● Köln?
- ○ Nein.
- ● Karlsruhe?
- ○ Ja!

## (4) Wie heißen die Städte?

A4: Duisburg, Düsseldorf, Köln, Bochum

D7: .....

.....

# 2B

## 1 Ü1 Wort und Satz

○ a) F r a u B a r b i e r i k o m m t a u s I t a l i e n S i e i s t
S t u d e n t i n S i e s p r i c h t I t a l i e n i s c h

b) W i e i s t I h r N a m e P u e n t e W i e s c h r e i b t m a n d a s
B u c h s t a b i e r e n S i e b i t t e W o w o h n e n S i e I n
F r a n k f u r t W i e i s t I h r e T e l e f o n n u m m e r

c) D e r d e u t s c h k u r s h a t 1 2 t e i l n e h m e r f r a u p u e n t e
k o m m t a u s s p a n i e n n u m m e r 2 i s t f r a u b o u c h e r a u s
k a n a d a h e r r d u p o n t i s t a u s f r a n k r e i c h f r a u
s c o t i i s t n i c h t d a s i e i s t k r a n k

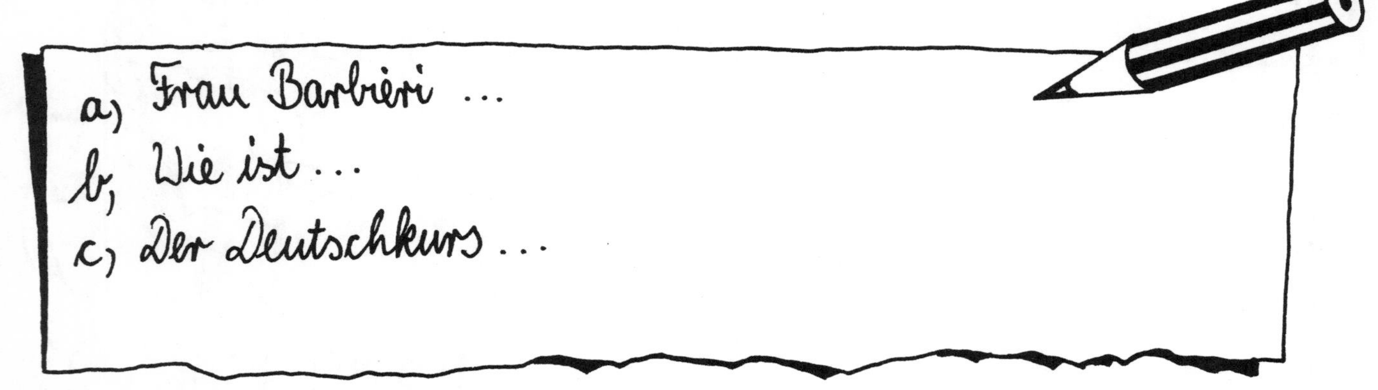


## 2 Ü2 Verb

○ 1. Ich heiße Anne. Wie heißt du? - Toni.

2. Ich komme aus England. Woher kommst du?

3. Mein Name ist Abramczyk. - Verzeihung, wie ist Ihr Name?

4. Trinken Sie auch ein Bier? - Nein, danke, ich nehme lieber eine Cola.

## ○ Ü3 Nominativergänzung (Subjekt)

1. Herr Miller kommt aus England. Er spricht Englisch. Er trinkt ein Bier. Frau Puente kommt aus Spanien. Sie trinkt eine Cola. Herr und Frau Scoti kommen aus Italien. Sie lernen Deutsch.

2. Kommen Sie aus England? – Ja, aus Bristol. Und woher kommen Sie? – Ich komme aus Barcelona. – Sie sprechen aber gut Deutsch! Sprechen Sie auch Englisch? – Nein, leider nicht. – Trinken Sie auch ein Bier?

**Ü 4** Verb – Nominativergänzung

3

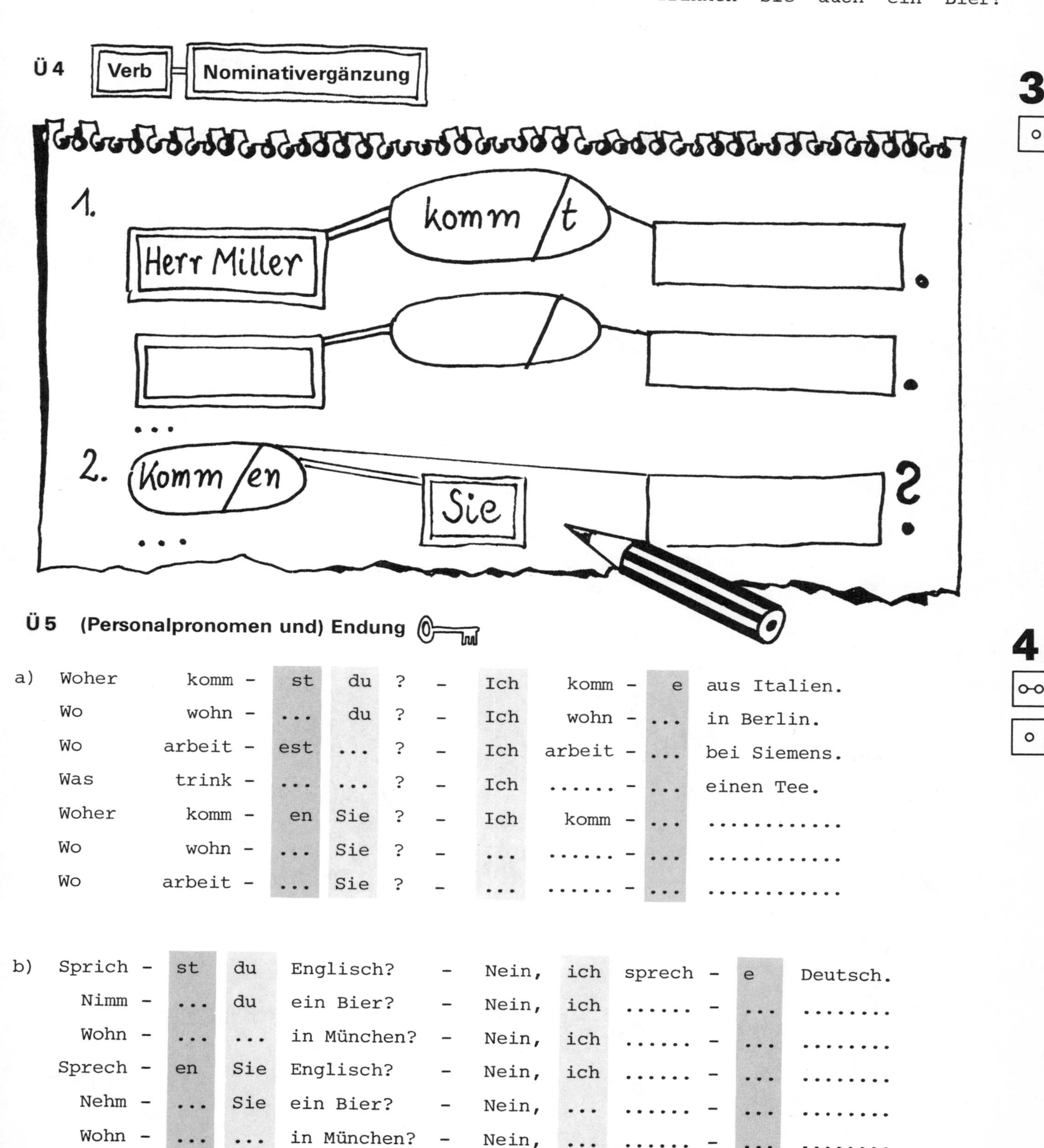


**Ü 5** (Personalpronomen und) Endung

4

a)

| | | | | | | | | | | |
|---|---|---|---|---|---|---|---|---|---|---|
| Woher | komm – | st | du | ? | – | Ich | komm – | e | aus Italien. |
| Wo | wohn – | ... | du | ? | – | Ich | wohn – | ... | in Berlin. |
| Wo | arbeit – | est | ... | ? | – | Ich | arbeit – | ... | bei Siemens. |
| Was | trink – | ... | ... | ? | – | Ich | ...... – | ... | einen Tee. |
| Woher | komm – | en | Sie | ? | – | Ich | komm – | ... | ........... |
| Wo | wohn – | ... | Sie | ? | – | ... | ...... – | ... | ........... |
| Wo | arbeit – | ... | Sie | ? | – | ... | ...... – | ... | ........... |

b)

| | | | | | | | | | |
|---|---|---|---|---|---|---|---|---|---|
| Sprich – | st | du | Englisch? | – | Nein, | ich | sprech – | e | Deutsch. |
| Nimm – | ... | du | ein Bier? | – | Nein, | ich | ...... – | ... | ........ |
| Wohn – | ... | ... | in München? | – | Nein, | ich | ...... – | ... | ........ |
| Sprech – | en | Sie | Englisch? | – | Nein, | ich | ...... – | ... | ........ |
| Nehm – | ... | Sie | ein Bier? | – | Nein, | ... | ...... – | ... | ........ |
| Wohn – | ... | ... | in München? | – | Nein, | ... | ...... – | ... | ........ |

c) Miza Lim:

| | | | |
|---|---|---|---|
| Sie | komm - | t | aus Korea. |
| Sie | studier - | ... | Deutsch. |
| ... | wohn - | ... | in Bielefeld. |
| Sie | is | t | 24 Jahre alt. |

Alexandra Karidakis:

| | | | |
|---|---|---|---|
| ... | leb - | ... | in München. |
| ... | arbeit - | ... | bei Siemens. |
| ... | komm - | ... | aus Griechenland. |

Mustafa Benhallam:

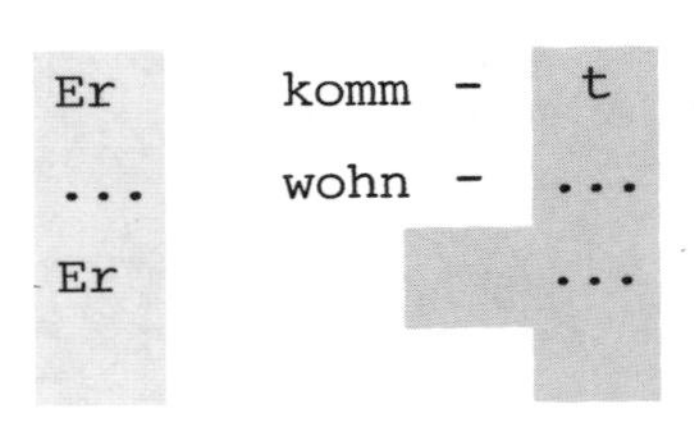

| | | | |
|---|---|---|---|
| Er | komm - | t | aus Marokko. |
| ... | wohn - | ... | in Berlin. |
| Er | | ... | Arzt. |

Barış Önal:

| | | | |
|---|---|---|---|
| ... | ....... - | ... | aus der Türkei. |
| ... | ....... - | ... | in Köln. |
| ... | ....... - | ... | bei Ford. |
| ... | | ... | Arbeiter. |

**Ü 6 Verb-Stamm und Endung**

5

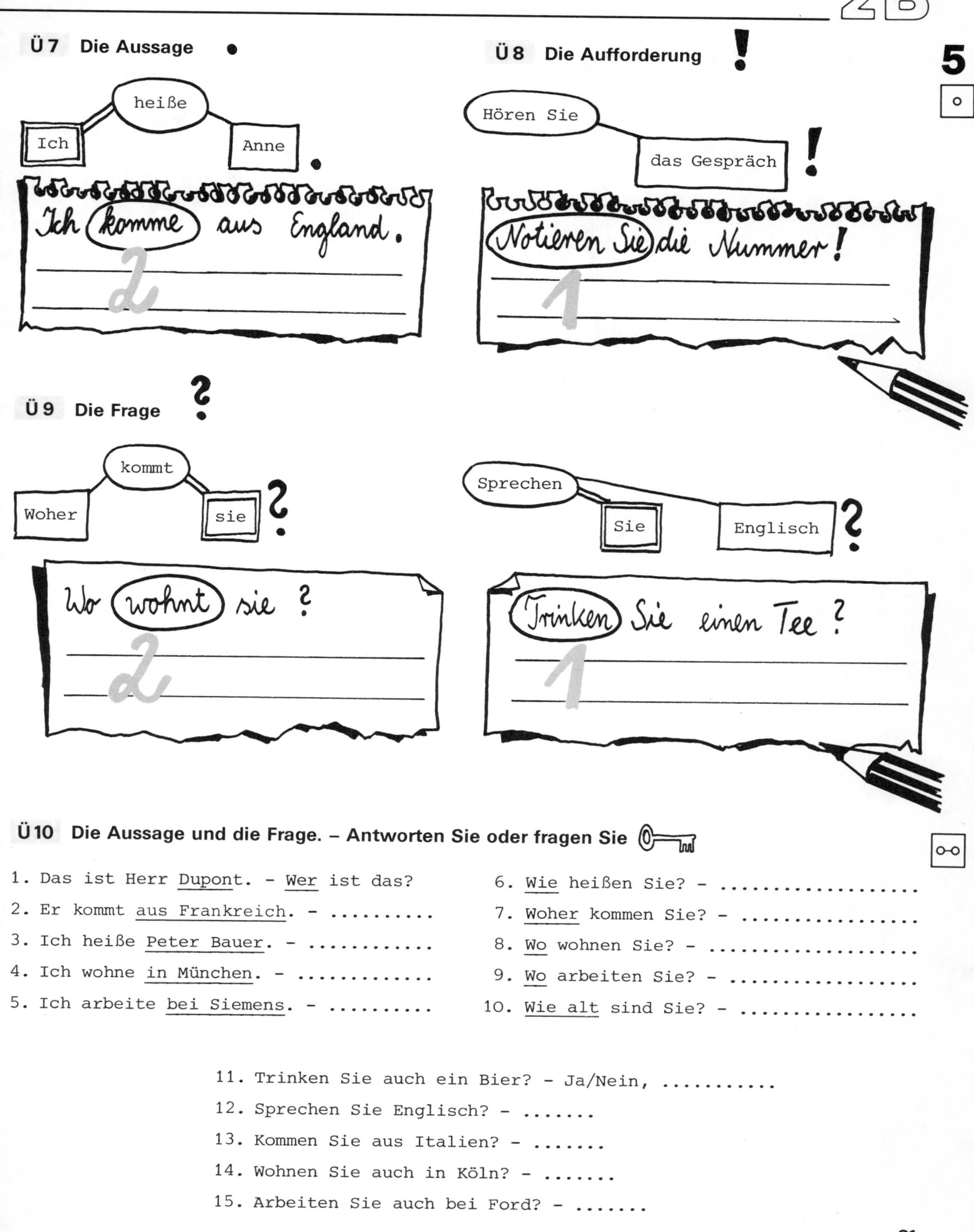


**Ü 7 Die Aussage**

**Ü 8 Die Aufforderung**

**Ü 9 Die Frage**

**Ü 10 Die Aussage und die Frage. – Antworten Sie oder fragen Sie**

1. Das ist Herr Dupont. - Wer ist das?
2. Er kommt aus Frankreich. - ..........
3. Ich heiße Peter Bauer. - ............
4. Ich wohne in München. - .............
5. Ich arbeite bei Siemens. - ..........
6. Wie heißen Sie? - .................
7. Woher kommen Sie? - ...............
8. Wo wohnen Sie? - ..................
9. Wo arbeiten Sie? - ................
10. Wie alt sind Sie? - ...............
11. Trinken Sie auch ein Bier? - Ja/Nein, ..........
12. Sprechen Sie Englisch? - .......
13. Kommen Sie aus Italien? - .......
14. Wohnen Sie auch in Köln? - .......
15. Arbeiten Sie auch bei Ford? - .......

## 2 Ü1 Was ist Nummer ...?



① ____________ ⑥ ____________ ⑪ ____________

② ____________ ⑦ ____________ ⑫ ____________

③ ____________ ⑧ ____________ ⑬ ____________

④ ____________ ⑨ ____________ ⑭ der/ein Stuhl

⑤ ____________ ⑩ ____________ ⑮ ____________

## Ü2 Hören und ergänzen Sie bitte

o Was ________ das?

• ________ Tonbandgerät.

o Ein - wie ________ ________?

• ____________________!

o Ein ____________________.

• Ein ____________________!!!

o Ein ____________________.

Und ____________ ____________,

ist das eine ____________?

• ________, ________Tageslichtprojektor.

o Oh, ________ ________, bitte!

• ____________________.

o Ist ________ ____________?

• Ja, das ____________ auf deutsch: Tageslichtprojektor.

3
Ü3 Text und Bild
A Was bin ich?
B "Wer?" - "Was?" - "Wie?" - "Kein Angelschein?" - "Kein Ausweis." - ...
C "Wir alle angeln, angeln, angeln ohne Angel-, Angelschein!"
D "Der Parkwächter? Ich weiß nicht."
E "Komm, mein Junge, wir gehen!"
F Eine Angel, eine Mütze, aber immer noch kein Fisch.
G Kein Angelschein - kein Fisch - Kein Ausweis - kein Parkwächter!
H "Kein Angelschein: Das kostet zehn Mark!" - "Kein Ausweis: Das kostet auch zehn Mark!"
I "Wie bitte? Sie haben keinen Ausweis? Kommen Sie!"
1
2
3
4
5
6
7
8
9
A→9
→

**4** **Ü 4** **Schreiben Sie bitte**

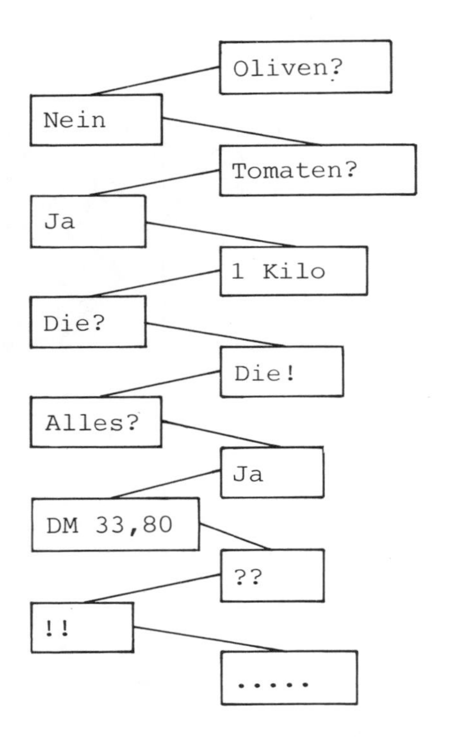


Haben Sie Oliven?
...

**Ü 5** **Schreiben Sie bitte**

Nein, heute leider nicht.
Und Salat?
Haben Sie Orangen?
..........
Ja, hier! ........
Was kostet der Fisch? ..........
..........
Ja, der! Das kostet sechs Mark.
Der da?
Eine Cola. 1 Kilo Kartoffeln, bitte!
Zwei Joghurt, bitte! Alles?
2 Kilo Lammfleisch, bitte!
..........
....... Zehn Eier, bitte! Wie bitte?
... Mark ... alles zusammen.

Haben Sie Orangen?
Nein, ...

**Ü 6** **Mark und Pfennig: Schreiben Sie bitte**

**4/5**

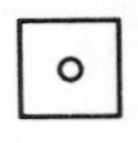

①

achtzehn Mark achtundsechzig

achtzehn Mark und achtundsechzig Pfennig

②

      = 

③

④

⑤

⑥

⑦

## 5 Ü 7 Wieviel Geld brauchen *Sie* im Monat?

Getränke ______ DM

______ DM

______ DM

______ DM

______ DM

______ DM

______ DM

______ DM

______ DM

______ DM

______ DM

Sonstiges ______ DM

## Ü 8 Schreiben Sie bitte

Für Essen und Trinken brauche ich / brauchen wir .....

## Ü 9 Wieviel sind ...?

Eine Mark sind ______ Dollar.

______ ______ Franc.

______ ______ Lire.

______ ______ ______

40 Mark sind ______ Dollar.

| | | Tageskurse | | Verkauf | Kauf |
|---|---|---|---|---|---|
| 0 | 189.50 | | | | |
| 0 | 189.50 | England | 1 £ | 2.93 | 2.78 |
| 0 | 734.00 | Frankreich | 100 FF | 31.24 | 29.50 |
| 0 | 217.00 | Griechenland | 100 Dr. | 1.70 | 1.10 |
| 0 | 230.50 | Italien | 1000 Lit. | 1.49 | 1.39 |
| 0 | 200.50 | Jugoslawien | 100 Din. | .65 | .25 |
| 0 | 619.00 | Holland | 100 hfl. | 89.25 | 87.25 |
| 0 | 719.00 | Österreich | 100 öS | 14.33 | 14.09 |
| 0 | 156.80 | Schweden | 100 skr. | 30.00 | 28.25 |
| 0 | 290.00 | Schweiz | 100 sfrs. | 124.00 | 121.00 |
| 0 | 447.50 | Spanien | 100 Pts. | 1.57 | 1.48 |
| 0 | 608.00 | USA | 1 US $ | | |
| 0 | 549.00 | weitere Kurse am Schalter | | | |

**5**

**Ü 10** **Regine Klein: Hören Sie bitte Richtig oder falsch? Machen Sie ein Kreuz!** 

| | r | f |
|---|---|---|
| 1. Regine Klein ist achtundzwanzig Jahre alt. | | |
| 2. Sie ist Lehrerin. | | |
| 3. Sie hat ein Haus. | | |
| 4. Andrea ist 5, Tommy ist 6 Jahre alt. | | |
| 5. Der Mann verdient 3.200 Mark netto, das ist nicht gut. | | |
| 6. Die Wohnung ist schön, groß und sehr teuer. | | |
| 7. Sie brauchen für die Wohnung ungefähr 1.350 Mark im Monat. | | |
| 8. Für Essen, Trinken, Auto, Reisen, Kleidung brauchen sie etwa 800 Mark. | | |
| 9. Sie sind immer pleite, aber sie sind gesund und haben viele Freunde. | | |

**Ü 11** **Was kostet eine Gulaschsuppe? (→ Lehrbuch, 3A6 und 3A7)**

**6/7**

DM 1,95 DM 4,– DM 2,40
DM 1,60 DM 3,50
DM 3,50 DM 1,90
DM 4,50 DM 1,80 DM 2,60 DM 1,80
DM 3,50 ~~DM 2,40~~ DM 3,60
DM 3,70 DM 3,20 DM 3,50
DM 2,20 DM 4,80 DM 2,50
DM 3,90 DM 2,50 DM 19,80
DM 19,80 DM 2,50

*Eine Bratwurst kostet DM 2,40 (zwei Mark und vierzig Pfennig) .....*

**Suppen**

Bayer. Leberknödelsuppe

Gulaschsuppe nach Wiener Art

Hühnersuppe mit Nudeln

**Steaks** vom Rind 180 g Frischgewicht

„Texas"-Steak mit Kräuterbutter, Pommes frites und Saisonsalat

Zigeuner-Steak mit einer Sauce aus Paprika, Zwiebeln, dazu Reis und Saisonsalat

**Salate & Beilagen**

Gemischter Salat je nach Saison

Kartoffelsalat

Kartoffeln

Eiernudeln

## Ü12 Machen Sie Dialoge

## Ü 13 Wer ist das? Was ist das?

8

## Ü 14 Antworten Sie und schreiben Sie

1. Was ist heute?
2. Wer macht Picknick?
3. Wie ist der Tag?
4. Was macht Frau Wolter?
5. Was hat sie?
6. Was macht Herr Lang?
7. Wer ist dick und faul?
8. Was macht Stephan?
9. Was macht Susanne?
10. Wer ist krank?
11. Was sagt Frau Wolter?

## 9 Ü 15 "Rocko – ein U.L."

**Richtig oder falsch? – Machen Sie Kreuze**

| | r | f |
|---|---|---|
| 1. Ein U.L. hat Durst. | X | |
| 2. Ein U.L. trinkt Bier. | | |
| 3. Ein U.L. trinkt keinen Kaffee. | | |
| 4. Ein U.L. trinkt Ö.L. | | |
| 5. Ein U.L. hat Hunger. | | |
| 6. Ein U.L. frißt Wurst. | | |
| 7. Ein U.L. frißt Pommes frites. | | |

| Rocko bestellt...... | r | f |
|---|---|---|
| 8. ..... eine Tasse Kaffee. | | |
| 9. ..... ein Glas Tee. | | |
| 10. ..... ein Glas Bier. | | |
| 11. ..... eine Flasche Wein. | | |
| 12. ..... eine Flasche Milch. | | |
| 13. ..... eine Dose Cola. | | |

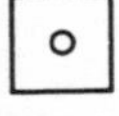
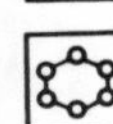

## Ü 16 Hören Sie und notieren Sie

1. Was möchte Rocko?
2. Wie heißen der Mann und die Frau (Vornamen)?
3. Woher kommt Rocko?
4. Woher kommen der Mann und die Frau?
5. Was bringt der Ober?
6. Was macht Rocko?
7. Was essen der Mann und die Frau?
8. Was frißt Rocko am liebsten?

## Ü 17 Schreiben Sie bitte

**Ü1 Raten Sie: Was ist Nummer 13?**

**Ü 2** **Raten Sie:**
**Was kaufen wir im Supermarkt?**

| | | | | | | | | | | | | | |
|---|---|---|---|---|---|---|---|---|---|---|---|---|---|
| | | | | | | | M | I | | | | | |
| | | | | | | F | | | C | H | | | |
| S | C | H | I | | | | | B | R | | | | |
| | | | B | | T | | | R | | | | | |
| | | | | W | | | | | | C | H | E | N |
| | | | | T | O | M | | | | N | | | |
| | | | | | | O | | I | | E | | | |
| | | | B | R | A | T | | | | | | | |
| | | | | | | K | | | | E | E | | |
| | | | | K | | | | | B | R | | | |
| | | P | O | | | | | F | R | | | | |
| | | | | | B | | | R | | | | | |
| | | | S | U | P | E | R | M | A | R | K | T | |

ü = UE

ä = AE

**Ü 3** **Machen Sie Wörter**

~~brat~~, but
co
dier
ei, er
fee, fel
gal, ge, geu,
gu, gum
kä, kaf, kar, ky
la, lam, lasch, lat

mi, mi, mü
ne, ner
pe, pe
ra, ral, re
sa, sche, se, se,
ser, steak, sup
ta, ter, tof
was, whis, ~~wurst~~
zi

SPEISEN
B ratwurst
G
K
Z

GETRÄNKE
C
K
M
W

ESSEN
B
E
G
K

SACHEN
L
R
R
T

**Ü1** **"der", "das" oder "die"?**

**Sortieren Sie. Benutzen Sie das Lexikon**

**1**

**Ü2** **Sortieren Sie auch die Sachen aus 3A2 (→ Lehrbuch)**

## 2 Ü 3 Schreiben Sie Sätze

Studentin

..... schreibt einen Satz.

Arbeiterin

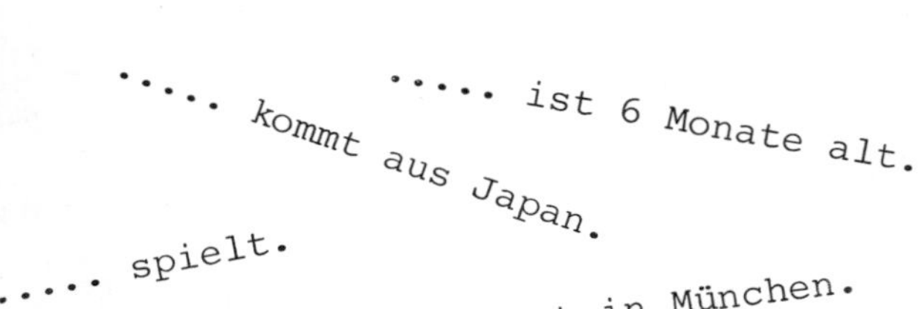

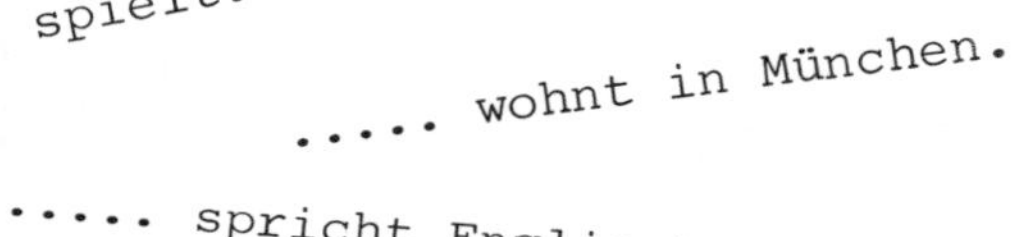



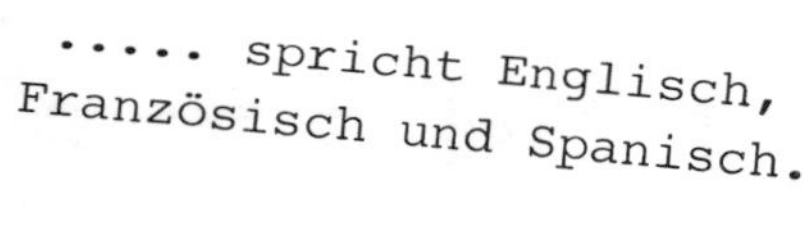



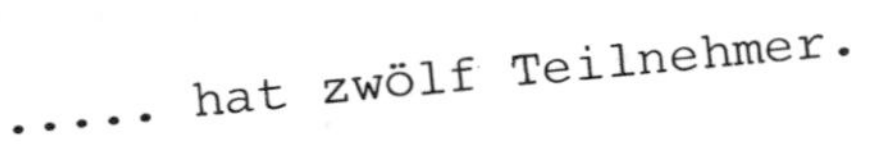



..... hat zwölf Teilnehmer.

Lehrerin

Dolmetscherin

Nummer (3): Das ist ein Deutschkurs. Der Deutschkurs hat zwölf Teilnehmer.

Nummer (1): ...

**Ü 4** **Sprechen Sie und schreiben Sie**

Nummer 1: Das ist ein Telefon. – Was ist das? – Ein Telefon.
Nummer 2: Das ist Peter Bauer. – Wer ist das? – Peter Bauer.
Nummer 3:

## 4 Ü 5 Machen Sie Sätze

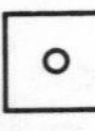

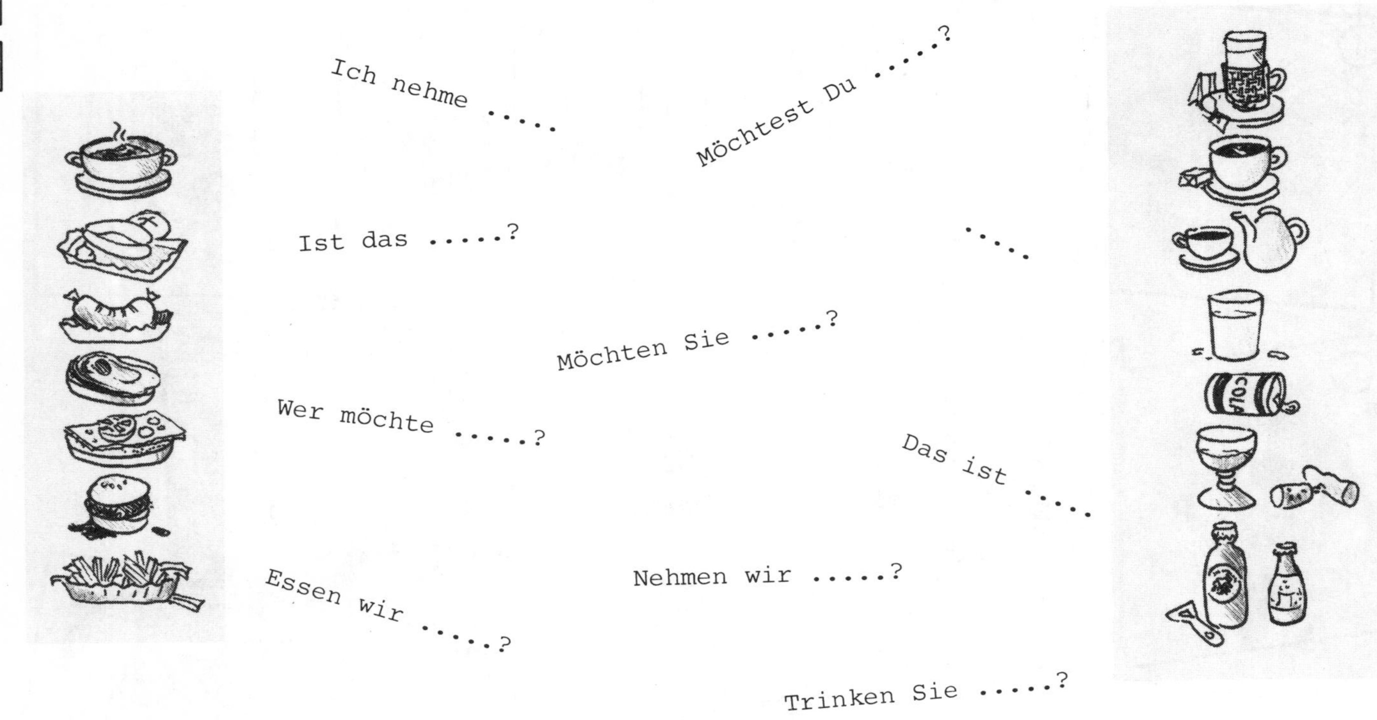

## 5 Ü 6 Ergänzen Sie und antworten Sie 

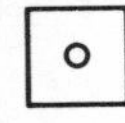

1. Woher komm____ du? / komm____ Sie? – Ich .....

2. Sprich____ du / Sprech____ Sie auch Englisch? – .....

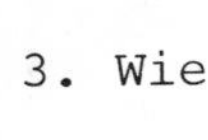

3. Wie heiß____ du? / heiß____ Sie? – Ich .....

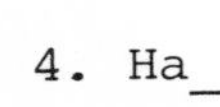

4. Ha____ du / Hab____ Sie auch Hunger? – .....

5. B____ du / S____ Sie krank? – .....

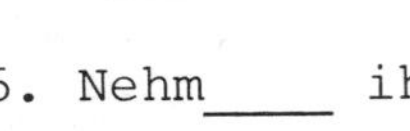

6. Nehm____ ihr / Nehm____ Sie auch ein Steak? – .....

7. Wohn____ ihr / Wohn____ Sie auch in Berlin? – .....

8. S____ ihr / S____ Sie auch aus Italien? – .....

## Ü 7 Ergänzen Sie bitte

**a)** Familie Lang und Familie Wolter

ma_______ Picknick. Sie s______

im Park. Sie h________ Wurst

und Käse, Brot und Bier.

Michael, Stephan und Susanne

s______ da; aber Gabi i____

nicht da, sie _____ krank.

Frau Wolter r______: "Das Essen

i____ fertig, wir f_________ an!"

**b)** Das _______ Rocko. Auch Rocko _______ Hunger und

Durst. Aber Rocko i_____ kein Brot und keine Wurst,

er f_________ Metall und Mineralien (M.M.).

Er ____________ auch kein Mineralwasser, er

_____________ nur Ö.L.

Er ______________ mit Paula und Rainer Schmidt;

er sagt: "Ich ________ Rocko, wer ________ Sie?

Was _____________ Sie? Ich ___________ nur M.M."

## Ü 8 Fragen Sie bitte

Familie Lang und Familie Wolter machen Picknick.

1. Heute ist Sonntag. 2. Frau Wolter macht das Essen. 3. Sie hat Wurst, Brot und Bier. 4. Herr Lang arbeitet. 5. Er schreibt einen Brief. 6. Gabi ist nicht da.

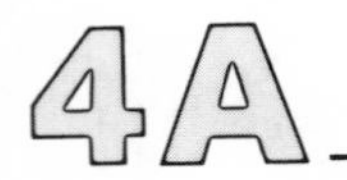

**1** Ü1 **Wie heißen die Körperteile?** 

Krater (Ausschnitt)
*Kampf der Kentauren und Lapithen*
Drittes Viertel des 5. Jahrhunderts v. Chr.
Florenz, Archäologisches Museum

**Schreiben Sie bitte**

① der Kopf

② ______

③ ______

④ ______

⑤ ______

⑥ ______

⑦ ______

⑧ ______

⑨ ______

⑩ ______

⑪ ______

⑫ ______

⑬ ______

⑭ ______

⑮ ______

(?) ______

⑯ ____________________

⑰ ____________________

⑱ ____________________

⑲ ____________________

⑳ ____________________

㉑ ____________________

㉒ ____________________

㉓ ____________________

㉔ ____________________

㉕ ____________________

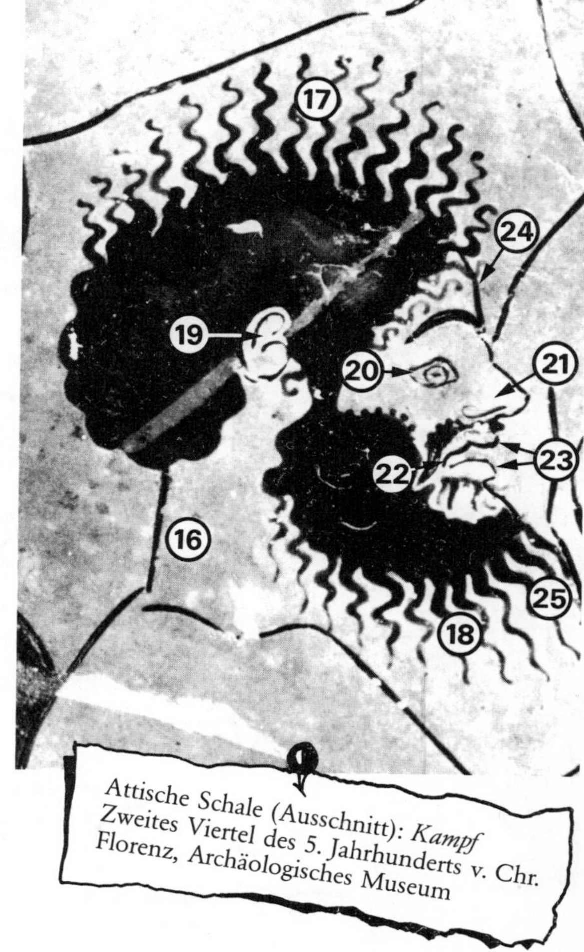


Attische Schale (Ausschnitt): *Kampf*
Zweites Viertel des 5. Jahrhunderts v. Chr.
Florenz, Archäologisches Museum

2

**Ü 2 Suchen Sie die Organe**

die Organe: ⑤ ⑧ ② ⑦ ③ ① ④ ⑥

Abb. 13: Die Brust- und Baucheingeweide

- ◯ die Schlagader __________
- ◯ die Lunge __________
- ◯ das Herz __________
- ◯ die Leber __________
- ③ die Gallenblase __________
- ◯ der Magen __________
- ◯ die Niere __________
- ◯ der Darm __________

**Ü 3 Wie heißen die Organe in Ihrer Sprache?**

# 4A

Ü 4 **Kombinieren Sie** **Ordnen Sie zu**

Ü 5 **Schreiben Sie**

① **Akosan-Saft**

Soweit vom Arzt nicht anders verordnet, nehmen Erwachsene und Kinder im akuten Stadium als Anfangsdosis 1mal 1 Eßlöffel Saft und danach stündlich 1 Teelöffel (5 ml) Saft ein: nach Abklingen der Symptome täglich 3mal 1 Teelöffel einnehmen (ca. 2–3 Tage lang).

② **Nasovit**

**Spray gegen Schnupfen**

**Dosierungsanleitung, Art der Anwendung**
Soweit nicht anders verordnet, nach Bedarf, etwa 3–4mal täglich, durch leichten Druck auf die Sprayflasche in die Nase sprühen.

③ **Aurimed Ohrentropfen**

Soweit nicht anders verordnet, gibt man 3–4mal täglich 2–4 Tropfen in das schmerzende Ohr. Die Ohrentropfen sollten vor der Anwendung auf Körpertemperatur erwärmt werden.

④ ***Tussidural-Tropfen***

**gegen Husten und Bronchitis**

| | |
|---|---|
| Erwachsene und Jugendliche | 3mal täglich 15 bis 20 Tropfen |
| Kinder | 3mal täglich 10 bis 15 Tropfen |
| Kleinkinder | 3mal täglich 7 bis 10 Tropfen |
| Säuglinge | 3mal täglich 1 bis 7 Tropfen (1 Tropfen pro Lebensmonat) |

⑤ **Antihustin**

**Tropfen**

**Zur Hustenstillung und Schleimverflüssigung**

Falls vom Arzt nicht anders verordnet, gilt folgende Dosierung: Säuglinge (4–12 Monate) nehmen 5 Tropfen, Kleinkinder 5–10 Tropfen, 1–2–3mal täglich; ältere Kinder 10–20 Tropfen, Erwachsene 25–35 Tropfen, bei Bedarf auch mehr, mehrmals täglich ein.

⑥ **TRANSPIRIN**

**Anwendungsgebiete:** Fieber und Schmerzen; Erkältungskrankheiten; Schmerzen wie Kopf-, Zahn-, Muskel- oder Glieder-Schmerzen; Entzündungen.

| Alter | Einzeldosis |
|---|---|
| unter 2 Jahre | – nach ärztlicher Verordnung |
| 2–3 Jahre | – 1 Tablette |
| 4–6 Jahre | – 2 Tabletten |
| 7–9 Jahre | – 3 Tabletten |

⑦ ***Ossogen*** Tabletten

Halstabletten
bei Entzündungen im Mund- und Rachenraum

Soweit nicht anders verordnet, alle 2–3 Stunden eine Tablette langsam unter der Zunge oder im Munde zergehen lassen; nicht schlucken und nicht kauen.

⑧ **Immunix forte**

Zur Steigerung der körpereigenen Abwehrkräfte

Soweit nicht anders verordnet, nehmen Erwachsene dreimal täglich 50 Tropfen ein, Kinder und Säuglinge, je nach Alter, dreimal täglich 10–30 Tropfen.

## Ü6 Sammeln Sie Informationen

| | Medikament | Form | Indikation | Dosierung |
|---|---|---|---|---|
| ① | Akosan | Saft | Grippe/Fieber | Erwachsene + Kinder: 1 mal 1 Eßlöffel, dann 1 Teelöffel pro Std. |
| ② | | | | |

## Ü7 Schreiben Sie Gespräche

Beispiel: o Ich habe Husten. • Hier, nimm das, das ist gut gegen Husten.
o Und wie oft? • Dreimal täglich eine Tablette.

4 **Ü 8 Ordnen Sie zu (benutzen Sie ein Lexikon)**



**Ü 9 Schreiben Sie bitte**

*Nummer 1: Das ist eine Lampe. – Nummer 2:*

**Ü 10 Ergänzen Sie**

Vater ①___ Mutter ②___ nicht ③___ Hause. Maria, Nikolaus ④___ Alexander ⑤___ ⑥___ Operation. Nikolaus ⑦___ Chefarzt, Alexander ⑧___ Assistent, Maria ⑨___ Krankenschwester.

⑩___ Sofa ⑪___ krank. ⑫___ stöhnt laut. Maria ⑬___ ⑭___ Messer, ⑮___ Schere ⑯___ Wäscheklammern. ⑰___ Operation ⑱___ an: Nikolaus ⑲___ ⑳___ Bauch auf. Da ㉑___ alles krank ㉒___ kaputt. Alexander hält ㉓___ Wunde ㉔___. Maria ㉕___ ㉖___ Spiralen raus ㉗___ wirft ㉘___ ㉙___. Dann holt ㉚___ ㉛___ Kissen. Nikolaus näht ㉜___ Sofa wieder ㉝___.

㉞___ Operation ㉟___ fertig. Alexander ㊱___ ㊲___ Wunde ㊳___. ㊴___ Sofa ㊵___ nicht mehr. Alle ㊶___ zufrieden.

*Vater und Mutter sind nicht zu Hause.*

**Ü 11 Schreiben Sie Sätze und machen Sie einen Text** 

5

Milchgeschäft Wilhelm Etzin, Lausitzer Straße 38, Berlin-Kreuzberg

Wilhelm Etzin
Er
Herr und Frau Etzin
Sie
Das Milchgeschäft
Das Geschäft
Es
Die Miete
Ein Glas Milch
Das

**war –**

**hatt –**

1908
im Keller
billig
kühl im Keller/Souterrain
der Besitzer
in Berlin-Kreuzberg
eine Frau und zwei Kinder
noch keinen Kühlschrank
Milch und Sahne, Brot und Butter
damals nicht teuer

Das Milchgeschäft war in Berlin-Kreuzberg.

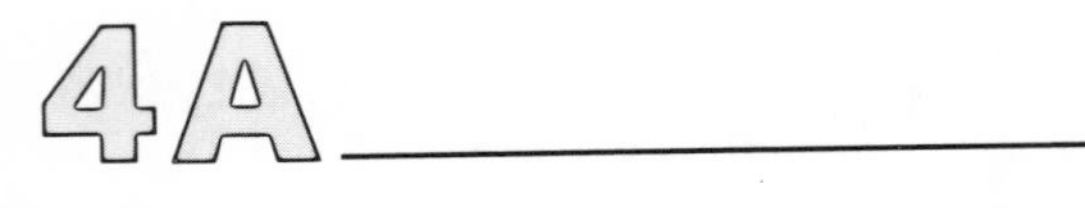

## 6 Ü 12 Hören Sie den Text und ergänzen Sie

1. Früher hatte ich keine ________.
   Ich hatte ________, ein ________, ________ tolles ________, ein ________, eine Villa.
   Ich ________ verheiratet, und ich ________ Kinder, und ________, ja, ich ________ ________, 'ne Menge ________, hm.
   Aber ich hatte ________ Zeit. Nie ________ ________ Zeit.

2. Ich war ________.
   Ich hatte 'ne Menge ________. Ich war ________ ________. Und ich hatte viele ________.
   Überall. In ________, ________, in ________ und Hollywood.

3. Ja, und dann - dann war ich ________.
   Ha, ja, da hatte ich ________. Ich hatte ein dickes ________ und ________ ________.

4. Aber dann hatte ich ________!

5. Jetzt, jetzt hab' ich ________ ________ mehr. Meine ________ ist weg, mein ________ ist weg, meine ________ ist ________ weg, ________ ist weg. So ist ________ eben.
   Jetzt hab' ich ________ mehr. Ich bin ________.
   Aber ich hab' 'ne ________ ________.

**Ü 13 Bilder – Wörter: Ordnen Sie zu**

Kaiserreich
Industrie
Bayern
Rhein
SA
BMW
München
Nazis
Berge
Folklore

Großstadt
Tierliebe
Polizei
Niederlage
Tennis
Alpen
Mercedes
Sieg
Hitler
2. Weltkrieg
Sport
Wirtschaftswunder
Automobile
Schäferhund
Preußen

**Ü1** Was ist das? 

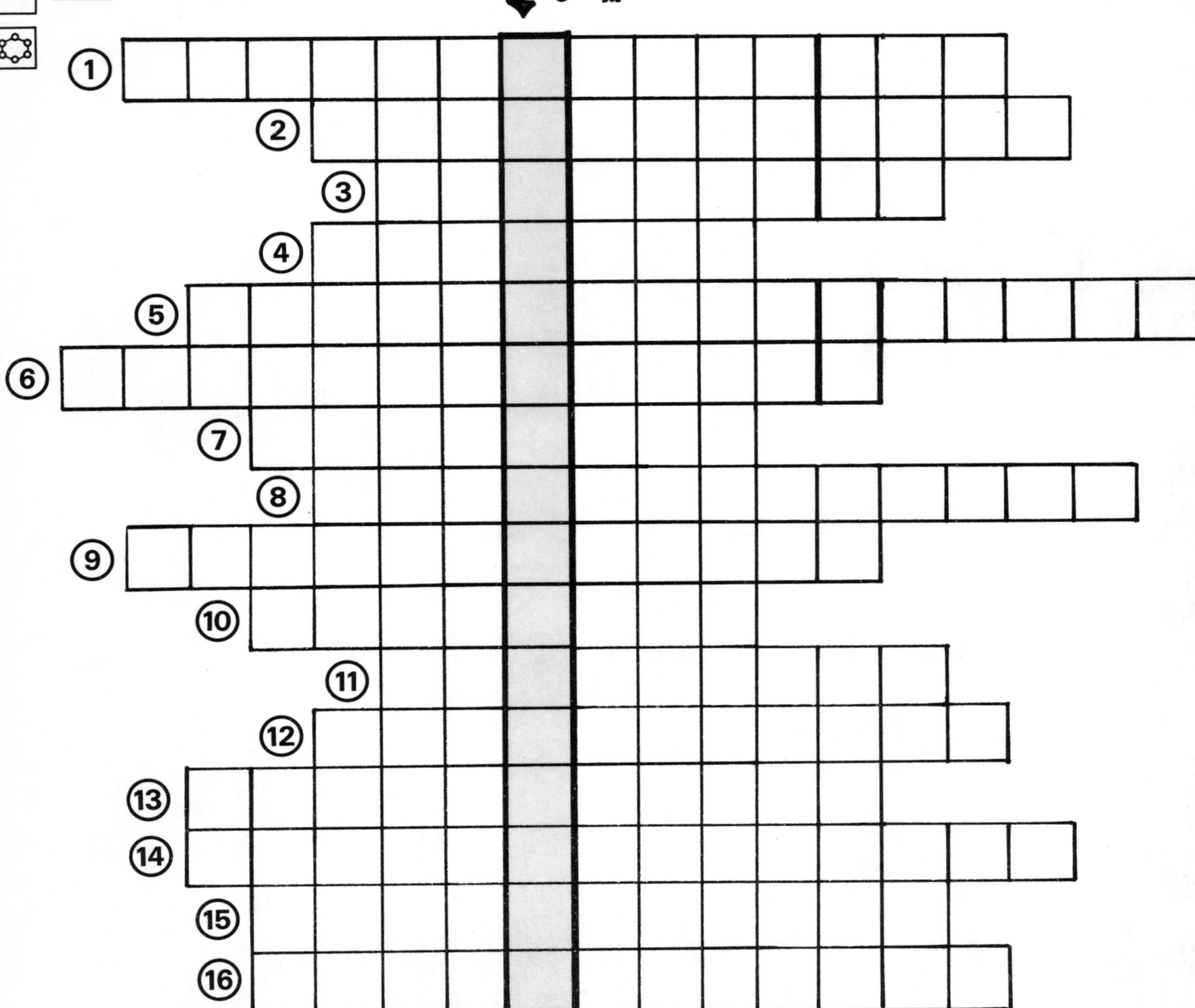

ä = ae, ö = oe, ü = ue

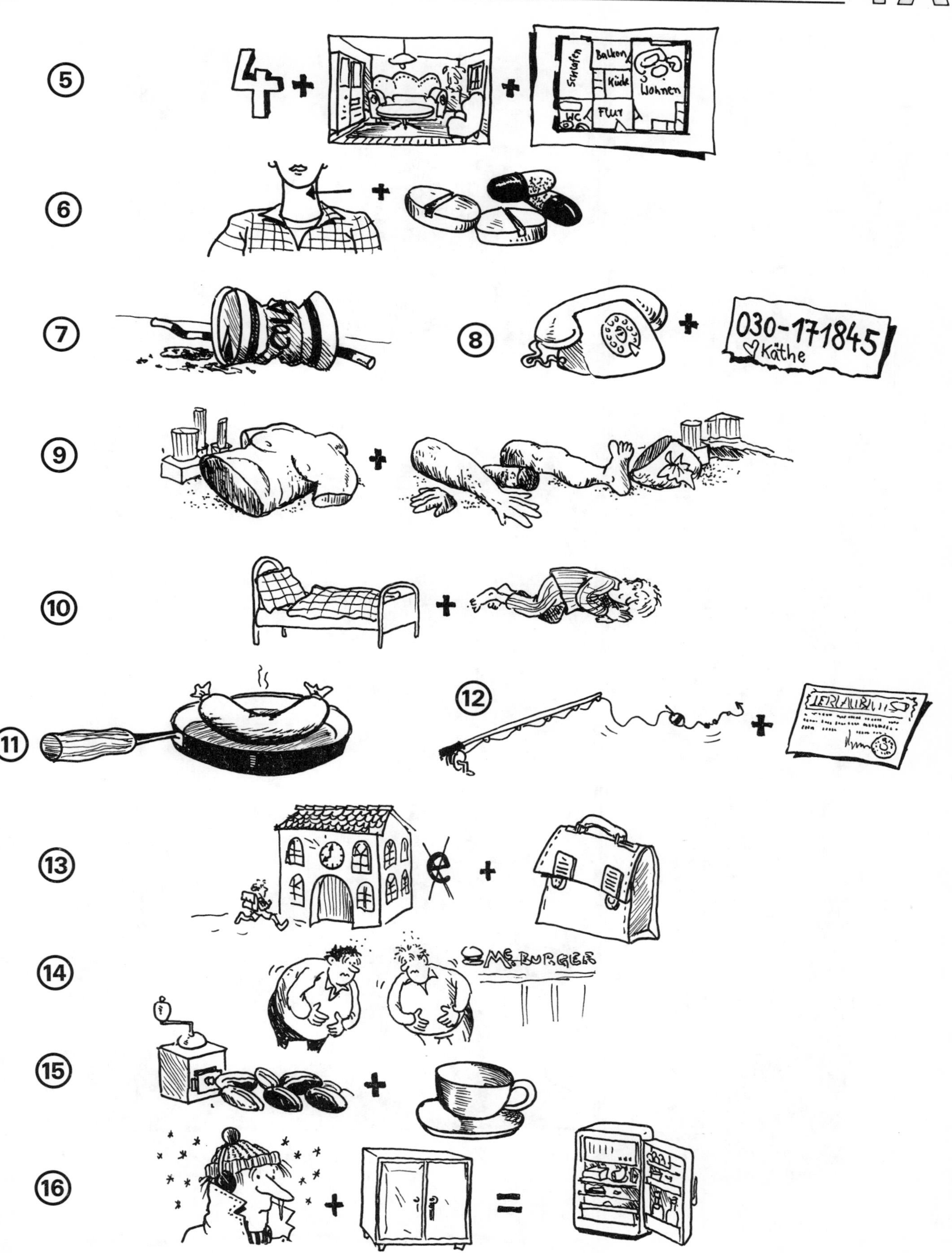

5
Schlafen
Balkon
Küche
Wohnen
WC
Flur
6
7
8
030-171845
Käthe
9
10
11
12
13
14
McBURGER
15
16

# 4B

**1** **Ü1** **Wie viele Körperteile sehen Sie?**

Fernand Léger
*Die Tänzerinnen mit den Vögeln*, 1953
Öl auf Leinwand, 130 x 89 cm; Oslo, Sammlung Sonja Henie

## Ü 2 Wie heißt der Plural?

maskulinum: der

der Arbeiter, der Arm
der Arzt, der Ausweis
der Brief, der Bruder
der Clown, der Computer
der Deutschkurs
der Diplomat
der Finger, der Fisch
der Freund, der Füller
der Fuß

der Gast
der Hals, der Hamburger
der Junge
der Kopf, der Kuli
der Lehrer
der Mann
der Mensch
der Monat, der Motor

der Name
der Paß, der Polizist
der Radiergummi
der Schmerz, der Schrank
der Star, der Stuhl
der Tag, der Teilnehmer
der Termin, der Tisch
der Vater, der Vorname

femininum: die

die Adresse
die Dose
die Fahrkarte
die Flasche
die Frau
die Hand
die Idee
die Information

die Konferenz
die Lampe, die Lippe
die Mutter
die Nase, die Nummer
die Olive
die Party
die Schwester
die Stadt, die Straße

die Stunde, die Suppe
die Tablette, die Tasche
die Tasse
die Tomate
die Uhr
die Wohnung
die Zahl, die Zehe
die Zeitung

neutrum: das

das Auge, das Auto
das Baby, das Bein
das Bild, das Brot
das Buch
das Ei, das Essen
das Foto

das Glas
das Haus, das Heft
das Jahr
das Kännchen, das Kind
das Land
das Mädchen

das Ohr
das Radio
das Spiel
das Steak
das Wort
das Zimmer

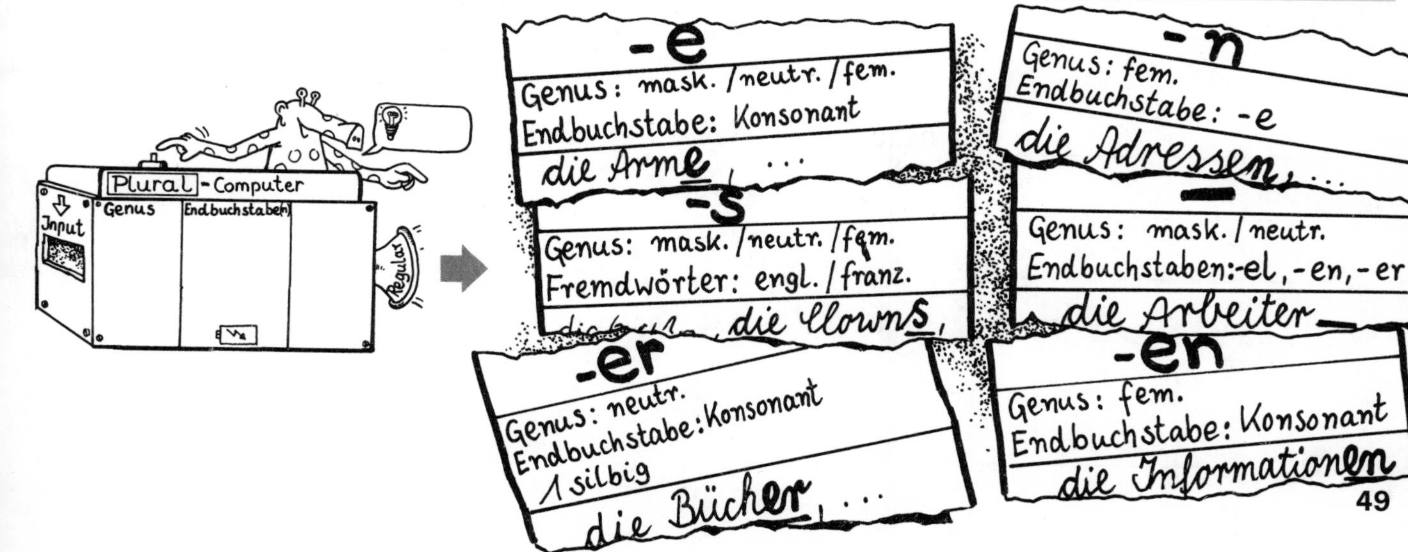

## 2 Ü 3 Lesen Sie die Wörter laut und sortieren Sie

ánfangen éinkaufen beschréiben áufhören ánrufen verdíenen áussehen áufhalten ráusziehen wéitergehen áufschneiden verstéhen ergänzen éinladen zúnähen mítbringen wégwerfen bezáhlen benútzen áufschreiben zúkleben

Trennbare Verben: án/fangen

Nicht trennbare Verben: beschréiben

## Ü 4 Ergänzen Sie bitte Wörter aus Ü 3

1. Wann _____________ der Deutschkurs _____?
2. Was ________________ Frau Puente _________?
3. ______________________ Sie bitte einen Teilnehmer aus dem Deutschkurs!
4. Ich würfle nicht mehr; ich ____________ __________.
5. Wieviel _____________________ Herr Klein im Monat?
6. So ____________ ein Gefängnis _____________:
7. Sie sind mein Gast, ich ___________ Sie zum Essen _________.
8. ____________________ Sie Deutsch? - Ja, ein bißchen.
9. ____________________ Sie bitte die Sätze!
10. ____________________ Sie ein Lexikon!
11. ________________ Sie mir bitte Ihre Telefonnummer __________!

    Ich _____________ Sie morgen ________.
12. Wer _________________ die Rechnung?

**Ü 5 Ergänzen Sie bitte**

3

a) ① warst ② ________ ③ ________ ④ ________ ⑤ ________

b) Herr Schmidt hat drei Freunde. Sie gehen jeden Mittwoch in ein Gasthaus und spielen Karten. Letzten Mittwoch ________ Herr Schmidt nicht da. Er ________ krank, er ________ Grippe. Aber heute ________ er wieder da. Seine Freunde fragen ihn, wo er letzten Mittwoch ________.

**Ü 6 Gestern. – Fragen Sie bitte**

1. ________________? – Doch, ich war gestern zu Hause.
2. ________________? – Nein, ich hatte keine Zeit.
3. ________________? – Ja, ich hatte Husten.
4. ________________? – Nein, Susi war nicht da.
5. ________________? – Ja, ich war krank.
6. ________________? – Nein, ich hatte kein Fieber.
7. ________________? – Nein, ich hatte auch keine Kopfschmerzen.
8. ________________? – Nein, ich war nicht beim Arzt.

## Was sagen (fragen) Sie?

1. Sie sagen Ihren Namen, Ihre Adresse und Ihre Telefonnummer.
2. Ein Mann sagt: "Mein Name ist Abr--." – Sie verstehen den Namen nicht.
3. Herr Müller fragt Sie: "Trinken Sie auch ein Bier?" – Sie möchten lieber Mineralwasser.
4. Frau Puente fragt Sie:
   a) "Woher kommen Sie?"
   b) "Sprechen Sie auch Englisch?"

   a) ______
   b) ______
5. Goethe-Institut München, Zentrale: Telefon: ...../.................? Sie rufen die Auskunft an.
6. Eine Frau fragt Sie: "Sind Sie Lehrer(in)?" – Sie sind kein(e) Lehrer(in), Sie sind .....
7. Ihr(e) Freund(in) fragt Sie: "Hast du heute Zeit?" – Sie haben keine.
8. Tomaten/Oliven DM .....? Fragen Sie!
9. Zweizimmerwohnung, 56 m²; Miete DM .....? Fragen Sie!
10. Ihr(e) Freund(in) fragt Sie: "Was essen wir heute?"
11. Der Arzt fragt Sie: "Was fehlt Ihnen denn?" (Fieber, Schmerzen, .....)
12. Der Lehrer fragt: "Wo waren Sie gestern?" (zu Hause, krank, .....)

## A Wörter: Machen Sie ein Kreuz 

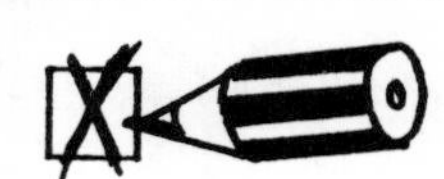

1. Wie ..... es Ihnen?
   - a trinkt
   - b ist
   - c kommt
   - d geht

2. Wo ..... Sie?
   - a kommen
   - b nehmen
   - c wohnen
   - d heißen

3. Sie ..... aber gut Deutsch!
   - a fragen
   - b sprechen
   - c hören
   - d sagen

4. Wie ..... Sie? - Fischer.
   - a sind
   - b sprechen
   - c heißen
   - d fragen

5. Wie ..... man Ihren Namen?
   - a ist
   - b möchte
   - c schreibt
   - d heißt

6. ..... Sie eine Tasse Kaffee? - Ja, gerne.
   - a Möchten
   - b Essen
   - c Kommen
   - d Heißen

7. Der Deutschkurs ..... 20 Teilnehmer.
   - a trifft
   - b ist
   - c hat
   - d schreibt

8. Was ..... das? - Eine Mark achtzig.
   - a heißt
   - b tut
   - c kostet
   - d hat

9. Dr. Müller: "Was ..... Ihnen?"
   - a geht
   - b fehlt
   - c tut
   - d möchte

10. "..... die Brust auch weh?"
    - a Tut
    - b Fehlt
    - c Hat
    - d Ist

11. "Haben Sie die ..... schon lange?" -
    - a Husten
    - b Hals
    - c Schmerzen
    - d Ohren

12. "..... ist das?" - "Frau Müller."

| | |
|---|---|
| a | Was |
| b | Wo |
| c | Wie |
| d | Wer |

## B Grammatik: Machen Sie ein Kreuz

1. Verzeihung, wie ..... Ihr Name?

| | |
|---|---|
| a | bist |
| b | sein |
| c | ist |
| d | sind |

2. Wie ..... das auf deutsch?

| | |
|---|---|
| a | heiße |
| b | heißen |
| c | heißt |
| d | heiß |

3. ..... du auch Englisch?

| | |
|---|---|
| a | Spricht |
| b | Sprichst |
| c | Sprechen |
| d | Spreche |

4. ..... Sie aus Berlin?

| | |
|---|---|
| a | Bist |
| b | Ist |
| c | Sein |
| d | Sind |

5. Das macht 5,80 DM. ..... du?

| | |
|---|---|
| a | Bezahlst |
| b | Bezahlen |
| c | Bezahlt |
| d | Kostet |

6. Herr Scoti, wo ..... Sie gestern?

| | |
|---|---|
| a | warst |
| b | waren |
| c | war |
| d | wart |

7. ..... du gestern keine Zeit?

| | |
|---|---|
| a | Haben |
| b | Hattest |
| c | Hast |
| d | Hatte |

8. Das ist ..... Füller.

| | |
|---|---|
| a | eine |
| b | einer |
| c | eines |
| d | ein |

9. Suchen Sie ..... Bleistift?

| | |
|---|---|
| a | ein |
| b | einen |
| c | eine |
| d | eines |

10. Ist das ..... Tee oder Kaffee?

| | |
|---|---|
| a | eins |
| b | --- |
| c | einer |
| d | eine |

## C Orthographie: Schreiben Sie bitte die Wörter

*Beispiel:* Guten Abe(0)! → 0 Abend

○ Gu(1)en Abend, Herr Santos! Wie g(2)t es Ihnen?

● Gan(3) gu....., danke! Und wie g.....t es Ihnen, Herr Klein?

○ Au(4)h gu....., danke. Das is(5) Frau Bührle aus München.

● Fre(6)t mich, Frau B--? Verzeihung, wie schr(7)bt man das?

○○ B-ü-h-r-l-e.

● Noch einm(8)l, bitte!

○○ B-ü-h-r-l-e. Sind Sie aus Fran(9)reich, Herr Santos?

● Nein, aus Bra(10)ilien. Was (11)rinken Sie?

○○ Cola.

○ Ich ne(12)me l(13)ber ein Bier.

○○ Spre(14)chen Sie auch Franz(15)sisch?

● Nein, l(16)ider nicht. Aber ich spre.....e Englis(17)

○○ Woher in Brasilien sin(18) Sie?

● Aus Rio.

| | |
|---|---|
| 0 | Abend |
| 1 | |
| 2 | |
| 3 | |
| 4 | |
| 5 | |
| 6 | |
| 7 | |
| 8 | |
| 9 | |
| 10 | |
| 11 | |
| 12 | |
| 13 | |
| 14 | |
| 15 | |
| 16 | |
| 17 | |
| 18 | |

## D Lesen – Machen Sie ein Kreuz: richtig ☒ oder falsch ☒ ?

Das Picknick

Familie Bauer und Familie Scoti machen Picknick. Die Sonne scheint heute nicht, aber es ist auch nicht kalt. Frau Bauer macht das Essen. Sie hat Wurst und Käse, Eier, Butter, Milch, Cola und Mineralwasser. "Ich möchte ein Bier!" sagt Herr Bauer. Herr Scoti möchte auch ein Bier. "Bier habe ich nicht", antwortet Frau Bauer. "Aber hier ist Cola und Milch." Herr Scoti trinkt ein Glas Cola und ißt fünf Eier. Nach dem Essen gehen Herr Bauer und Herr Scoti angeln. Frau Scoti hört Radio, Frau Bauer schläft.

Herr Scoti kommt zurück. Er hat Bauchweh! "Das waren die fünf Eier und die Cola!" sagt Frau Scoti. "Hier, trink ein Glas Mineralwasser!" – "Nein, nein!" ruft Herr Scoti. Er hat Schmerzen. Er möchte nach Hause.

| | richtig | falsch |
|---|---|---|
| 1. Die Sonne scheint. | | |
| 2. Frau Bauer macht das Essen. | | |
| 3. Sie essen Hamburger | | |
| 4. Herr Scoti und Herr Bauer trinken Bier. | | |
| 5. Herr Scoti ißt ein Ei. | | |
| 6. Frau Scoti schläft. | | |
| 7. Herr Scoti und Herr Bauer gehen angeln. | | |
| 8. Herr Bauer hat Bauchweh. | | |
| 9. Herr Scoti trinkt Mineralwasser. | | |
| 10. Herr Scoti möchte wieder angeln gehen. | | |

## E Sprechen: Was sagen Sie? – Machen Sie ein Kreuz ☒

1. Sie verstehen einen Namen nicht:
   - a Mein Name ist Braun.
   - b Verzeihung, wie ist Ihr Name?
   - c Karlsson.
   - d Guten Tag, Herr Karlsson.

2. Herr Braun sagt: "Woher kommen Sie?" – Sie antworten:
   - a Er ist aus Brasilien.
   - b Ich spreche Englisch.
   - c Sie kommt aus Schweden.
   - d Ich komme aus (Japan, den USA, der Türkei .....).

3. Sie stellen Herrn Conrad vor:
   - a Das ist Herr Conrad.
   - b Hallo, Herr Conrad!
   - c Verzeihung, wie ist Ihr Name?
   - d Wie geht es Ihnen, Herr Conrad?

4. "Möchten Sie eine Tasse Tee?"
   - a Das geht nicht.
   - b Das ist zuviel.
   - c Nein, vielen Dank.
   - d Nein, das ist zu teuer.

5. Dr. Kroll: "Haben Sie Schmerzen?"
   - a Ja, sie ist krank.
   - b Ja, mein Hals tut weh.
   - c Ja, prima.
   - d Ja, das ist eine Entzündung.

## F Schreiben: Eine Bildergeschichte. Schreiben Sie zu jedem Bild zwei Sätze

## Tageszeit und Uhrzeit

**1**

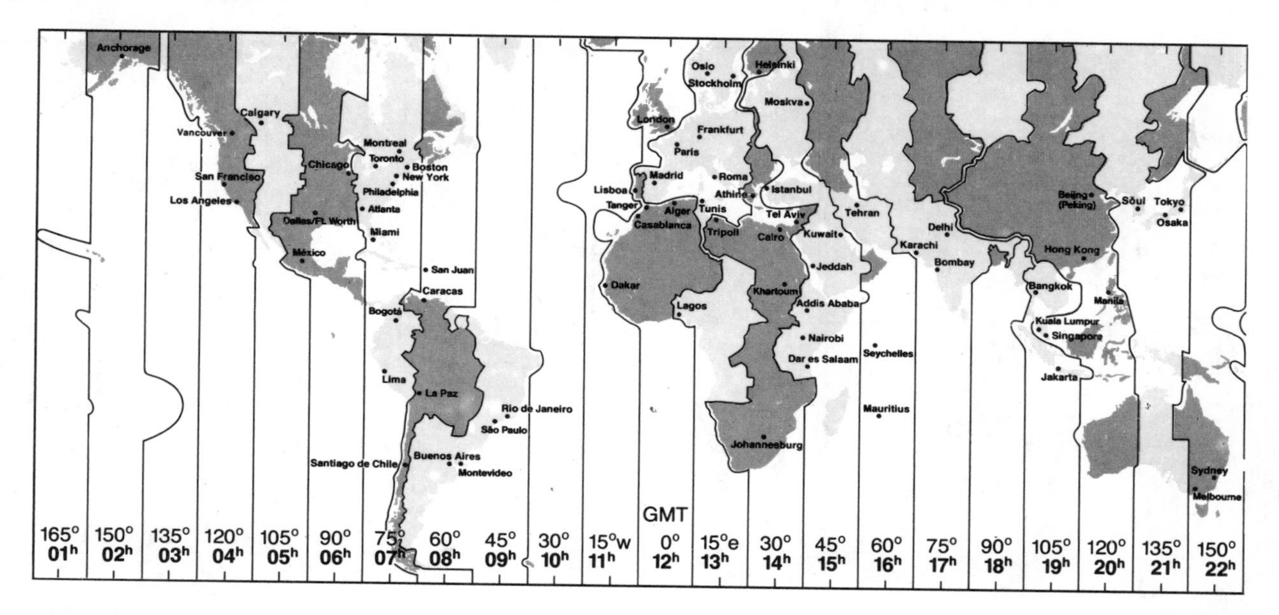


„Morgen" = ca. 5.00– 9.00 Uhr
„Vormittag" = ca. 9.00–12.00 Uhr
„Mittag" = ca. 12.00–14.00 Uhr
„Nachmittag" = ca. 14.00–18.00 Uhr
„Abend" = ca. 18.00–22.00 Uhr
„Nacht" = ca. 22.00– 5.00 Uhr

### Ü 1 Lesen Sie bitte

In Frankfurt, Paris und Rom ist es jetzt Mittag, 13 Uhr. Aber in Tokyo ist es schon Abend, 21 Uhr. In Rio de Janeiro ist es jetzt erst 9 Uhr am Vormittag. In New York ist es gerade Morgen, 7 Uhr. In San Francisco und Los Angeles ist es noch Nacht, 4 Uhr.

### Ü 2 Wo ist es jetzt Morgen/Mittag/Abend?

Schreiben Sie die Städte und sprechen Sie nach folgendem Beispiel:
"In Mexico City ist es jetzt Morgen." - "Wieviel Uhr?" - "6 Uhr."

| Morgen | Mittag | Abend |
|---|---|---|
| Mexico City | Madrid | Bangkok |
| ..... | ..... | ... |

### Ü 3 Sprechen und schreiben Sie 

"Der Zeitunterschied zwischen Tokyo und Frankfurt ist acht Stunden."

Peking - Teheran / Lima - Casablanca / Oslo - Bangkok / Montreal - Istanbul / .....

### Ü 4 Sprechen und schreiben Sie 

"In Frankfurt ist es Morgen, 5 Uhr. Dann ist es in New York Nacht, 23 Uhr."

Rom - 20 Uhr - Sydney / Stockholm - 15 Uhr - Peking / Paris - 2 Uhr - Buenos Aires / Montreal - 8 Uhr - Madrid / .....

**2** Ü 5 **Schreiben Sie einen Dialog: Wann treffen wir uns?**

## Ü 6 Hören Sie noch einmal die Texte an und ergänzen Sie

a) Durchsagen am Flughafen

Ausland International
Abflug / Departures

1. ________ British Airways ______ ________,
   Flugsteig A ______.
2. ________ Condor ______ ______ Palma de Mallorca und Ibiza, ______ ________.
3. Abflug ________ ______ _____ Athen, ________ ________.
4. _____ Hopier, Passagier ______ ______, ______ zum Lufthansa-Flugscheinschalter ________ _____.
5. Letzter ________ Lufthansa _____ ____ ______, ________ ____.

b) Durchsagen am Bahnhof

DEPARTURES ABFAHRTEN DEPARTS

| ZEIT | | ZUGLAUF | | ZIEL | GLEIS | HINWEIS |
|---|---|---|---|---|---|---|
| 15 22 | FD | Rosenh Freilassing | | BERCHTESGADEN | 15 | ca. 30 Min später |
| 15 32 | D | Holzkirchen | | TEGERNSEE/LENGGR | 25 | ca. 10 Min später |
| 15 52 | IC | Augsburg Stuttgart | Mannheim Frankfurt | KASSEL | 13 | |
| 15 55 | S | | | DEISENHOFEN | 35 | |
| 15 56 | E | Pfaffenh Wolnzach | | INGOLSTADT NORD | 33 | |
| 15 57 | IC | Augsburg Würzburg | Frankfurt/✈ Köln | DORTMUND | 22 | |
| 16 00 | E | Tutzing Weilheim | Murnau Garmisch-P | MITTENWALD | 29 | |
| 16 01 | E | Buchloe | | MEMMINGEN | 17 | |

| ZEIT | | ZUGLAUF | | ZIEL | GLEIS |
|---|---|---|---|---|---|
| 16 04 | | | | LOURDES | 14 |
| 16 04 | N | Pfaffenh Wolnzach | | INGOLSTADT | 32 |
| 16 05 | N | Markt Schwaben | | MUEHLDORF | 9 |
| 16 07 | N | Freising | | LANDSHUT/BAY | 23 |
| 16 10 | IC | Kempten Lindau | Bregenz St Gallen | ZUERICH | 20 |
| 16 10 | E | Holzkirchen | | BAYRISCHZELL | 36 |
| 16 15 | | | | | |

1. Am ______ _____ bitte ________, ________ schließen, Vorsicht bei der ________.
2. ____ Gleis _____ ________ ____ der Schnellzug 892 _____ Salzburg zur Weiterfahrt _____ Karlsruhe. ________ _____ Uhr ______.
3. ________, ______ private Durchsage: Werner _____ Dieter Steiner, ________ und ________ Steiner, möchten _____ zum Kundendienst der ______________ am ______ ________ ________.
4. ______ ________ ______ ______ ______ der Intercity ____ "Ernst Barlach" aus Hamburg-Altona. Ankunft ______ ______ ________.
5. ____ ______ ____ ______ in Kürze _____ _____ verspätete Fernexpreß _____ "Berchtesgadener Land" ____ Dortmund zur ________ ______ Berchtesgaden, mit ________ ______ Salzburg. .....

**4** o

**Ü7 "Richtig" (r) oder "falsch" (f)?**
**Lesen Sie noch einmal den Text (→ Lehrbuch, 5A4) und kreuzen Sie an!**

| | r | f |
|---|---|---|
| 1. In Frankfurt ist jedes Jahr die Internationale Buchmesse. | X | |
| 2. 10.000 Menschen kommen in die Stadt. | | |
| 3. Brigitte Weiß möchte auch zur Buchmesse. | | |
| 4. Sie ruft ein Hotel an. | | |
| 5. Sie möchte ein Hotelzimmer in Kelkheim. | | |
| 6. Sie braucht das Zimmer nur für eine Nacht. | | |
| 7. Sie kann nur noch ein Privatzimmer in Kelkheim bekommen. | | |
| 8. Von Kelkheim bis nach Frankfurt (City) sind es nur 15 Kilometer. | | |
| 9. Sie kann mit dem Bus fahren. | | |
| 10. Die Telefonnummer ist: null - sechs - eins - neun - fünf - acht - neun - null - drei. | | |

o 

**Ü8**

**"Kommt ihr mit nach Frankfurt zur Buchmesse?"**
**Ergänzen Sie das Gespräch**

o .....

• Hallo, Sabine, hier ________ Elke. Wir ______________ nächste Woche ______ Frankfurt zur Buchmesse. ________ ihr ________?

o Vielleicht. ___________ fahrt___________ denn genau?

• Am Dienstagvormittag, ________ 8 ________.

o Und ______ _______________ ihr zurück?

• Das wissen _______ noch nicht genau; vielleicht am Donnerstag oder ____ Freitag.

o Wir ________________ nur Zeit bis Donnerstag.

• Gut, dann bleiben wir auch nur bis ______________________.

o __________ ihr schon ein _____________?

• Nein, aber ich ______ gleich die Touristen-Zentrale in ______________ __________. Dann rufe _________ dich wieder ________.

o Gut, danke schön, bis dann!

• Bis dann. Tschüs!

## Ü 9 Schreiben Sie das Datum, bitte.

Beispiel:

1.1.1987: (1) Heute ist der erste Januar neunzehnhundertsiebenundachtzig.

(2) Heute haben wir den ersten Januar neunzehnhundertsiebenundachtzig.

11.12.1996; 13.3.1989; 31.8.1988; 20.6.1989; 17.2.1992; 16.9.1987; 3.5.1989; 8.10.1990; 25.4.1993; 7.7.1991; 12.11.1994; 31.12.1999

## Ü 10 Beantworten Sie bitte die Fragen

1. In Nordrhein-Westfalen
...

| Schulferien | Ostern | Pfingst. | Sommer | Herbst | Weihnacht. |
|---|---|---|---|---|---|
| Baden-Württemberg | 1.4.–12.4. | 28.5.–31.5. | 25.7.– 7.9. | 28.10.–30.10. | 23.12.–13.1. |
| Bayern | 1.4.–13.4. | 28.5.– 8.6. | 1.8.–16.9. | — | 23.12.–11.1. |
| Berlin | 23.3.–13.4. | 25.5.–28.5. | 18.7.–31.8. | 26.10.– 2.11. | 23.12.– 6.1. |
| Bremen | 28.3.–15.4. | 28.5.–29.5. | 18.7.–31.8. | 28.10.– 2.11. | 23.12.– 4.1. |
| Hamburg | 4.3.–16.3.* | 17.5.–27.5. | 15.7.–24.8. | 21.10.–26.10. | 23.12.– 4.1. |
| Hessen | 25.3.–13.4. | 28.5. | 11.7.–21.8. | 7.10.–12.10. | 21.12.–11.1. |
| Niedersachsen | 23.3.–13.4. | 25.5.–28.5. | 18.7.–28.8. | 23.10.– 2.11. | 21.12.– 6.1. |
| Nordrhein-Westfalen | 23.3.–13.4. | — | 18.6.– 3.8. | 7.10.–12.10. | 21.12.– 6.1. |
| Rheinland-Pfalz | 1.4.–19.4. | 25.5.–28.5. | 4.7.–14.8. | 21.10.–26.10. | 23.12.– 8.1. |
| Saarland | 25.3.–15.4. | — | 4.7.–17.8. | 26.10.– 2.11. | 21.12.– 4.1. |
| Schleswig-Holstein | 27.3.–13.4. | — | 11.7.–21.8. | 14.10.–26.10. | 23.12.– 8.1. |

Jeweils **erster** und **letzter** Ferientag — *Frühjahrsferien — Stand April — Ohne Gewähr

1. Wann haben die Kinder in Nordrhein-Westfalen Schulferien?
2. Wo beginnen die Weihnachtsferien am dreiundzwanzigsten Dezember?
3. Wo dauern die Osterferien bis zum dreizehnten April?
4. Wie viele Tage Osterferien haben die Kinder a) in Bayern, b) in Berlin, c) in Hessen, d) in Rheinland-Pfalz, e) in Schleswig-Holstein?
5. Von wann bis wann dauern die Sommerferien a) in Baden-Württemberg, b) in Hamburg, c) in Niedersachsen, d) im Saarland?
6. Wann / Von wann bis wann / Wie lange haben die Kinder in Ihrem Land Ferien?

## Ü 11 Wann ist Teddy Panther wo? Hören Sie noch einmal die Radio-Ansage und ergänzen Sie die Städte und das Datum

"Das ist die Stimme von Teddy Panther. Der Sänger macht im April eine Tournee durch die Bundesrepublik. Hier die Stationen: Sein erstes Konzert ist am ________ in ________ in der Ostseehalle. Am ________ tritt er in ________ auf. Und weiter geht's: Am ________ in ________, am ________ und ________ in ________, am ________ in ________. Vom ________ bis ________ gastiert Teddy Panther in ________. Am ________ in ________, und am ________ und ________ das Finale in ________, in der Olympiahalle."

# 6 "Hier Praxis Dr. Huber."

## Ü 12 Was sagt Herr Pasolini? Hören und schreiben Sie bitte

Hier Praxis Dr. Huber, guten Tag!

Guten Tag, mein Name ist Pasolini. Ich habe Zahnschmerzen. Haben Sie einen Termin für mich? Möglichst bald!

Am Dienstag, den dreiundzwanzigsten, um 8 Uhr.

Am Freitag, den zwölften Februar. Um zwölf Uhr fünfzehn ist noch ein Termin frei.

Nein, das geht leider nicht. Freitagnachmittag ist die Praxis geschlossen.

Ja, zwölf Uhr fünfzehn. – Verzeihung, wie ist Ihr Name?

## Ü 13 Frau Petersen ruft an. Hören Sie das Gespräch und ergänzen Sie bitte

o Hier Praxis Dr. Huber, guten Tag!

• Guten Tag, ________ ________ Petersen.
Ich ________ einen ________ für ________ nachmittag.

o Ja, ________, ________ Uhr ________.

• Ja, richtig. ________ das ________ leider ________. Meine Tochter ist ...
________ Sie ________ nachmittag einen ________ ________?

o Morgen ist ________. Da ist ________ ________. Aber Donnerstagvormittag ...

• ________ Vormittag ________ ich leider ________. ________ es ________ ________ ________?

o ________ Uhr?

• Ja, ________ ________ ________.

o ________ ________ ________, ________, 17 ________.

• ________ Dank, auf Wiederhören!

o Wiederhören.

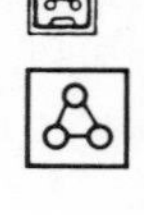

## Ü 14 Herr Bamberg ruft an. Hören Sie das Gespräch und beantworten Sie die Fragen

1. Wie heißt Herr Bamberg mit Vornamen?
2. Warum ruft Herr Bamberg an?
3. Was möchte Herr Bamberg?
4. War Herr Bamberg schon einmal bei Dr. Huber?
5. Warum hat Herr Bamberg keine Zeit?
6. Wann möchte Herr Bamberg zu Dr. Huber kommen?
7. Was sagt die Sprechstundenhilfe?
8. Kommt Herr Bamberg heute zu Dr. Huber, oder kommt er nicht?

## Ü 15 Herr Riad hat "Fieber". – Ergänzen Sie bitte

Herr Riad hat am 30. Juli Examen. Heute ist Montag, der 29. Juli. Herr Riad ________ Angst. Sein Kopf tut weh. "Ich habe ____________________!" sagt Herr Riad. Er ____________ den Arzt an. Er ____________________ einen Termin. Die ____________________ sucht einen Termin. "____________________ Sie das Fieber schon ______________?" fragt die Sprechstundenhilfe. "Nein, erst seit ____________ früh", antwortet Herr Riad. "Gut, dann ____________ Sie bitte morgen, 10 Uhr!" – "Nein, das __________ nicht! Ich ________ heute noch kommen!" ruft Herr Riad. "Ich habe sehr _______ Schmerzen!" – Die Sprechstundenhilfe sagt: "Moment mal, also dann heute, __________________, 17 Uhr 30." – "Vielen ____________", sagt Herr Riad.

## Ü 16 Verstehen Sie das? Ganz einfach! – Ergänzen Sie bitte

Heute ist heute heute.
Heute ist gestern gestern.
Heute ist morgen morgen.

Morgen ist heute gestern.
Morgen ist gestern *vorgestern*
Morgen ist morgen __________
Morgen ist übermorgen __________

Übermorgen ist heute __________
Übermorgen ist morgen __________
Übermorgen ist übermorgen __________

Am neunten ist der neunte heute.
Am neunten ist der achte gestern.
Am neunten ist der zehnte morgen.

Am zehnten ist der *neunte* gestern.
Am zehnten ist der __________ vorgestern.
Am zehnten ist der __________ heute.
Am zehnten ist der __________ morgen.

Am elften ist der neunte __________
Am elften ist der zehnte __________
Am elften ist der elfte __________

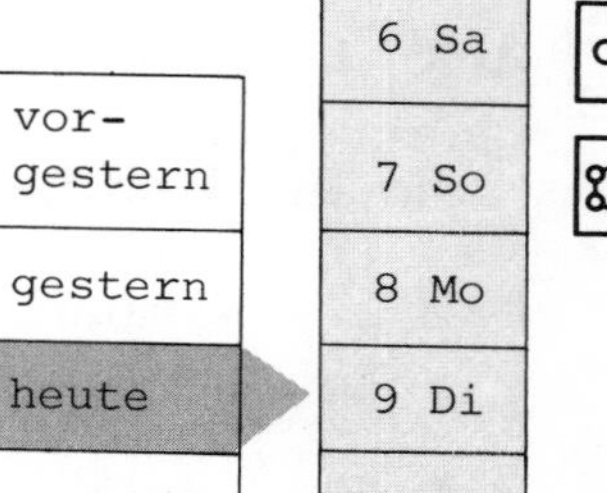


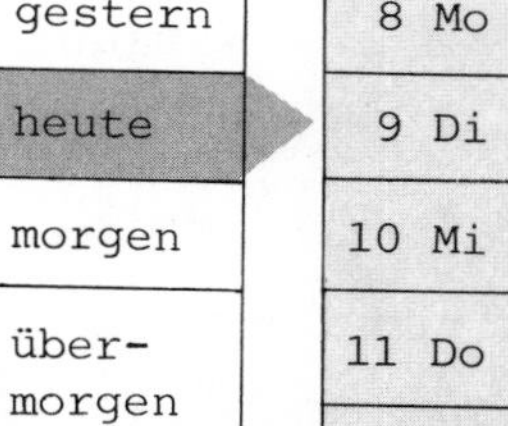

## 7 Die Autopanne

**Ü 17 Was steht im Text (→ Lehrbuch, 5A7)? Korrigieren Sie bitte**

**Was ist hier anders? Unterstreichen Sie:**

**Herr Gröner hat *ein Auto*.**

Er braucht Hilfe. Er ist nicht in Eile: Um achtzehn Uhr hat er eine Konferenz in Duisburg. Jetzt ist es kurz nach sechzehn Uhr. Herr Gröner findet eine Tankstelle, die ist noch offen. Der Meister sagt, er hilft sofort; vielleicht ist nur der Benzintank leer - das geht ziemlich schnell. Der Meister schreibt die Autonummer von Herrn Gröner auf. Dann ruft er die Polizei. Herr Gröner fährt mit seinem Auto nach Duisburg.

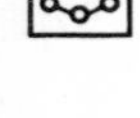

**Und was steht im Text? Schreiben Sie bitte:**

Herr Gröner hat eine Autopanne.

**Ü 18 Lesen Sie den Text. Schreiben Sie dann das Telefongespräch "Kein Bild, kein Ton, wir kommen schon."**

Es ist Samstagnachmittag, 15 Uhr. Frau Weber möchte ein Tennismatch aus Wimbledon sehen. Sie macht den Fernsehapparat an - aber der Apparat ist kaputt. Frau Weber ruft den Fernseh-Service an. Der Mann am Telefon sagt, er kann den Apparat heute nicht mehr reparieren. Er hat keine Zeit, und seine Kollegin ist krank. Aber er kann Frau Weber einen neuen Apparat bringen; das dauert höchstens dreißig Minuten. Dann kann Frau Weber das Tennismatch sehen. .....

## Ü1 Suchen Sie 27 Verben und machen Sie Sätze

| | | | | | | | | | | | | | |
|---|---|---|---|---|---|---|---|---|---|---|---|---|---|
| M | B | E | S | U | C | H | E | N | C | J | M | X | E |
| I | E | B | A | N | F | A | N | G | E | N | S | F | I |
| T | G | E | B | E | N | B | Y | D | A | U | E | R | N |
| F | I | N | D | E | N | E | P | H | R | O | G | A | S |
| A | N | R | U | F | E | N | G | R | B | F | N | G | T |
| H | N | H | S | C | H | L | A | F | E | N | E | E | E |
| R | E | G | K | U | M | S | T | E | I | G | E | N | I |
| E | N | E | O | F | E | K | O | S | T | E | N | B | G |
| N | E | H | M | E | N | A | V | S | E | H | E | N | E |
| A | Z | E | M | H | E | L | F | E | N | U | D | T | N |
| W | D | N | E | E | W | O | H | N | E | N | L | C | K |
| K | O | E | N | N | E | N | B | L | E | I | B | E | N |

Beispiel: "schlafen": *Ich kann nicht schlafen*

## Ü2 Wie heißen die Wörter? (Ergänzen Sie die Sätze)

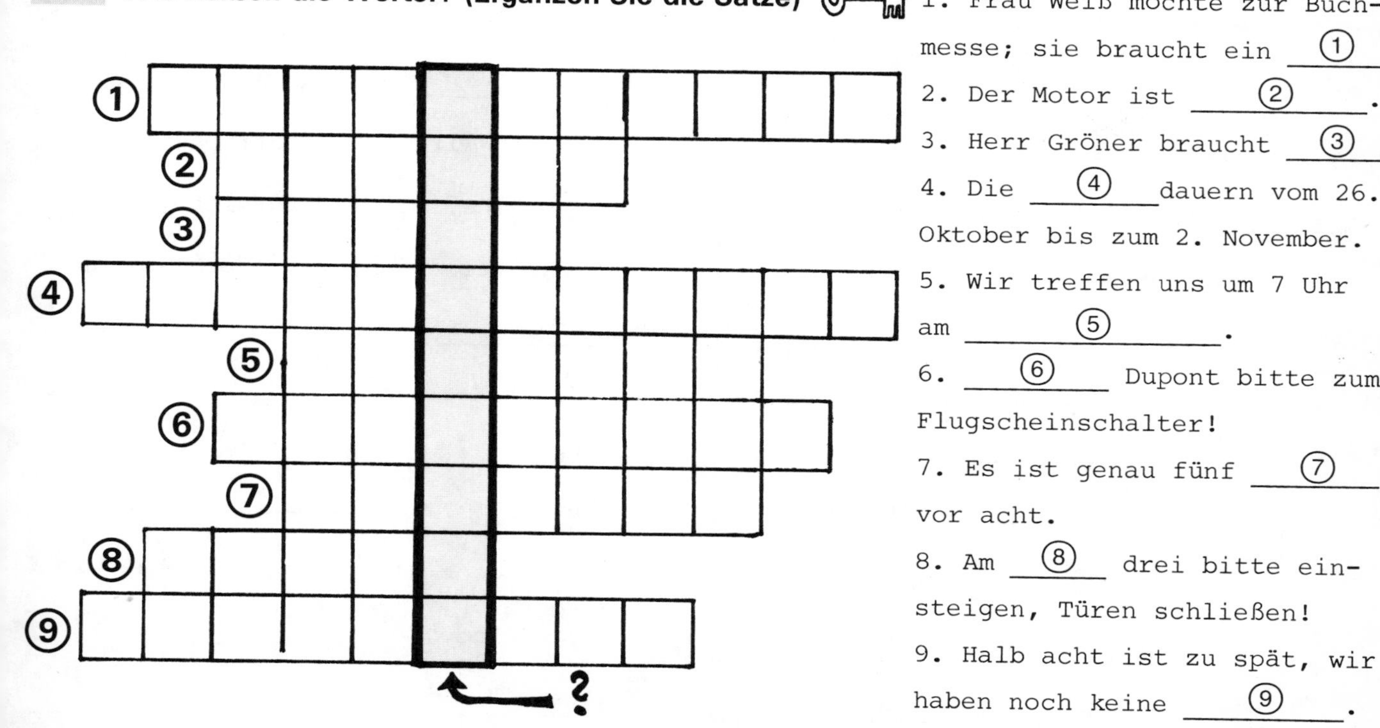

1. Frau Weiß möchte zur Buchmesse; sie braucht ein ___①___.
2. Der Motor ist ___②___.
3. Herr Gröner braucht ___③___.
4. Die ___④___ dauern vom 26. Oktober bis zum 2. November.
5. Wir treffen uns um 7 Uhr am ___⑤___.
6. ___⑥___ Dupont bitte zum Flugscheinschalter!
7. Es ist genau fünf ___⑦___ vor acht.
8. Am ___⑧___ drei bitte einsteigen, Türen schließen!
9. Halb acht ist zu spät, wir haben noch keine ___⑨___.

# 5B

## 1 Ü1 "Ich möchte..."/"Wann kann ich...?" – Ergänzen Sie bitte.

o Ich ________ morgen nach Berlin. Wann ________ ich fliegen?

● Sie ________ am Vormittag um 7 Uhr fliegen. Dann sind Sie um 8 Uhr in Berlin.

o Das ist zu früh. ________ ich auch am Mittag fliegen?

● Ja, da ________ Sie auch fliegen, um 11 Uhr 15.

o Und wann ________ ich übermorgen wieder zurückfliegen? Ich ________ am Abend wieder zu Hause sein.

● Sie ________ um 18 Uhr 35 fliegen, dann sind Sie um 19 Uhr 40 in Düsseldorf.

## Ü2 Ergänzen Sie bitte

**a)** ________

o Wir ________ in den Osterferien nach Paris fahren, kommt ihr mit?

● Wie lange ________ ihr denn bleiben?

o Vier oder fünf Tage.

● Und wann fahrt ihr los?

o Am Freitag.

● Hm. Ich rufe Gisela an, vielleicht ________ sie mitfahren; dann ________ ________ wir zusammen mit dem Auto fahren.

**b)** ________

● Hallo, Gisela! Sabine und Peter ________ ________ am Freitag nach Paris fahren ..... Ja, nach Paris ..... ________ du auch mitfahren? Ich ________ dich einladen ..... Ja, ich habe Zeit, ich ________ mitfahren ..... Du ________ wirklich nicht? Das ist aber schade. ..... Natürlich ________ ich das verstehen, ..... ach so, du ________ nach Athen. Wann denn? ..... Im Mai? Da ________ ich leider nicht. ..... Wie bitte? Das macht nichts? ..... ________ du denn ganz allein fahren, ohne mich? ..... Schade, da ________ man nichts machen. Tschüs!

**c)** ________

● Also, Gisela ________ nicht nach Paris. Sie ________ im Mai nach Athen, aber allein.

Jetzt ________ ich erst einmal einen Kognak.

**Ü3 Schreiben Sie die Sätze zu den richtigen Modellen (auf Seite 67 und 68) und fragen Sie**

2

Beispiel: Die Sprechstundenhilfe sucht einen Termin: Was sucht die Sprechstundenhilfe? - Einen Termin.

1. Herr Pasolini möchte einen Termin. 2. Ein Termin um 14 Uhr ist besser. 3. Wir kommen mit zur Buchmesse. 4. Peter Martens ist Ingenieur. 5. Der Zug fährt um 14 Uhr 30. 6. Sie besuchen ein Fußball-Länderspiel. 7. Eine Fahrkarte nach Amsterdam kostet 143 Mark. 8. Er nimmt eine Schlaftablette. 9. Die Sommerferien sind lang. 10. Sie fahren zum Oktoberfest nach München. 11. Brigitte Weiß ruft die Touristenzentrale an. 12. Sie braucht ein Hotelzimmer. 13. Wir fahren fast sechs Stunden. 14. Wilhelm Etzin war der Besitzer. 15. Alle sind zufrieden. 16. Barış Önal kommt aus der Türkei. 17. Die Sprechstundenhilfe notiert den Termin. 18. Sie weiß den Namen (nicht mehr). 19. Herr Pasolini ist krank. 20. Herr Gröner fährt (mit dem Taxi) nach Düsseldorf. 21. Die Schule beginnt erst am Montag. 22. Der 13. Juni ist der erste Ferientag. 23. Herr Gröner hat eine Autopanne. 24. Er braucht Hilfe. 25. Die Kinder sind (noch) zu klein. 26. Es ist fünf Minuten vor zwölf. 27. Herr Pasolini buchstabiert seinen Namen. 28. Deutsch ist leicht. 29. Das ist eine Entzündung. 30. Der Flug dauert zwei Stunden. 31. Frau Braun geht zu Herrn Spiros.

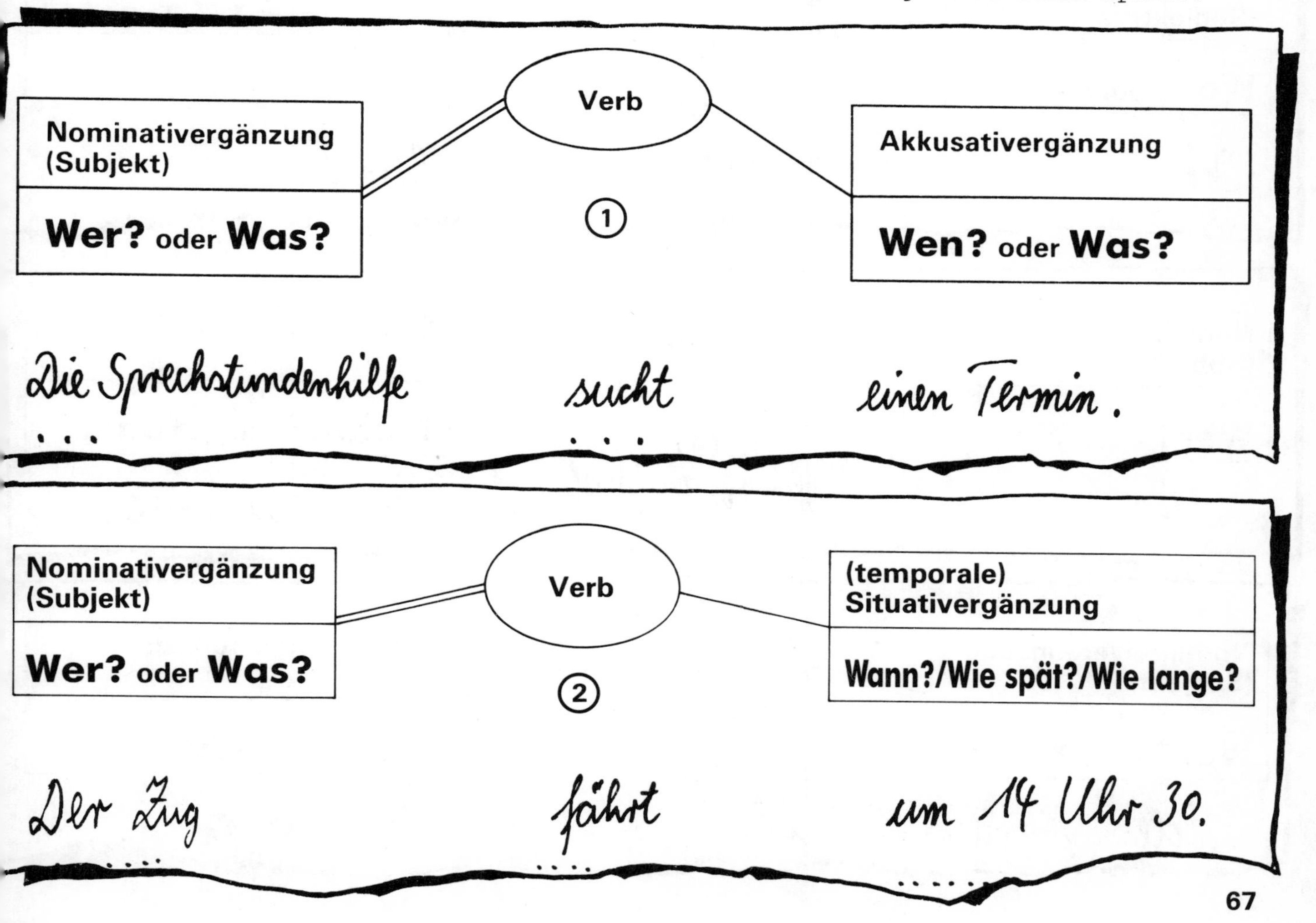

32. Der 4. August ist ein Sonntag. 33. Herr Gröner findet eine Autowerkstatt. 34. Ich war (früher) berühmt. 35. Ich war Schauspieler. 36. Peter Martens kommt aus Hamburg. 37. Der Meister schreibt Adresse und Telefonnummer von Herrn Gröner auf. 38. Dann ruft er ein Taxi. 39. In Nordrhein-Westfalen dauern die Ferien vom 18. Juni bis zum 3. August. 40. Mustafa Benhallam stammt aus Fez. 41. Ich hole den Wagen (morgen) ab. 42. Maria ist Krankenschwester. 43. Der Tag ist schön und warm. 44. Der Zug kommt um 12 Uhr 15. 45. Maria holt ein Messer. 46. Herr Fischer hat Fieber und Schmerzen. 47. Ich gehe nach Hause. 48. Die Ferien fangen (aber erst) am 1. August an; sie dauern bis zum 16. September. 49. Früher hatte ich Geld, ein Auto, ein Haus. 50. Herr Klein verdient 3.200 Mark netto. 51. Herr Dupont kommt aus Frankreich. 52. Anni Sinowatz ist Ärztin. 53. Die Miete ist sehr hoch. 54. Ich möchte eine Bratwurst und eine Flasche Bier. 55. Wir nehmen eine Portion Kaffee. 56. Barış Önal ist Arbeiter. 57. Ich habe eine Idee. 58. Herr Myers kommt aus den USA. 59. Miza Lim studiert Deutsch. 60. Sie trinkt eine Cola.

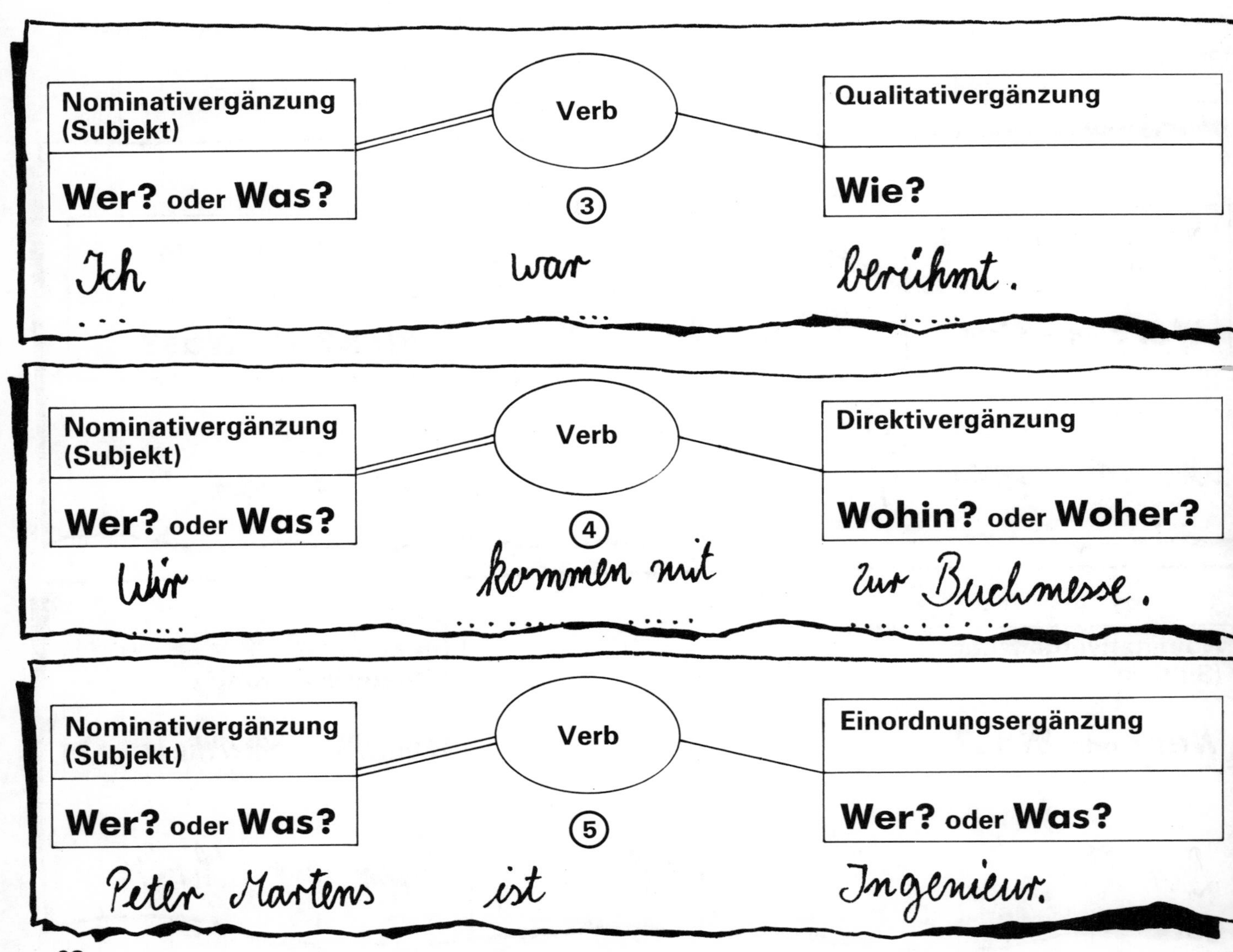

## Ü1 Dichtung und Wahrheit – korrigieren Sie Herrn Rasch

1

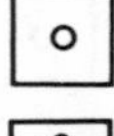

*Dichtung*  **Wahrheit**

1. Herr Rasch erzählt: "Um neun Uhr war viel Verkehr. .....

Um neun Uhr war nicht viel Verkehr. Die Straße war leer. ...
Herr Rasch

2. Ich war erst um zehn Uhr da. .....

3. Dann habe ich eine Stunde gewartet. Herr Meinke hat gerade Briefe diktiert. .....

4. Ich habe bis halb zwei mit Herrn Meinke geredet. .....

5. Dann habe ich schnell einen Hamburger geholt."

**1** **Ü 2 Schreiben Sie Geschichten zu den Bildern**

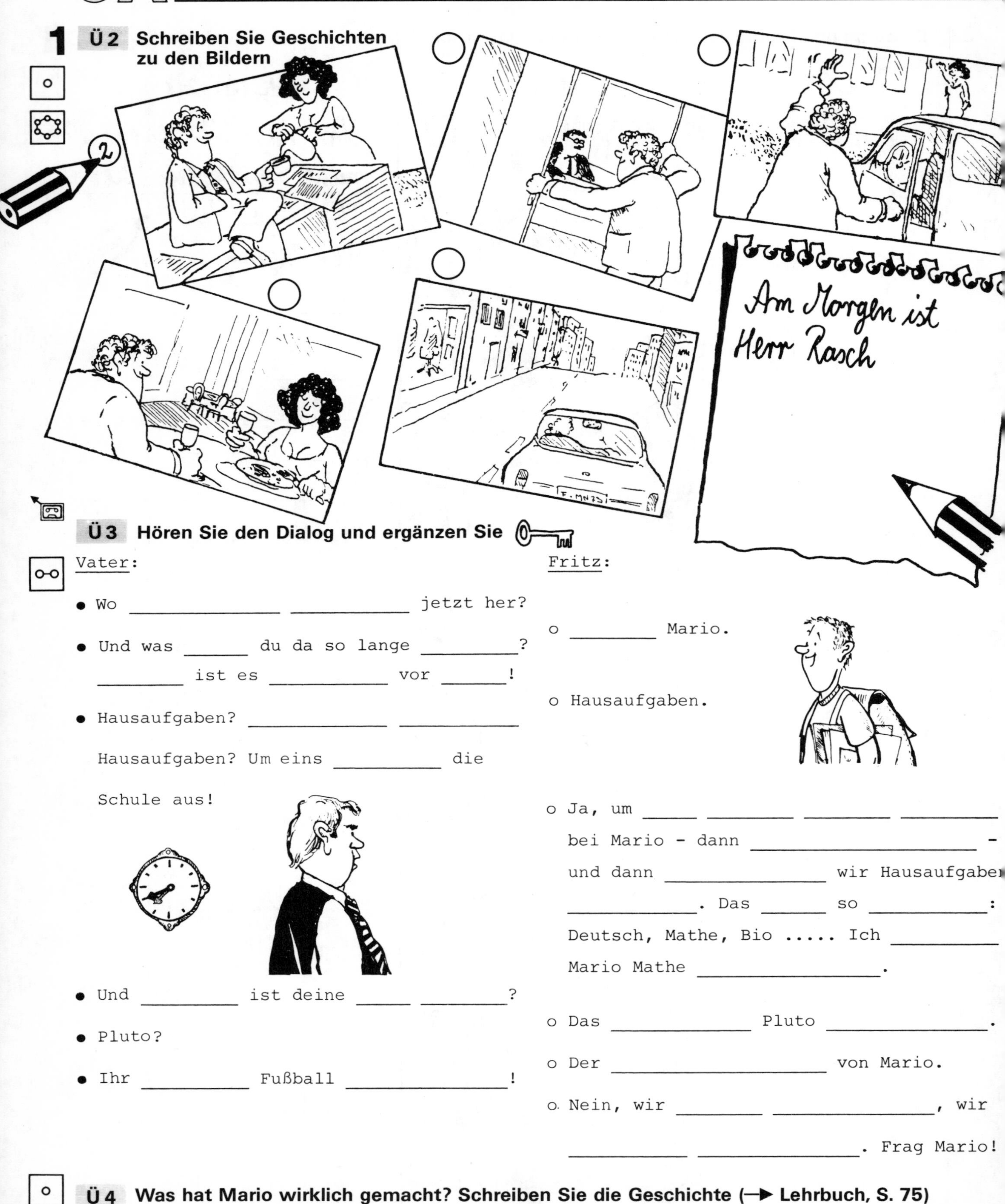


**Ü 3 Hören Sie den Dialog und ergänzen Sie**

Vater:

- Wo ______ ______ jetzt her?
- Und was ______ du da so lange ______? ______ ist es ______ vor ______!
- Hausaufgaben? ______ ______ Hausaufgaben? Um eins ______ die Schule aus!
- Und ______ ist deine ______ ______?
- Pluto?
- Ihr ______ Fußball ______!

Fritz:

o ______ Mario.

o Hausaufgaben.

o Ja, um ______ ______ ______ ______ bei Mario - dann ______ - und dann ______ wir Hausaufgabe[n] ______. Das ______ so ______: Deutsch, Mathe, Bio ..... Ich ______ Mario Mathe ______.

o Das ______ Pluto ______.

o Der ______ von Mario.

o Nein, wir ______ ______, wir ______ ______. Frag Mario!

**Ü 4 Was hat Mario wirklich gemacht? Schreiben Sie die Geschichte (→ Lehrbuch, S. 75)**

**Ü 5** **Was kostet wieviel? Hören Sie noch einmal die "Durchsagen im Supermarkt"**

2

1.29
-.99
1.49
1.49
1.99

Pepsi-Cola
1 Ltr.
THIELE TEE
Broken Spezial
Holländische
Markenbutter
Italienische
Blutorangen
Kl. II
Norwegischer
Ridderkäse
60 % Fett i. Tr.
Jacobs Kaffee
Edelmocca
Kognak
Napoleon
0,7 Ltr.
„Paulaner Hell" Bier
20 Fl. à 0,5 Ltr.
Ital. oder franz.
Blumenkohl
Kl. II
Frischmilch

1.99
8.99
12.99
13.98

**Ü 6** **"Durchsagen im Supermarkt": Ergänzen Sie bitte**

1. Verehrte Kunden! Wir ________ Ihnen ________ ____________ Sonderangebote zu ____________ ____________. Zum ____________: 500 ________ Jacobs ________ "Edelmocca" oder, ________ Teefreunde, Thiele Tee "Broken Special", ____________ 500 Gramm - ________ Packung nur ________ Mark ____________.
2. Die ________ des Südens ________ unseren ________: ____________ Blutorangen, Handelsklasse 2, 1,5 Kilogramm ______ ______ eine Mark 99! ____________Blumenkohl, ______ ____________ oder ____________ - nur ________ Mark ________ pro Stück.
3. Bei uns ____________ Sie die ________ Kraft der ________ zu Minipreisen: Frischmilch nur 99 ____________ pro ____________; Holländische Markenbutter, ________ ____________ ________ eine Mark 99! Magerer gesunder Speisequark ____________ ________ uns nur ________ ____________ der 250-Gramm-Becher. ______ ________ norwegische Spezialität: Ridderkäse mit ________ Prozent Fettgehalt gibt's ________ ________ unglaubliche eins 49 je ____________ Gramm.
4. Und abends ________ ________ durstig: ____________, die Literflasche ____________ für ________ ________, Paulaner Hell, das frische ________ für die ____________ ____________, der Kasten nur ______ ____________ ________. Und ____________ ________ ein besonderes Gläschen ____________: Kognak "Napoleon", die 0,7-Liter-Flasche zu ____________ ____________ ____________. .....

## 3 Ü 7 "Richtig" (r) oder "falsch" (f)?

**Hören und lesen Sie noch einmal die Dialoge (→ Lehrbuch, 6A3, a) und b)) und kreuzen Sie an:**

| | | r | f |
|---|---|---|---|
| 1. | Die Chefin hat vor zehn Minuten angerufen. | X | |
| 2. | Die Chefin ruft noch einmal an. | | |
| 3. | Die Chefin hat mit Maria gesprochen. | | |
| 4. | Was hat die Chefin gesagt? Maria hat es vergessen. | | |
| 5. | Maria hat vor zehn Minuten gegessen. | | |
| 6. | Emil ruft die Chefin an. | | |
| 7. | Emil hat eben angerufen. | | |
| 8. | Die Chefin glaubt, Maria hat nicht verstanden, was sie gesagt hat. | | |
| 9. | Die Firma Busch hat das Auto repariert. | | |
| 10. | Emil hat die Firma Busch angerufen. | | |
| 11. | Emil hat das Auto repariert, aber es funktioniert nicht. | | |
| 12. | Die Batterie ist kaputt. | | |
| 13. | Emil möchte das Auto morgen früh holen. | | |
| 14. | Emil holt das Auto heute noch. | | |
| 15. | Die Chefin braucht das Auto heute noch. | | |

## Ü 8 Was sagt Emil? Schreiben Sie bitte

Es ist 22 Uhr. Emil kommt ins Gasthaus. Er ist sehr müde; er hat bis 21 Uhr gearbeitet. Das Auto von Firma Busch .....

Seine Freunde fragen: "Warum kommst du denn jetzt erst? Wo warst du denn so lange?"

Emil erzählt: "Also, das war so: ...

## Ü 9 Aber die Freunde glauben die Geschichte nicht. Spielen (und schreiben) Sie das Gespräch weiter

**Ü 10** **Hören und lesen Sie noch einmal "Verloren!" und "Gefunden!" (→ Lehrbuch, 6A4/5) und beantworten Sie die Fragen:**

**4/5**

Verloren

1. Was sucht der Mann?
2. Wo sind der Mann und die Frau (überall) gewesen?
3. Was haben sie am Kiosk gemacht?
4. Wo waren sie dann? / Was haben sie dann gemacht?
5. Und dann?

Gefunden

1. Der Mann hat gesucht. Wo war er zuerst?
2. Was haben die Leute an der U-Bahn-Station gemacht?
3. Was hat der Mann im Kaufhof gemacht?
4. Wie hat er das Geld gefunden? / Wo war das Geld?

**Ü 11** **Frau Weiß überlegt...: Schreiben Sie bitte**

Frau Weiß ist heute von Köln nach Frankfurt zur Internationalen Buchmesse gefahren. Jetzt ist sie im Hotel. Aber ihre Tasche ist weg! .....

## 6 Ü 12 Was ist hier falsch?
**Vergleichen Sie mit dem Text 6A6 (→ Lehrbuch) und korrigieren Sie!**

FR. 13. September

Um 8 Uhr ist Peter aufgestanden und schnell ins Bad gegangen.
Er war nur fünfzehn Minuten im Bad; dann hat er sich angezogen.
Um Viertel vor neun war das Frühstück fertig.
Er hat Tee getrunken, Brot gegessen und die Nachrichten gehört.
Um 10 Uhr ist er mit der U-Bahn in die Stadt gefahren; er ist einmal umgestiegen.
Er hat für Monika Blumen gekauft und eine Stunde lang auf sie gewartet.
Aber Monika ist nicht gekommen; sie hat keine Zeit gehabt.
Um 12 Uhr 40 ist Peter nach Hause gefahren; dabei hat er sein Geld verloren.
Um drei Uhr ist er nach Hause gekommen. Er war sehr traurig.
Er hat einen Brief an Monika geschrieben. Dann hat er Susi angerufen.

Er ist nicht schnell ins Bad gegangen; er war müde.
...

## Ü 13 Hören Sie das Telefongespräch zwischen Monika und Susi.
**Notieren Sie Stichwörter zu den folgenden Fragen:**

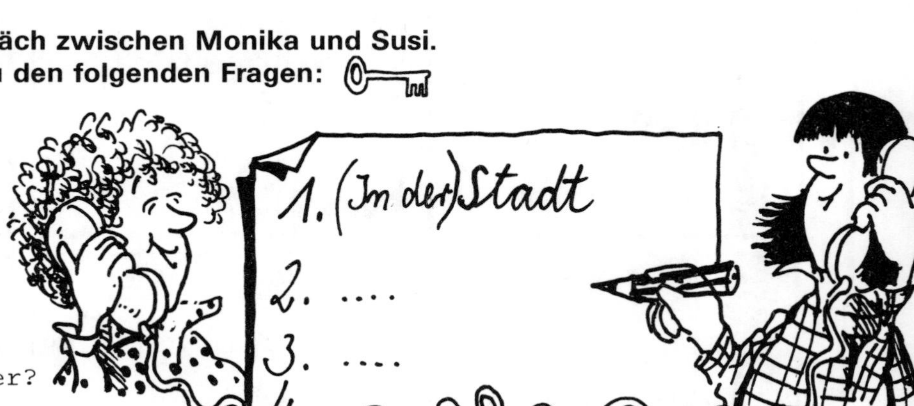


1. Wo ist Monika gewesen?
2. Was hat sie gesucht?
3. Was hat sie gekauft?
4. Wen hat sie wo getroffen?
5. Was erzählt Monika von Peter?
6. Was hat sie vergessen?
7. "Und was machen wir jetzt?" Welchen Vorschlag macht Monika, und was sagt Susi dazu?
8. Welchen Vorschlag macht Susi? Warum?

## Ü 14 Schreiben Sie nun den Inhalt des Telefongesprächs

Susi hat Monika angerufen. Monika ist gerade nach Hause gekommen. Sie ...

## Der Einbrecher! Frau Gieseke erzählt...



**Ü 15** Hören Sie den Text und ergänzen Sie

o Das __________ eine Aufregung! Ich _____ was __________,
so um ______, ein Klirren, einer ______ die
_______________ kaputtgemacht.

• Haben Sie _______________
_________ _____________?

o Und wie! __________ ich habe die _______ leise
__________________, und ______ _________ _______!

• Wer??

o Na, der _________________.

• Ein ____________?

o Ja, __________, _____________!

• Oh Gott!

o Ich _____________, er hat _________ ________________.
Er hat ___________ aufgemacht und _________________.

• Und _______ haben ______
gemacht?

o Ich _________ ihn __________: "______________ Sie mal,
________ machen ________ ____________?"

• Und er?

o Der sagt: "Entschuldigen Sie, _________ _____________
Bahnhofstr. Nr. 9?" - "Ja, _______________," sag ich,
Bahnhofstr. 9." _______ ______________ sagt er: " Ja,
_____________ _______ mich denn _________ ________?"

• So eine Frechheit!

o Und ich sag:"_________, ich _________ ________ nicht,
wer _________ Sie _________?" Und er: "Na, ich ______
doch ein ______________ _________ Hermann!"

• Von Hermann??

# 6A

o Ja, Hermann _______ _________ Mann. Also, ich sag zu ihm: "Nein, _____________ Sie sich mal ________. Ich mach Ihnen erst ne ____________ _______________, und __________ ______________ ich Hermann __________."

● ______ _________ denn Ihr Mann?

o Der ________ nicht ____ ____________. Also ich ______ ________________, und der ____________ da und schwitzt.

● Schwitzt??

o Na klar, der hat ____________ _______________________.

● Ich __________, _______ haben __________ gehabt!

o Ja, _____________ ich, ________ _______ er. Und ______ habe ich _________________. .....

**Ü 16** **Und wie geht die Geschichte weiter? (Malen und) schreiben Sie bitte:**

# *Das sind ja tolle Geschichten!*

**Ü1** **Sortieren Sie die Bilder und schreiben Sie Geschichten**

## 2/5 Ü1 Regelmäßige Verben: Wie heißen die Partizipien II?

○

| ge/ ........../(e)t | .../ge/ ........./(e)t | ................/(e)t |
|---|---|---|
| ge/leb/t | ein/ge/kauf/t | verdien/t |
| ge/arbeit/et | | |
| | | |

leben, arbeiten, einkaufen, verdienen, (sich) freuen, meinen, antworten, angeln, zunähen, flirten, zukleben, spielen, hören, nachschauen, kaufen, fehlen, zeigen, besuchen, kosten, stöhnen, erzählen, suchen, dauern, stecken, einpacken, kaputtmachen, warten, ergänzen, brauchen, wohnen, aufmachen, reden, holen, machen, ausräumen, schicken, haben, sagen, übernachten, kochen, fragen, schwitzen,

## 3/5 Ü2 Unregelmäßige Verben: Wie heißen die Partizipien II?

○

| | ge/ ........../en | .../ge/ ....../en | ............../en |
|---|---|---|---|
| ① a) bleiben | geblieben | / | / |
| schreiben | | | |
| beschreiben | / | / | beschrieben |
| aufschreiben | | | |
| einsteigen | / | eingestiegen | / |
| umsteigen | | | |
| b) schneiden | geschnitten | / | / |
| aufschneiden | | | |
| unterstreichen | | | |

| | | ge/............/en | .../ge/........../en | ............../en |
|---|---|---|---|---|
| (2) | a) schließen | geschlossen | / | / |
| | b) verlieren | | | |
| (3) | a) trinken | getrunken | / | / |
| | finden | | | |
| | b) beginnen | / | / | begonnen |
| (4) | a) sprechen | gesprochen | / | / |
| | kommen | | | |
| | werfen | | | |
| | mitkommen | | | |
| | zurückkommen | | | |
| | wegwerfen | | | |
| | b) essen | gegessen | / | / |
| | vergessen | | | |
| (5) | a) nehmen | genommen | / | / |
| | mitnehmen | | | |
| | b) lesen | gelesen | / | / |
| | sehen | | | |
| (6) | heben | gehoben | / | / |
| (7) | a) schlafen | geschlafen | / | / |
| | anfangen | | | |
| | aufhalten | | | |
| | b) fahren | gefahren | / | / |
| | abfahren | | | |
| (8) | rufen | gerufen | / | / |
| | laufen | gelaufen | / | / |
| | anrufen | | | |

**Ü3** **Ausnahmen: Lernen Sie diese Partizipien II**

| | | | |
|---|---|---|---|
| stehen | gestanden | wissen | gewußt |
| verstehen | verstanden | bringen | gebracht |
| aufstehen | aufgestanden | wiedererkennen | wiedererkannt |
| gehen | gegangen | tun | getan |
| anziehen | angezogen | sein | gewesen |
| rausziehen | rausgezogen | | |

**6** **Ü4** **Verben auf "-ieren": Wie heißen die Partizipien II?**

| | | | |
|---|---|---|---|
| notieren | notiert | funktionieren | |
| buchstabieren | | fotografieren | |
| studieren | | passieren | |
| diktieren | | telefonieren | |
| reparieren | | | |

**7** **Ü5** **Machen Sie Sätze**

verlieren
vergessen
umsteigen
aufmachen
besuchen
anrufen
erzählen
einkaufen
kaputt machen
aufstehen

Der Einbrecher | | sein Geld

Horst | hat | Lebensmittel | | ge | |

Der Mann
Frau Gieseke
Die Chefin
Sie (Plural)
...

ist
haben
sind

um 8 Uhr
......
.....

t
et
en

1. Horst hat Lebensmittel eingekauft.
2. ........

## Ü6 Perfekt mit "haben" – Perfekt mit "sein"

4

Das Verb bezeichnet eine "Ortsveränderung".

Das Verb hat das Perfekt mit "sein":



Beispiel: Horst hat im Supermarkt eingekauft.
Dann ist er nach Hause gefahren.

Aufgabe: Welche Verben bezeichnen eine "Ortsveränderung"? →
Bilden Sie von allen Verben Sätze im Perfekt.

einkaufen, fahren, verdienen, erzählen, kommen, beginnen, umsteigen, verlieren, einsteigen, trinken, mitkommen, essen, abfahren, finden, zurückkommen, wissen, laufen, gehen, schreiben, aufstehen, spielen, arbeiten

Achtung!
Auch "bleiben" und "sein" haben ein Perfekt mit "sein".

| Perfekt mit "haben" | Perfekt mit "sein" |
|---|---|
| Horst hat im Supermarkt eingekauft. ....... | Dann ist er nach Hause gefahren. .... |

## Ü7 Ergänzen Sie die Sätze

7



Der Einbrecher ___ die Scheibe ___.
Er ___ das Fenster ___.
Er ___ Geld ___.
Er ___ Uhren und Bilder in den Sack ___.
Die Frau ___ den Einbrecher ___.
Sie ___ die Tür ___ und ___ den Einbrecher ___:
"Was machen Sie hier?"
Da ___ der Einbrecher ___:
"Entschuldigen Sie bitte! Ich ___ hier früher ___. Ich ___ die alte Uhr ___."
Da ___ die Frau ihm Kaffee ___.

# Deutschsprachige Literatur

Hermann Hesse

*Im Nebel*

Seltsam, im Nebel zu wandern!
Einsam ist jeder Busch und Stein,
Kein Baum sieht den andern,
Jeder ist allein.

Voll von Freunden war mir die Welt,
Als noch mein Leben licht war;
Nun, da der Nebel fällt,
Ist keiner mehr sichtbar.

Wahrlich, keiner ist weise,
Der nicht das Dunkel kennt,
Das unentrinnbar und leise
Von allen ihn trennt.

Seltsam, im Nebel zu wandern!
Leben ist Einsamsein.
Kein Mensch kennt den andern,
Jeder ist allein!

Ingeborg Bachmann

*Schatten Rosen Schatten*

Unter einem fremden Himmel
Schatten Rosen
Schatten
auf einer fremden Erde
zwischen Rosen und Schatten
in einem fremden Wasser
mein Schatten

Bertolt Brecht

*Der Radwechsel*

Ich sitze am Straßenrand.
Der Fahrer wechselt das Rad.
Ich bin nicht gern, wo ich herkomme.
Ich bin nicht gern, wo ich hinfahre.
Warum sehe ich den Radwechsel
Mit Ungeduld?

Johannes R. Becher

*Ende*

Was kommt am Ende
Dabei heraus,
Wenn Menschen nicht
Mit Menschen sprechen?

Sie schießen
Aufeinander…

Darum:
Deutsche, sprecht
Mit Deutschen!

Peter Handke

## Selbstbezichtigung
(Ausschnitte)

*Dieses Stück ist ein Sprechstück für einen Sprecher und eine Sprecherin. (. . .)*

Ich bin auf die Welt gekommen. (. . .)

Ich habe mich bewegt. Ich habe Teile meines Körpers bewegt. Ich habe meinen Körper bewegt. Ich habe mich auf der Stelle bewegt. Ich habe mich von der Stelle bewegt. Ich habe mich von einem Ort zum andern bewegt. Ich habe mich bewegen müssen. Ich habe mich bewegen können.

Ich habe meinen Mund bewegt. Ich bin zu Sinnen gekommen. Ich habe mich bemerkbar gemacht. Ich habe geschrien. Ich habe gesprochen. Ich habe Geräusche gehört. Ich habe Geräusche unterschieden. Ich habe Geräusche erzeugt. Ich habe Laute erzeugt. Ich habe Töne erzeugt. Ich habe Töne, Geräusche und Laute erzeugen können. Ich habe schweigen können.

Ich habe gesehen. Ich habe Gesehenes wiedergesehen. Ich bin zu Bewußtsein gekommen. Ich habe Gesehenes wiedererkannt. Ich habe Wiedergesehenes wiedererkannt. Ich habe wahrgenommen. Ich habe Wahrgenommenes wiederwahrgenommen. Ich bin zu Bewußtsein gekommen. Ich habe Wiederwahrgenommenes wiedererkannt. (. . .)

Ich habe gelernt. Ich habe die Wörter gelernt. Ich habe die Zeitwörter gelernt. Ich habe den Unterschied zwischen sein und gewesen gelernt. Ich habe die Hauptwörter gelernt. Ich habe den Unterschied zwischen der Einzahl und der Mehrzahl gelernt. Ich habe die Umstandswörter gelernt. Ich habe den Unterschied zwischen hier und dort gelernt. Ich habe die hinweisenden Wörter gelernt. Ich habe den Unterschied zwischen diesem und jenem gelernt. Ich habe die Eigenschaftswörter gelernt. Ich habe den Unterschied zwischen gut und böse gelernt. Ich habe die besitzanzeigenden Wörter gelernt. Ich habe den Unterschied zwischen mein und dein gelernt. Ich habe einen Wortschatz erworben. (. . .)

# 7A

## 1 Ü1 Oben – unten – vorne – hinten – links – rechts: Schreiben Sie bitte

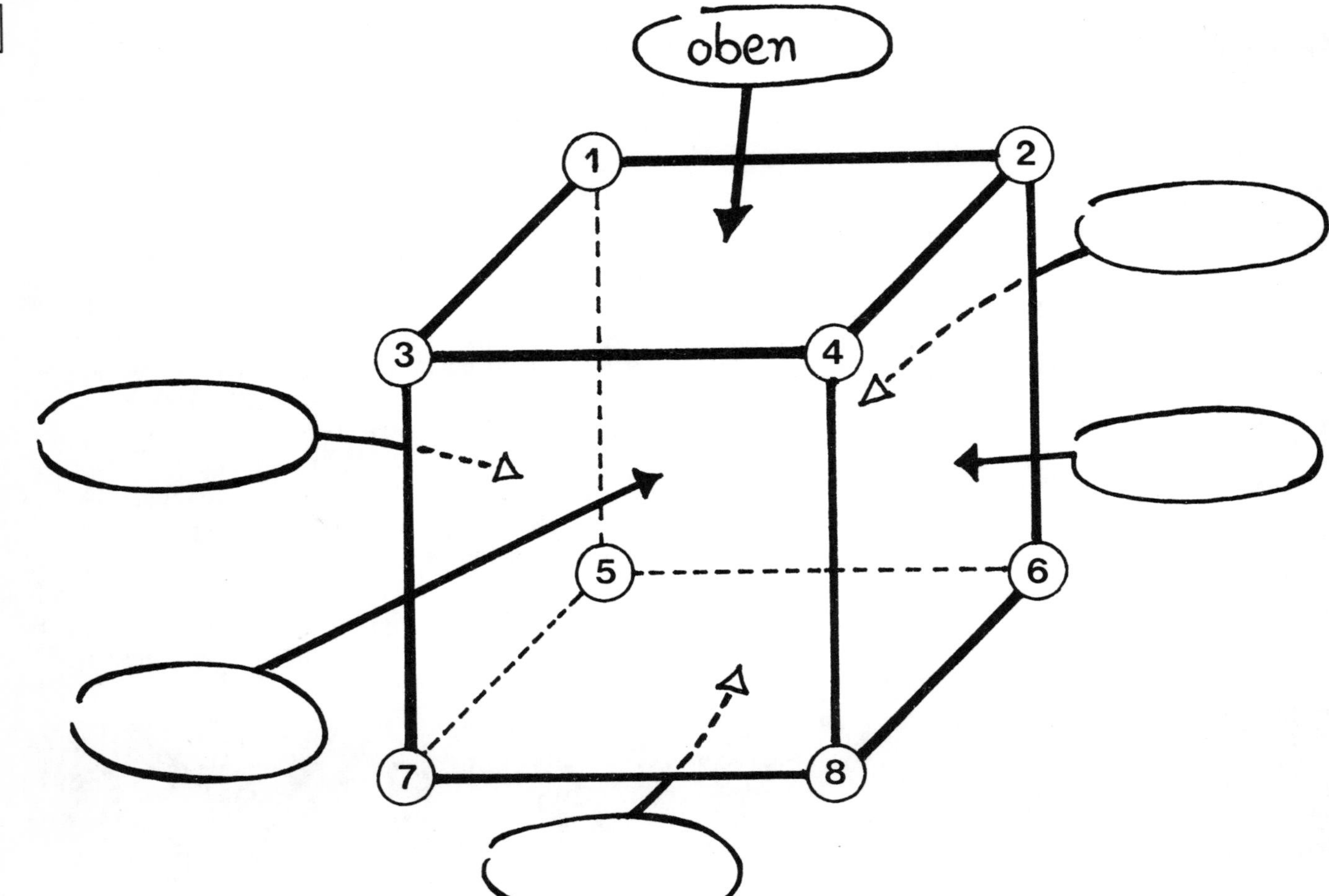


① ist links oben hinten
②
③

## Ü2 Was ist wo? Raten und ergänzen Sie bitte

①

Links ist ein ______________________.

______________________ ist ein H.

Oben ist ein ______________________.

______________________ ist ein S:

Das ist ein ______________________!

②

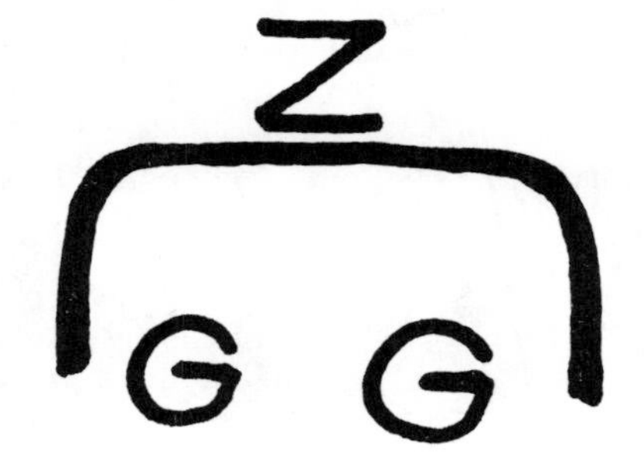

__________ ist ein __________.

__________ ist ein U.

__________ sind zwei __________.

Das ist ein __________!

③

Links und rechts ist ein U.

In der Mitte ist ein __________

und ein __________.

__________ sind zwei __________.

Das ist ein __________!

④

__________ ist das B.

Rechts ist das __________.

__________ ist das T.

Und wo ist das O? → ⬭

Das ist ein __________!

⑤

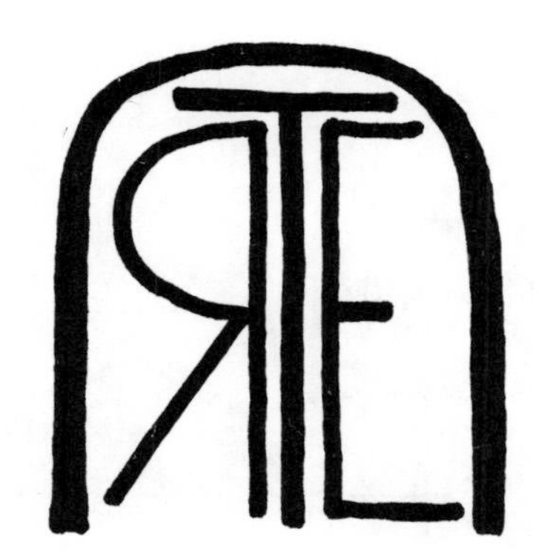

__________ ist ein R.

Rechts ist auch ein __________!

In der Mitte ist ein __________.

Und wo ist das U? → ∩

Das ist eine __________!

## 2 Ü 3 Hören – Sehen – Verstehen – Ergänzen – Notieren

### ① Hören Sie und ergänzen Sie bitte

o Entschuldigen Sie! Wie ________ ______ zum Josephsplatz?

• ______ Josephsplatz? ________ ______ geradeaus und ______ an der Kreuzung ______ .
Dann ________ _____ direkt _____ Josephsplatz.

### ② Hören Sie und notieren Sie bitte

a) Der Mann möchte zur ____________________.

b) Die Frau sagt: Gehen Sie ____________________.

c) Wie weit ist das? ____________________.

### ③ Richtig oder falsch? Hören Sie bitte und kreuzen Sie an

| | r | f |
|---|---|---|
| a) Der Mann möchte zur Georgenstraße. | | |
| b) Das ist nicht weit. | | |
| c) Der Mann hat ein Auto. | | |
| d) Die Frau sagt: "Bis zur zweiten Kreuzung, dann rechts .... ." | | |
| e) Die Georgenstraße ist eine große Querstraße zur Arcisstraße. | | |
| f) Die Georgenstraße ist eine Parallelstraße zur Theresienstraße. | | |

### ④ Hören Sie und ergänzen Sie bitte

o ______ suche ____ Polizei.

• Die Landpolizeidirektion?

o Ja, ________ .

• Gehen Sie ____ die Theresienstraße ________ , bis ______ ________ Kreuzung, dann ________ , und die ________ ________ ________ .

o Bis ________ ________ , dann ________ , und dann die ________________ ________________ ________________ .

• Genau, und ______ noch zwei- bis dreihundert Meter ______________ , und dann auf der __________ Seite das große Gebäude.

o Vielen __________ , das ______________ ich bestimmt!

## Ü 4 Wie komme ich zu ...? – Schreiben Sie bitte

*Rocko ist auf der Deutzer Brücke.*
*Sehen Sie ihn? - Ja? - Zeigen Sie ihm den Weg:*

(1) Er möchte zum Neumarkt. (1) Gehen Sie ____________________

____________________

(2) Er möchte zum Hohenzollernring. (2) ____________________

____________________

(3) Er möchte zur Brückenstraße. (3) ____________________

____________________

(4) Er möchte in die Breite Straße. (4) ____________________

____________________

(5) Er möchte zur Komödienstraße. (5) ____________________

____________________

## 3 Ü 5 Schreiben Sie bitte

*Wie heißt das auf deutsch?*

1. der Teppich
2. ________________
3. ________________
4. der Käfig
5. der Vogel
6. ________________
7. der Gummibaum
8. der Zwerg
9. der Blumentopf
10. ________________
11. ________________
12. ________________
13. die Fotografie
14. das Kissen
15. ________________
16. der Telefonhörer

*Wo steht/sitzt/liegt/hängt.....?*

Der Teppich liegt auf dem Boden.

....

## Ü 6 Hören Sie bitte und ergänzen Sie: Wo sucht der Vater den Fotoapparat?

Der Vater sucht den Fotoapparat zuerst _____ Wohnzimmer, ______ dem Sofa, dann

_______ dem _________; aber da ist er auch nicht.

Dann sucht er den Fotoapparat _______ dem Regal, _________ von der _______.

Schließlich sucht er ihn _______ der __________ ; ______ Kühlschrank?

Vielleicht _____ dem ________ oder ________ einem ___________ ? Mal sehn!

**Ü 7** **Vergleichen Sie mit dem Text 7A4 (→ Lehrbuch): Was ist falsch?**

a) Unterstreichen Sie bitte

1. Der Mann hat sein Auto verkauft. 2. Er war die ganze Zeit auf dem Automarkt. 3. Er war beim TÜV, in der Werkstatt und im Theater. 4. Er ist zu Fuß zum TÜV gelaufen. 5. Beim TÜV hat er den Abgastest gemacht. 6. Von der Autowerkstatt ist er direkt zum Automarkt gefahren. 7. Dort hat er sein Auto verkauft. 8. Dann hat er sich einen anderen Wagen gekauft.

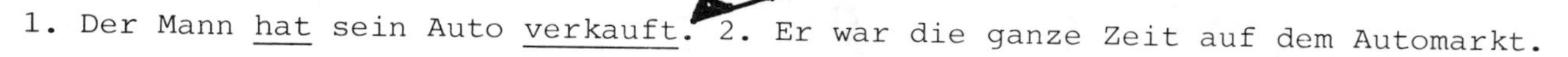

b) Korrigieren Sie bitte: Schreiben Sie jetzt die Sätze richtig

**Ü 8** **Tagesablauf: Was haben *Sie* gestern, vorgestern ... gemacht? Zeichnen und schreiben Sie bitte.**

**5** **Ü 9** **Was ist was?**
**Benutzen Sie ein Lexikon und suchen Sie die Sachen ① – ㉕ auf dem Bild**

Schuhe ① Sonnenbrille ○ Schwimmflossen ○ Rettungsring ○ Kleiderhaken ○
Schirm ○ Zahnbürste ○ (Spazier-)Stock ○ Nachttisch ○ Nachttopf ○
Bett ○ Toilettenpapier ○ Fensterbank ○ Gardinenstange ○ Fisch ○
Sieb ○ Hemd ○ Krawatte ○ Hut ○ (Sardinen-)Dose ○ Strumpf ○
Einmachglas ○ (Schweizer) Käse ○ Bettdecke ○ Blumentopf ○

**Ü 10** **Was hat er gemacht? Schreiben Sie bitte**

*Er hat die <u>Schuhe</u> an den <u>Kleiderhaken</u> gehängt. Er ...*

Verben:
hängen
legen
stellen
stecken
setzen
.....

## Ü1 Fragen Sie und antworten Sie bitte

**1/2**

| | | | | |
|---|---|---|---|---|
| | | | ..... Bücher | |
| der Fotoapparat | | in | ..... Wand | |
| die Uhr | | an | ..... Boden | |
| die Zeitung | | auf | ..... Vase | |
| der Paß | ? – Vielleicht ... | unter | ..... Tisch | ? – Nein, ... Ja, ... ! |
| die Tasche | | vor | ..... Stuhl | |
| das Geld | | hinter | ..... Sofa | |
| die Hose | | neben | ..... Regal | |
| ..... | | zwischen | ..... Schrank | |
| | | | ..... Tür | |

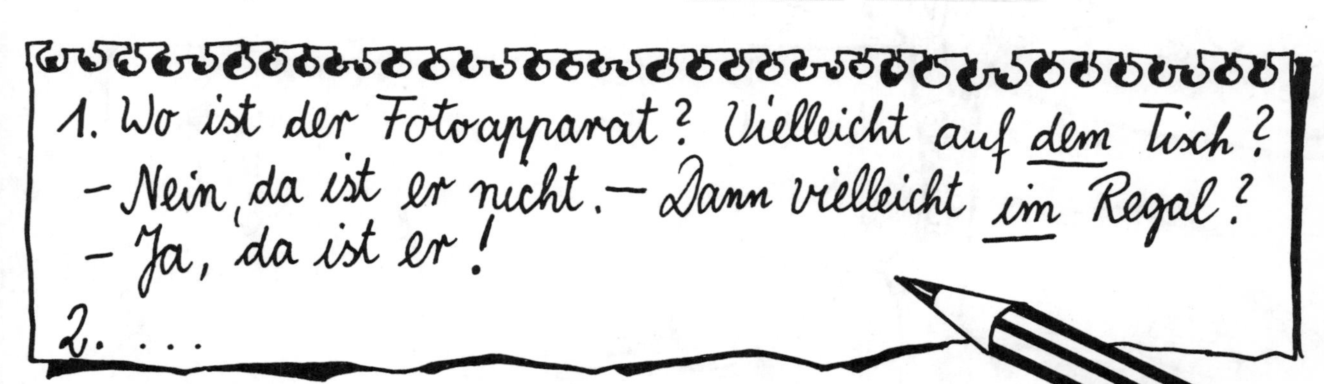


## Ü2 Wohin? – Wo? – Woher?

**3**

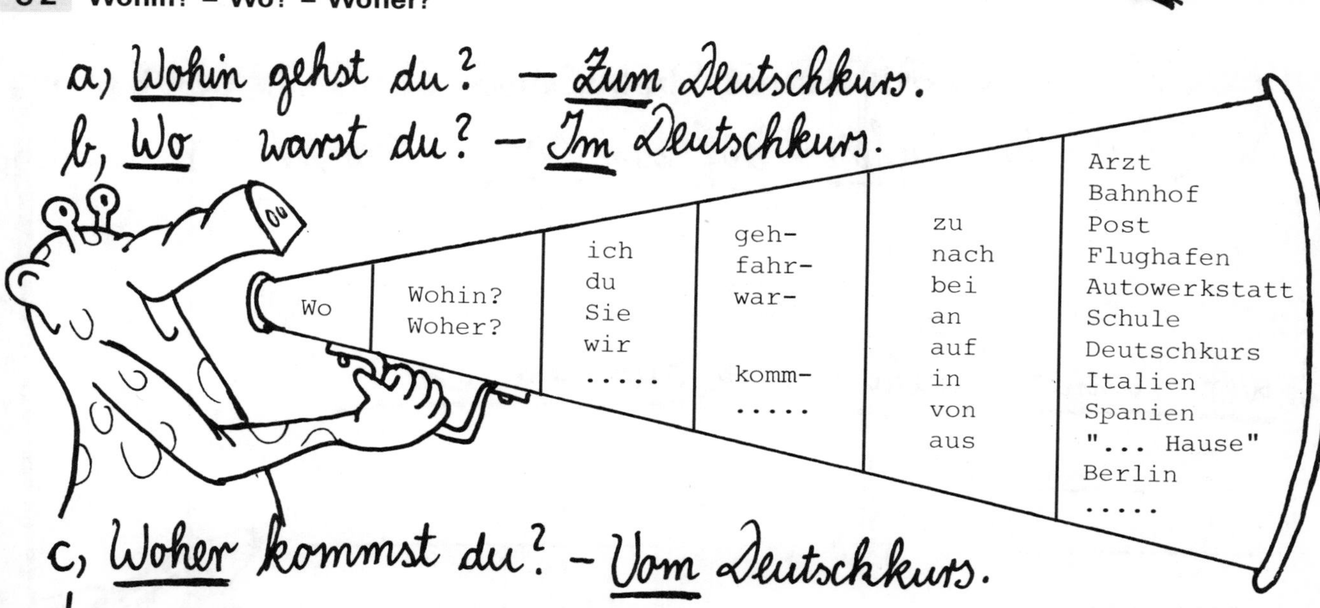

**4** Ü 3 **Wohin hat sie das Essen gestellt?**
**Wo steht das Essen jetzt?**

1. Sie **(hat)** <u>den Kuchen</u> <u>auf den Boden</u> **(gestellt)**.

______ ______

______ ______

2. <u>Der Kuchen</u> **(steht)** jetzt <u>auf dem Boden</u>.

______ ______

______ ______

______ ______

## Ü 4 Ergänzen Sie bitte Präposition (und Artikel)

5

1. Wieviel hast du _____ _____ Auto bezahlt? 2. "Sie fahren ____________ Fahrausweis! Das kostet 20 Mark." 3. "Gehen Sie bitte ________ _____ nächste Tür rechts!" 4. Wir brauchen 800 Mark _____ _____ Miete. 5. Wer kommt da _____ _____ Ecke? 6. Das Auto ist ___________ ______ Baum gefahren. 7. Der Kurs beginnt _____ 19 Uhr und dauert ________ 21.30 Uhr. 8. Die Tabletten sind gut ________ Halsschmerzen. 9. Ich bleibe _____ zu_____ 30. Juni in München. 10. Wir sind _________ _______ Pfennig aus dem Urlaub zurückgekommen! 11. Wir waren ______ ________ Tag nach Weihnachten in Urlaub. 12. _____ __________ Paß kann man nicht nach Amerika fliegen.

## Ü 1 Science fiction mit Präpositionen

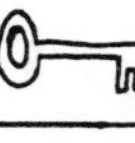

① Rocko fliegt _____ ________ UFO ________ Führerschein _______ _____ Fenster _____ ______ Wohnzimmer; er fliegt einmal _____ _____ Lampe und landet dann _____ _____ Tisch.

② Er klettert _____ _______ UFO, läuft einmal ________ _____ Blumenvase herum; dann springt er ________ Tisch ______ _____ Stuhl und schaut sich um. _____ Stuhl springt er ______ _____ Sofa und landet ______ _____ Katze Mira. Die Katze faucht.

③

Rocko hat Angst; er rennt weg;

er rennt ______ ______ Kopf ________

______ Wand.

④

Er steht wieder auf. Wohin?

Er rennt ______ ______ Kinder-

zimmer ______ Peter und Anneliese.

______ ______ Ecke findet er eine

Kiste ______ Spielsachen: Autos,

Puppen und ..... . Was ist denn

das? Noch ein UL? .....

⑤

Ein Roboter ______ einem Auge und

________ vier Armen steigt ______

_________ Kiste. Rocko springt

______ ______ Kleiderschrank und

versteckt sich ____________ _____

Kleidern.

⑥

Am Morgen stehen Peter und

Anneliese auf. Anneliese geht

_______ Kleiderschrank; sie

macht die Tür auf .....

3

**Ü1 Was sagen die Leute? Schreiben Sie bitte die Gespräche**

1. ______
2. ______
3. ______
4. ______
5. ______
6. ______
7. ______

1. ______
2. ______
3. ______
4. ______

4

**Ü2 Rekonstruieren Sie bitte den Text**

1. Weihnachten - Fest - Deutschland
2. 25. + 26.12 - Weihnachtsfeiertage
3. 24.12. - der "Heilige Abend"
4. 24.12 - viele Menschen - Kirche - danach: zu Hause
5. Wohnung - "Christbaum" (Kerzen, Kugeln, Figuren - Sterne)
6. Baum - Geschenke
7. Weihnachten - "Schenk-Tag"
8. "Geschäft" - Geschäfte
9. Weihnachten: Lebkuchen, ....., Plätzchen, ....., Spezialitäten

## 5 Ü 3 Was ist was?

- ○ der Koffer
- ○ der Revolver
- ○ der Füller
- ○ der Radiorecorder
- ○ der Computer
- ○ der Fußball
- ○ der Kerzenleuchter
- ○ der Kochtopf
- ○ der Knochen

- ○ das Bild
- ○ das Paar Hosenträger
- ○ das Paar Skier
- ○ das Fahrrad
- ○ das Paket
- ○ das Dreirad
- ○ das Radio
- ○ das Paar Hausschuhe

- ○ die Ampel
- ○ die Babyflasche
- ○ die Armbanduhr
- ○ die Flasche Kognak
- ○ die Krawatte
- ○ die Puppe
- ○ die Pfeife

*Was fehlt?*

## Ü 4 Was ist für wen? Schreiben Sie bitte

## Ü 5 Wer hat wem was geschenkt? Schreiben Sie bitte

*Die Oma hat dem Opa die Hosenträger geschenkt.*

....

## Ü1 Antworten Sie bitte mit "Ja" oder "Nein"

1. a) Ist dieser Brief für Sie?
   "Ja, der ist für mich."
   "Nein, der ist nicht für m–
   b) Ist er vielleicht für Herrn Petrovic?
   c) Oder vielleicht für Herrn Henschel?
2. Ist das Paket für mich?
3. Sind die Geschenke für die Kinder?
4. Sind die Bücher für uns?
5. Ist der Kaffee für Sie?
6. Suchst du mich?
7. Habt ihr uns gesucht?
8. Brauchst du mich noch?
9. Besucht ihr uns mal?
10. Kannst du mich mitnehmen?
11. Habt ihr uns nicht gesehen?
12. Rufst du mich mal an?
13. Habt ihr mich verstanden?
14. Erkennst du mich nicht wieder?

## Ü2 Beantworten Sie bitte die Fragen

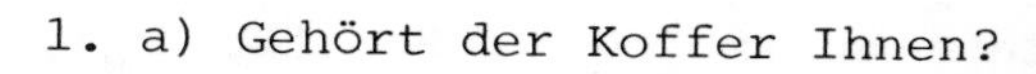

1

1. a) Gehört der Koffer Ihnen?
   b) Wem gehört der Koffer denn?
2. a) Gehört die Tasche euch?
   b) Vielleicht der Frau da drüben?
3. Gehört der Computer dir?
4. Gehören die Bücher Herrn und Frau Puente?
5. Gehört das Radio Peter?
6. Zeigst du mir mal die Geschenke?
7. Erzählen Sie mir noch einmal diese Geschichte?
8. Schickt ihr uns mal eine Karte?
9. Kannst du mir Zigaretten mitbringen?
10. Können Sie mir heute noch das Auto reparieren?
11. Gehört der Wagen Ihnen?
12. Können wir euch helfen?

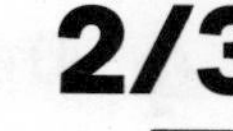

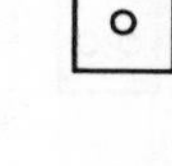

## Ü3 Antworten Sie bitte mit "Ja, ..." oder "Nein, ..."

1. a) Ist das dein Buch?
   b) Vielleicht das Buch von Frau Scoti?
2. a) Ist das ihre Tasche?
   b) Vielleicht die Tasche von Herrn Bauer?
3. a) Ist das euer Koffer?
   b) Vielleicht der Koffer von Herrn und Frau Puente?
4. Sind das eure Kinder?
5. Sind das deine Zigaretten?
6. Sind das deine Schlüssel?
7. Ist das Ihr Zimmer?
8. Ist das Ihr Paß?

## Ü4 Beantworten Sie bitte die Fragen

2/3

Beispiel: Gehört der Koffer ihm/ihr/ihnen? - Ja/Nein, das ist (nicht) sein/ihr/ihr Koffer.

1. Gehört das Gepäck ihnen?
2. Gehört der Füller ihnen?
3. Gehört der Fotoapparat ihm?
4. Gehört der Paß ihr?
5. Gehört der Platz ihnen?
6. Gehören die Schlüssel ihnen?
7. Gehört das Auto ihr?
8. Gehört der Computer ihm?
9. Gehören die Bücher ihnen?
10. Gehören die Zigaretten ihm?

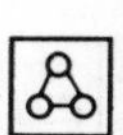

## 2/3 Ü 5 Ergänzen Sie bitte

1. Ich lebe mit m________ Familie in Berlin. 2. Wir freuen uns auf u__________ Urlaub. 3. Herr Bauer spielt mit s__________ Freunden Skat. 4. Zeigst du mir mal d_______ Geschenke? 5. Wir besuchen u_________ Freunde in Italien. 6. Der Vater erzählt s_______ Kindern eine Geschichte. 7. Ich suche m_________ Fotoapparat; hast du ihn nicht gesehen? 8. Hast du auch d___________ Führerschein eingesteckt? 9. Ich habe I_________ Computer nicht kaputtgemacht! 10. Sie wartet schon seit einer Stunde auf i_________ Mann. 11. Wir brauchen e______ Hilfe. 12. Ein Einbrecher ist gestern in i______ Wohnung eingestiegen. 13. Peter schenkt s_________ Freundin eine Schallplatte. 14. Komm, wir fragen u_________ Lehrer! 15. Wir können bei u_________ Freunden übernachten. 16. Beschreiben Sie bitte I_______ Nachbarn! 17. Ich habe m_________ Brieftasche verloren! 18. U______ Kurs beginnt um 19 Uhr. 19. Hast du schon mit d_________ Lehrerin gesprochen? 20. Habt ihr e_______ Karten vergessen? 21. Kannst du m________ Tasche mitnehmen? 22. Hast du schon d________ Mutter angerufen? 23. Notieren Sie bitte hier I________ Adresse! 24. Ich habe gerade mit I________ Chef telefoniert.

## 4 Ü 6 Gebrauchen Sie die Personalpronomen

Beispiel:

a) Rocko zeigt seinem Freund die Geschenke.

b) Rocko zeigt *ihm* die Geschenke.

c) Rocko zeigt *sie* *ihm*.

d) Rocko zeigt *sie* seinem Freund.

1. a)
   b)
   c)
   d)

Aufgaben:

1. Rocko gibt seinem Freund einen Knieschützer.
2. Peter schenkt seiner Freundin ein Buch.
3. Susi leiht ihrer Freundin ein Fahrrad.
4. Susi schickt ihrer Freundin ein Paket.
5. .....

## Ü 7 Ergänzen Sie bitte

5

1. Rocko hat schon s_____ ein___ Stunde Bauchschmerzen. 2. Er möchte z__ ein____ Arzt. 3. N_____ d_____ Frühstück fährt er m____ d____ Bus i____ d____ Stadt. 4. Er fährt b___ z____ Marktplatz. 5. Dort steigt er a____ d____ Bus aus. 6. Die Arztpraxis liegt direkt g_____________ d____ Rathaus. 7. Rocko fährt m____ d_____ Lift b_____ z_____ dritten Stock. 8. Aber der Arzt ist nicht da, die Praxis ist v_____ zehnten August b____ z_____ ersten September geschlossen. 9. Rocko fährt z_____ nächsten Arzt, aber auch der ist nicht da. 10. B_____ dritten Arzt hat Rocko drei Stunden lang gewartet. 11. Erst a_____ Abend ist Rocko wieder z___ Hause. Er hat immer noch Bauchschmerzen – und Hunger.

## Ü 8 Wer ist wer? – Was ist was? – Erklären Sie bitte

6

Beispiel: Der Hodscha verläßt sein Haus. — sein Haus: das Haus des Hodscha

1. Seine Frau sieht das und fragt ihn:
2. "Was suchst du?"
3. Er antwortet:
4. "Mein Ring ist weg; ich habe meinen Ring verloren."
5. "Ich suche ihn schon seit einer Stunde."
6. Sie fragt weiter:
7. Wo hast du ihn denn verloren?"

## Ü 9 Sagen Sie das anders

7

Beispiel: Dieser Koffer gehört Peter.

Das ist der Koffer von Peter.
Das ist Peters Koffer.
Das ist sein Koffer.

1. Diese Bücher gehören Fernando.
2. Dieses Auto gehört meiner Frau.
3. Dieser Paß gehört Frau Barbieri.
4. Diese Tasche gehört Maria.
5. Dieses Gepäck gehört Herrn und Frau Berger.
6. Diese Knieschützer gehören Rocko.
7. Diese Puppe gehört dem Mädchen.
8. Diese Pfeife gehört Opa.
9. Dieser Kochtopf gehört Vater.

## Was sagen (fragen) Sie?

1. Sie sind im Theater. Sie haben die Platznummer 126; aber da sitzt schon eine Frau.
2. Der Mann am Zoll fragt: "Gehört der Koffer Ihnen?"
   a) Es ist nicht Ihr Koffer.
   b) Es ist Ihr Koffer.
3. Eine Dame fragt Sie: "Welches Datum haben wir heute?"
   a) Sie wissen es auch nicht.
   b) Sie wissen es.
4. Maria möchte ins Kino. Ihr Freund möchte zum Fußball.
   a) Sie sind die Frau.
   b) Sie sind der Freund.
5. Sie sind zu Besuch. Sie möchten eine Zigarette rauchen.
6. Eine Freundin ruft Sie an; sie möchte mit Ihnen ins Kino. Sie aber haben Zahnschmerzen.
7. Ein Mann fragt Sie: "Wie komme ich zum Bahnhof?"
   a) Sie wissen es auch nicht.
   b) Der Bahnhof ist in der zweiten Querstraße links.
8. Peter fragt Sie: "Wo ist mein Fotoapparat?"
   a) Sie wissen es auch nicht.
   b) Er ist in seiner Tasche.
   c) Sie haben den Fotoapparat in den Schrank gelegt.

9. Ihre Freundin fragt Sie: "Was hast du heute gemacht?" Sie erzählen es.
10. Sie können Ihren Paß nicht finden. Sie fragen Ihre Frau / Ihren Mann.
11. "Verzeihung, wie spät ist es?"
    a) Das wissen Sie auch nicht.
    b) Sie sagen es.
12. "Wann und wo treffen wir uns?"
    a) 8 Uhr - Bahnhof
    b) 7 Uhr - Kino
13. Sie möchten mit dem Zug nach Amsterdam. Fragen Sie die Auskunft.
14. Sie möchten eine Fahrkarte nach Paris.
15. Sie brauchen ein Hotelzimmer. Rufen Sie die Touristen-Zentrale an.
16. Sie fahren zur Buchmesse. Vielleicht möchte Ihr(e) Freund(in) auch zur Buchmesse? Rufen Sie sie/ihn an.
17. Sie brauchen einen Termin beim Zahnarzt. Rufen Sie an.
18. Sie haben eine Autopanne. Rufen Sie eine Werkstatt an.
19. Sie kommen am nächsten Tag zur Werkstatt; aber ihr Auto ist immer noch nicht repariert. Sie brauchen das Auto sofort.
20. Sie haben eingekauft. Sie kommen nach Hause und haben kein Geld mehr. Ihr Mann / Ihre Frau fragt Sie: "Was hast du mit dem Geld gemacht?"

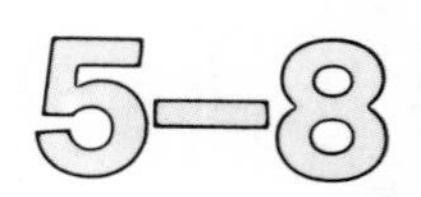

21. Sie haben Ihre Brieftasche verloren. Wo kann das passiert sein? Sie überlegen .....

22. Sie haben die Brieftasche wiedergefunden. Wo war sie? Erzählen Sie bitte.

23. "Der Einbrecher und Frau Gieseke". Erzählen Sie Ihrem Freund / Ihrer Freundin die Geschichte.

24. Der Weg zum Bahnhof?
    a) Fragen Sie bitte.
    b) Beschreiben Sie den Weg (Kreuzung rechts - 2. Querstraße links - geradeaus - ca. 200 Meter)

25. Sie suchen
    a) die Post
    b) das Einwohnermeldeamt

26. Ihr(e) Freund(in) macht eine Reise. Wohin? Wie lange? Fragen Sie sie bitte.

27. Sie möchten Herrn Otramba besuchen. Sie wissen die Adresse nicht genau. Fragen Sie bitte.

28. Ihr Kugelschreiber ist kaputt. Vielleicht leiht Ihnen Ihr Nachbar einen Kugelschreiber? Fragen Sie bitte.

29. Der Kugelschreiber Ihres Nachbarn ist kaputt. Sie haben zwei..

30. Jemand fragt: "Ist das die Tasche von .....?"
    a) Sie wissen, wem die Tasche gehört.
    b) Es ist Ihre Tasche?

## A Wörter: Machen Sie ein Kreuz

1. "Wie ..... ist es bitte?" - "7 Uhr 20."
   - a alt
   - b spät
   - c früh
   - d schnell

2. "Wie ..... fahren wir?" - "Ungefähr zwei Stunden."
   - a früh
   - b spät
   - c lange
   - d oft

3. Montag - Dienstag - ..... - Donnerstag
   - a Freitag
   - b Sonntag
   - c Samstag
   - d Mittwoch

4. "..... sind Sie gestern abend gewesen?" - "Ich war im Kino."
   - a Wo
   - b Warum
   - c Wie
   - d Wann

5. Der Chef fragt Herrn Rasch: "Haben Sie Herrn Meinke .....?" - Herr Rasch: "Ja, um 10 Uhr war ich da und habe mit ihm geredet."
   - a gesucht
   - b besucht
   - c geholt
   - d geschrieben

6. "Emil, du sollst zur Post fahren! Die Chefin hat eben ..... ."
   - a angerufen
   - b geschrieben
   - c erzählt
   - d gekommen

7. "..... bist du im Urlaub gefahren?" - "Nach Spanien."
   - a Wozu
   - b Wann
   - c Wohin
   - d Warum

8. "Ich möchte ein Auto anmelden. Wo kann ich das machen?" - "....."
   - a Auf dem Einwohnermeldeamt.
   - b Bei der Ausländerbehörde.
   - c Auf der Zulassungsstelle.
   - d Auf dem Standesamt.

9. "Zum Nachtisch gibt es heute .....!" -"Sehr gut!"
   - a Würstchen
   - b Bier
   - c Schinken
   - d Kuchen

10. "Heiliger Abend" - das ist in Deutschland der ..... Dezember.
    - a 24.
    - b 25.
    - c 26.
    - d 31.

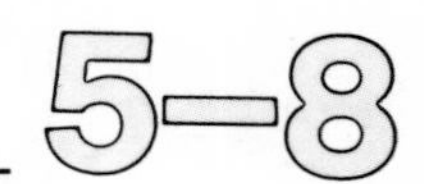

## B Grammatik: Machen Sie ein Kreuz 

1. "Was ..... Sie trinken?" – "Ein Bier, bitte."

   a magst
   b möchten
   c mag
   d mögt

2. "..... du mir bitte helfen?" – "Ja, gern".

   a Können
   b Kann
   c Kannst
   d Könnt

3. "Ich kann nicht bezahlen! Ich habe mein Geld .....!"

   a gegessen
   b vergegessen
   c gevergessen
   d vergessen

4. Herr Baier ist mit dem Zug von München nach Kassel gefahren. Er ist zweimal ..... .

   a umstiegen
   b umsteigen
   c umgestiegen
   d umgesteigt

5. "Wo ist mein Buch?" – "Dort liegt es doch! Auf ..... Tisch!"

   a das
   b der
   c den
   d dem

6. "Ich hatte das Buch aber auf ..... Stuhl gelegt!"

   a das
   b den
   c der
   d dem

7. "Woher kommst du denn jetzt?" – "..... Arzt."

   a Vom
   b Von
   c Von der
   d Von das

8. "Ist der Kaffee für .....?" – "Ja, natürlich, der ist für Sie."

   a mir
   b mich
   c mein
   d meine

9. "Ist das ..... Tasche, Herr Baier?" – "Ja, sie gehört mir."

   a seine
   b ihre
   c Ihre
   d deine

10. "Da liegen ja meine Zigaretten! Kannst du ..... ...... bitte herübergeben?"

    a mich sie
    b sie mir
    c sie mich
    d Sie mir

## C Orthographie: Schreiben Sie bitte die Wörter

Beispiel: Guten Ta(0)!

An Wei(1)nachten feier(2) die Deutschen am l(3)bsten zu (4)use in der Famil(5).

Am Heiligen Abe(6) gehen viele Mens(7)en zur Kir(8)e. In den meisten W(9)nungen steht ein Chr(10)baum, geschmü(11)t mit Ker(12)en und Sternen.

Besonder(13) sch(14)n ist das Fest für die Kind(15). Sie bek(16)men viele Geschen(17)e. Es gibt viele gute S(18)hen, wie Lebku(19)en, zum E(20)en.

| | |
|---|---|
| 0 | Tag |
| 1 | |
| 2 | |
| 3 | |
| 4 | |
| 5 | |
| 6 | |
| 7 | |
| 8 | |
| 9 | |
| 10 | |
| 11 | |
| 12 | |
| 13 | |
| 14 | |
| 15 | |
| 16 | |
| 17 | |
| 18 | |
| 19 | |
| 20 | |

## D Lesen: Machen Sie ein Kreuz

1. Frau Scoti telefoniert mit ihrer Freundin. Sie wollen am Sonntag nach Italien fahren. Der Zug geht am Morgen, Viertel vor acht, von München ab.

   Sie fahren um
   - a 7 Uhr 45
   - b 8 Uhr 45
   - c 7 Uhr 15
   - d 7 Uhr 04 ab.

2. Frau Scoti wohnt in Aachen. Sie muß schon am Samstag nach München fahren. Sie sagt zum Beamten am Schalter: "Nach München, bitte, einfach."

   - a Sie möchte allein fahren.
   - b Sie möchte hin und zurück fahren.
   - c Sie möchte 2. Klasse fahren.
   - d Sie möchte eine Fahrkarte einfach

3. Der Beamte sagt zu Frau Scoti: "Nach München gibt es leider keine direkte Verbindung."

   - a Sie kann nicht fahren.
   - b Sie muß 1. Klasse fahren.
   - c Sie muß später fahren.
   - d Sie muß umsteigen.

4. Herr Baier fragt seinen Kollegen, Herrn Steger: "Wann machst du in diesem Jahr Urlaub?" - "Im Juli", antwortet Herr Steger..

   Herr Steger macht Urlaub:
   - a im Frühling
   - b im Sommer
   - c im Herbst
   - d im Winter

5. Jedes Bundesland hat andere Ferientermine. Frau Scoti ruft ihre Freundin in München an und fragt: "Wann fangen in Bayern die Ferien an?" - "Anfang nächster Woche", sagt die Freundin.

   Das ist
   - a am Montag
   - b im Juni
   - c am Morgen
   - d im Sommer

6. Im Frühling machen die deutschen Hausfrauen ihre Wohnungen ganz gründlich sauber. "Eine Stunde habe ich heute den Boden geputzt", erzählt Frau Baier ihrer Mutter. Mit welchem Gerät hat sie den Boden geputzt?

   - a Mit einem Bügeleisen.
   - b Mit einem Schrubber.
   - c Mit dem Werkzeugkasten.
   - d Mit der Wäscheleine.

7. Eva Harre, 67, ist ziemlich allein. Sie hat eine kleine Wohnung. Ihre Kinder sind verheiratet und wohnen in einer anderen Stadt.

   - a Bei Frau Harre wohnt ihre Tochter.
   - b Ihre Kinder sind weit weg.
   - c Ihre Wohnung hat fünf Zimmer.
   - d Sie arbeitet als Sekretärin.

8. Herr Müller will am Abend ins Kino gehen. Die Eintrittskarte hat er schon am Nachmittag gekauft. Er kommt etwas zu spät. Im Kino sind alle Plätze besetzt! Auch auf seinem Platz sitzt ein Mann.

   - a Er bekommt keine Karte mehr.
   - b Alle Plätze sind schon reserviert!
   - c Sein Platz ist noch frei.
   - d Ein Mann ist zuviel im Kino!

9. Der Fuchs trifft den Raben. Der Rabe hat ein Stück Käse im Schnabel. Er sagt zu ihm: "Wie schön du bist! Wie berühmt du bist! Kannst du auch schön singen?!"

   - a Der Rabe gefällt dem Fuchs.
   - b Der Fuchs möchte den Raben besuchen.
   - c Der Fuchs möchte den Käse haben.
   - d Der Fuchs möchte mit dem Raben singen.

10. Der Hodscha sucht seinen Ring: im Haus und vor dem Haus. "Wo ist bloß mein Ring!", ruft er, "vor einer halben Stunde hatte ich ihn noch!"

    - a Er hat seinen Ring verloren.
    - b Er hat seinen Ring verkauft.
    - c Er hat seinen Ring verschenkt.
    - d Er hat seinen Ring versteckt.

## E Sprechen – Was sagen Sie?

1. Sie rufen am Bahnhof an. Sie wollen am Abend mit dem Zug fahren. Der Auskunftsbeamte sagt zu Ihnen: "Es gibt einen Zug um 15.45 Uhr." Sie sagen:

   - a Der ist mir zu teuer.
   - b Ich möchte nach 18 Uhr fahren.
   - c Den nehme ich.
   - d Muß ich da umsteigen?

2. Sie waren letzte Woche nicht im Deutschkurs. Ein Freund fragt: "Wo bist du gewesen?" Sie antworten:

   - a Ich hatte eine Erkältung.
   - b Ich hatte Durst.
   - c Es tut mir leid.
   - d Ich war im Deutschkurs!

3. Sie essen mit einer Freundin im Restaurant. Das Essen ist sehr gut. Sie fragen:

   - a Na, wie schmeckt's dir?
   - b Was kostet das Bier?
   - c Wie geht es dir?
   - d Hast du ein Menü?

4. Ihr Freund hat ein Auto gekauft. Es ist fast ganz neu. Sie möchten das Auto sehen. Sie sagen:

   - a Ich habe ein schönes Auto.
   - b Wie gefällt dir mein Auto?
   - c Zeigst du mir dein Auto?
   - d Willst du ein Auto?

5. Sie wollen sich eine Hose kaufen. Sie haben nur 60 Mark. Der Verkäufer im Geschäft sagt: Hier, diese Hose ist besonders billig. Sie kostet nur 85 Mark!"

   - a Nein, leider nicht.
   - b Die gefällt mir.
   - c Das ist mir zu teuer.
   - d Die habe ich gekauft.

6. Herr Kiener hat am Nachmittag auf der Autobahn in der Nähe von Frankfurt eine Panne. "Die Reparatur dauert zwei Tage," sagt der Mechaniker. Herr Kiener muß aber um 19 Uhr bei seiner Familie in Frankfurt sein. Er bittet den Mechaniker:

   - a Können Sie mir ein Taxi rufen?
   - b Können Sie das Auto noch heute reparieren?
   - c Kann ich den Wagen morgen holen?
   - d Kann ich hier übernachten?

7. Der Chef hat Herrn Schnell zur Post geschickt. Nach drei Stunden kommt er endlich wieder. "Da sind Sie ja endlich!" ruft der Chef. "Wo sind Sie denn so lange gewesen?!" Herr Schnell antwortet:

   - a Ich war am Montag krank.
   - b Ich habe Urlaub gemacht.
   - c Ich mußte zwei Stunden warten.
   - d Ich war doch immer hier!

8. Frau Müller hat ein Kleid gekauft. Es hat ihr gleich sehr gut gefallen. Sie hat viel Geld ausgegeben. Zu Hause zeigt sie es ihrem Mann. Aber der ist sehr böse und schreit:

   - a Wie lange warst du weg?!
   - b Wann ziehst du es an?
   - c Das ist ja viel zu teuer!
   - d Das ist wirklich sehr schön!

9. Ein Bekannter fragt Sie: "Günther Grass hat einen neuen Roman geschrieben. Hast du ihn schon gelesen? Sie haben den Roman noch <u>nicht</u> gelesen, aber Sie wollen es nicht sagen. Was antworten Sie?

   - a Was hat Grass gelesen?
   - b Wie findest du denn das Buch?
   - c <u>Wie</u> heißt der Mann?
   - d Wer ist Grass?

10. Sie sitzen im Cafe und lesen Zeitung. Neben Ihnen sitzt ein Mann. Er nimmt Ihre Tasse und trinkt Ihren Kaffee! Was sagen Sie?

   Entschuldigen Sie,
   - a wie ist Ihr Name?
   - b das ist mein Kaffee.
   - c wo wohnen Sie?
   - d haben sie eine Zeitung?

## F Schreiben: Hier sind einige Stichwörter. Schreiben Sie einen Brief an ...

Sie waren auf der Buchmesse in Frankfurt:

- kein Hotelzimmer in Frankfurt -
- Privatzimmer -
- 20 Kilometer von Frankfurt -
- Taxi: 30 Mark, einfach -
- sehr viele Leute -
- Schriftsteller, sehr berühmt -
- Freunde aus München -
- Abendessen -
- sehr müde -
- Auf Wiedersehen -

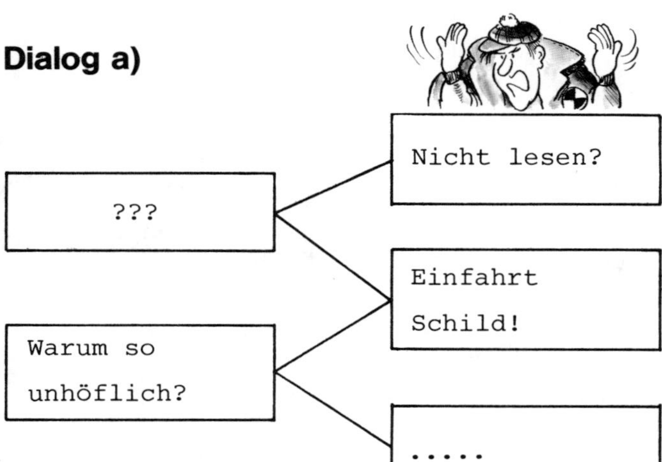


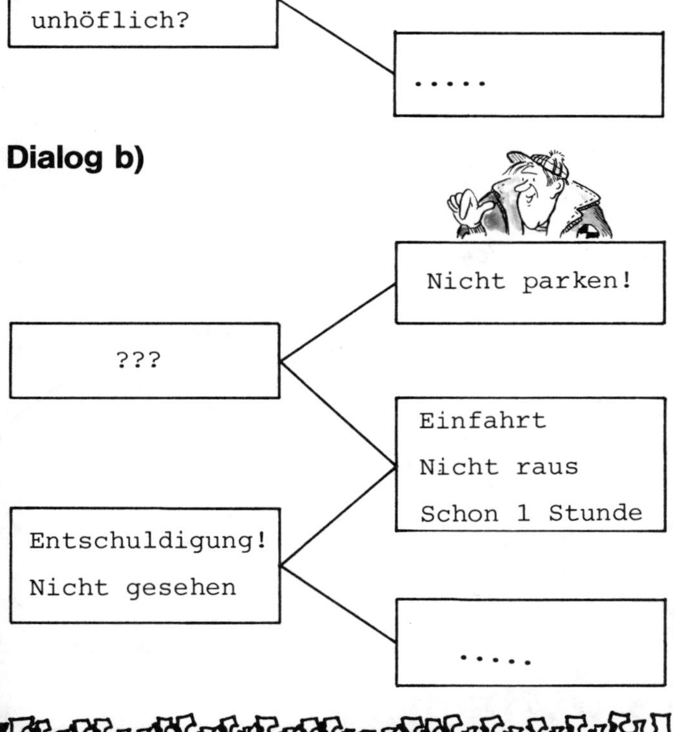


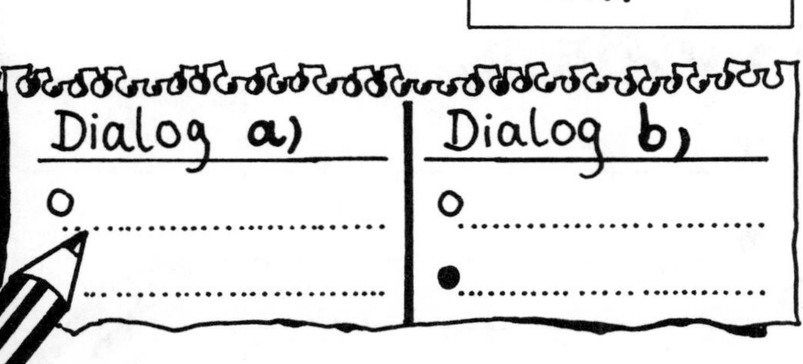


## Ü2 Schreiben Sie bitte

a)

b)

.........

Warum parken ...?

Können Sie nicht ...?

Sind Sie verrückt?

Das kostet Sie 50 Mark!

Ich hole die Polizei!

Ja, ja, schon gut.

Sie parken ...

Wie bitte?

Das ist meine Einfahrt.

Ich stehe höchstens zwei Minuten hier.

Das tut ...

Ich kann Sie nicht verstehen.

So eine Frechheit!

Das habe ich doch nicht ...

.........

Fahren Sie weg, oder ...

Ich komme aus ...

Bei uns ...

a) ○ ...............

● ...............

○ ...............

b) ○ ...............

● ...............

○ ...............

**2** Ü 3 **Schreiben Sie bitte einen Dialog**

Wir fahren …

Ich ruf' dir ein Taxi.

Komm, …!

Quatsch, …!

Laß das Auto stehen!

Ich bin topfit!

……

Das ist mein Schlüssel und mein Auto.

Gib mir den Schlüssel!

……

Hör auf, …!

Ich bring' …

Du kannst nicht …

Denk an deine Frau und …!

Ich hab' fast nichts …

Was machen …?

Das darfst …

Ich fahre schon … Jahre Auto – ich … noch nie einen Unfall!

Du bist …

Ein Taxi? Das ist …

Du hast zuviel …

……

Wieviel? Du hast mindestens …

… dann kannst du ein Jahr lang nicht mehr Auto …

Die Polizei nimmt dir den Führerschein weg, …

Das ist mir egal, …

Morgen kannst du …

- Komm,
- ______
- ______

**Ü 4** **Lesen und hören Sie, was Willi sagt. Welche Sätze passen zu welchem Bild?**

a) Oje, die Tonne, wer hat die Tonne da hingestellt?

b) Mensch, wo ist der Schlüssel? Den hab ich doch gehabt! Auch nicht. So was Dummes! Ich muß klingeln.

c) Geht nicht, verflixt!

d) Blödes Ding! Mitten im Weg!

e) Guten Abend!

f) Ja, gute Nacht auch.

g) Langsam, langsam, mein Kleiner. So, jetzt los! 4. Stock!

h) Nein, das ist ... oha: Becker - total falsch!

①

②

③

④

i) Nanu - Kaufmann? Was mach' ich bloß?? Auch falsch. Wir wohnen doch im zweiten Stock?! Was ist denn hier los?

j) Meine Damen und Herren - hups - es ist schon spät. Ich geh' jetzt schlafen.

| Bild | Sätze |
|---|---|
| ① | |
| ② | |
| ③ | |
| ④ | |

**Ü 5** **Was sagen die Nachbarn? Hören und schreiben Sie bitte**

**Ü 6** **Rekonstruieren Sie dann den ganzen Hörtext**

Ü 7 a) Hören Sie und ergänzen Sie
b) Wer sagt was?

Ü 3

(1) Ich versteh' das nicht: Immer ______ du so spät ______ ______. Und ______ du auch noch betrunken! Alle ______ im Haus ...

( ) Es tut mir ja auch ______ ...

( ) Das hast du schon oft ______. Und gestern ______ du auch noch ______ dem ______ ______, das ist doch ______ ...

( ) Ja, das stimmt, das war ______ ...

( ) Dich versteh' ich überhaupt ______, Fred! ______ bist du ______ ______ gefahren?

( ) Wir haben beide zuviel ______!

( ) Aha, und Willi fährt ______, und du ______ daneben und ______ nichts. Du bist ein ______ ...

( ) Ich habe zu Willi ______: Wir ______ beide nicht ______! Tu das ______! Die Polizei!!! Das ist ______.

① Willis Frau

② Willi

③ Fred, Willis Freund

④ der Hausmeister

○ Und warum bist du ______________?

○ Ja, was hätte ich denn ...?

○ Und jetzt ist die Garage ______________!

○ Ja, das tut mir ja auch __________ ____________!

○ Das bezahlen Sie! Das ist ____________! Das sage ich ___________!
Und warum haben Sie so einen Krach ________________? Gesungen haben Sie auch!

○ Nein, nein, das stimmt _____________! Ich habe nicht ...

○ Fragen Sie die anderen _____________!! Alle haben das ______________!
Und jetzt ist der __________ auch ________________!

○ Was?? Ich bin nicht mit dem _________ ____________ ! Das habe ich nicht ...

○ Was sagen Sie? Sie ________ wohl gar nichts _____________! Sie sind zehn-, zwanzigmal _______ dem Lift __________ und ____________ und wieder ...

○ Wie bitte? Ich bin zu __________ ...

○ Nein, Willi, du bist mit _______ __________________ ...

○ Sehen Sie! Ich habe es doch ____________ ...

○ Aber Fred, warum hast du nicht _____ _____________ ...?

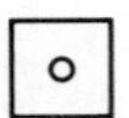

**Ü 8** **Lesen Sie die Geschichte zu Bild ①.**
**Schreiben Sie dann Geschichten zu den Bildern**

① ***Beispiel:***

Eine alte Frau sitzt im Zug. Ein Mann steigt ein. Sein Arm ist kaputt. Er raucht. Die Frau sagt: "Können Sie nicht lesen? Hier ist Rauchen verboten!" Der Mann sagt: "Doch, ich kann lesen, aber ich will auch rauchen!" Da sagt die Frau: "Hören Sie sofort auf, oder Sie haben zwei kaputte Arme!" *(Text eines Kursteilnehmers)*

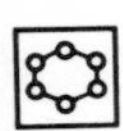

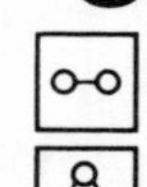

**Ü9 Herr Ackermann ruft bei FORD an. Lesen und ergänzen Sie die Telefongespräche**

○ Firma Ford, guten Tag.

● Ackermann, guten ________.

________________________

Sie mich
bitte mit der Personal-
abteilung verbinden?

○ Einen Moment, bitte ...

□ Firma Ford, Personalabteilung, Kappus, guten Tag ...

● Ackermann! Guten Tag, Frau Kappus. Ich ________ eine Frage:

________ bei Ihnen ein Herr ________?

□ Warum ________ Sie das wissen, Herr Ackermann?

● ________ ich Ihnen das einmal kurz erklären? Also: Ich ________ ein Nachbar von Familie ________, wir ________ auch in der Gartenstraße, und ich glaube, daß bei Neumanns etwas nicht ________ : Der ________ ist nicht geleert, die ________ liegen auf der Straße, aber die ________ ist offen, schon seit Tagen ...

□ ________ Sie denn schon einmal bei Neumanns geklingelt?

● Natürlich! Aber ________ meldet sich. Deshalb haben Frau ________ - das ist auch eine ________ von Familie Neumann - und ich gedacht, wir ________ einfach einmal bei Ihnen ________, vielleicht ________ Sie ...

□ Also, wenn das so ist - warten Sie bitte einen Moment, ich melde mich gleich wieder ...

# 9A

Frau Kappus ruft in der Abteilung "Planung und Entwicklung" an; da arbeitet Herr Neumann. Aber Herr Neumann ist heute nicht da. Hat er Urlaub? Nein, Urlaub hat er nicht. Ist er vielleicht auf einem Kongreß? Die Kollegen wissen es nicht. Dann spricht Frau Kappus wieder mit Herrn Ackermann ...

□ Hallo, Herr Ackermann?

● Ja?

□ Herr Neumann _____ heute nicht ________, mehr _________ ich Ihnen auch nicht _________________ ...

● Ja, aber da ______________ wir doch etwas ____________!

□ Es ___________ sein, ______ er auf einem Kongreß ist, aber ...

● Ich meine, _______ wir die Polizei ________________ ____________! ...

□ Langsam, langsam, Herr Ackermann!

● Also, Sie _____________ ja machen, was Sie ___________, ich ___________________ die Polizei ______! Auf Wiederhören!

**Ü 10 Herr Ackermann telefoniert mit der Polizei. Schreiben Sie bitte das Telefongespräch**

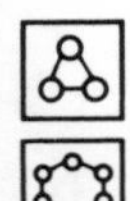

**Ü 11 Wo kann Herr Neumann sein? – Machen Sie eine Umfrage in der Klasse. Berichten Sie**

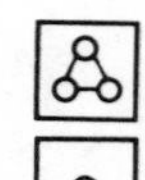

**Ü 12** **Was meinen Sie: Was ist hier los? Was ist hier passiert? Schreiben Sie bitte**

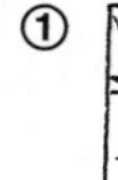

① 

② 

③ 

**Ü 1** **Ergänzen Sie die Dialoge** 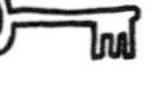

**a)** o Ich *will* ____________ nach Köln.

| | |
|---|---|
| Bonn | ab: 14.47 |
| Köln | an: 15.07 |

● Wann ____________ Sie fahren?

o Morgen nachmittag.

● Sie ____________ den Zug um 14 Uhr 47 nehmen,

dann ____________ Sie um 15 Uhr 7 in Köln.

**b)** o Ich ____________ nach München.

● Wann ____________ Sie ____________?

| | |
|---|---|
| Baden-Baden | ab: 6.50 |
| Karlsruhe | an: 7.10 |
| U Karlsruhe | ab: 7.25 |
| München | an: 11.20 |

o Morgen früh.

● Sie ____________ um 6 Uhr 50 ____________ .

o ____________ ich da umsteigen?

o Ja, in Karlsruhe.

**Ü 2** **Schreiben Sie ähnliche Dialoge.**

**a) Nicht umsteigen:**

| | | | |
|---|---|---|---|
| Bonn<br>Köln | ab: 13.35<br>an: 13.54 | Münster<br>Bremen | ab: 15.57<br>an: 17.12 |
| Frankfurt<br>München | ab: 12.20<br>an: 16.04 | Trier<br>Koblenz | ab: 8.16<br>an: 9.36 |

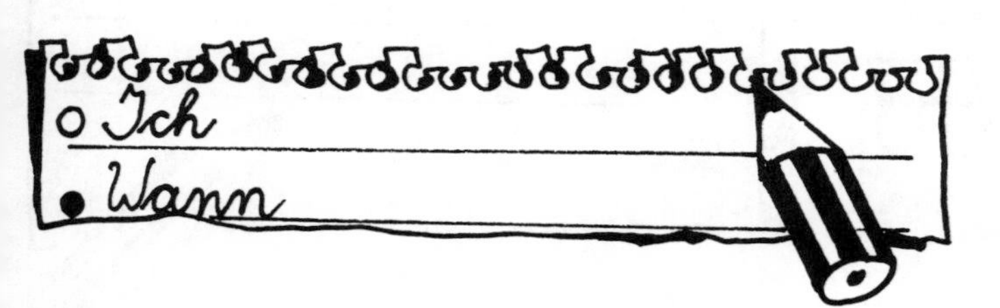


**b) Umsteigen:**

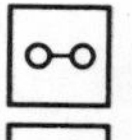

| | | | |
|---|---|---|---|
| Bonn<br>Köln<br>U Köln<br>Bremen | ab: 9.41<br>an: 10.00<br>ab: 10.10<br>an: 13.12 | Köln<br>Dortmund<br>U Dortmund<br>Hannover | ab: 16.05<br>an: 17.13<br>ab: 17.19<br>an: 18.50 |
| Baden-Baden<br>Stuttgart<br>U Stuttgart<br>München | ab: 13.33<br>an: 15.19<br>ab: 15.57<br>an: 18.09 | Stuttgart<br>Mannheim<br>U Mannheim<br>Mainz | ab: 11.08<br>an: 12.28<br>ab: 12.33<br>an: 13.11 |
| München<br>Karlsruhe<br>U Karlsruhe<br>Freiburg | ab: 13.57<br>an: 17.39<br>ab: 17.58<br>an: 19.00 | Hamburg<br>Würzburg<br>U Würzburg<br>Nürnberg | ab: 15.57<br>an: 20.34<br>ab: 20.43<br>an: 21.38 |

## 1 Ü1 Ergänzen Sie bitte

1. Ich *will* ______ nach Paris. – Wohin ______ du? / ______ Sie?

2. Wir ______ nach Paris. – Wohin ______ ihr?

3. ______ du auch nach Honolulu? – Nein, ich ______ nach Bangkok.

4. Ich ______ nach Kenia. – Wohin ______ du? / ______ Sie?

5. Morgen *muß* ich nach Rom. – Wohin ______ du? / ______ Sie?

6. Wir ______ nächstes Jahr nach Australien. Wohin ______ ihr? / ______ Sie?

7. ______ Sie auch nach New York? – Nein, ich ______ nach Los Angeles.

8. ______ ihr wirklich schon nach Hause? – Ja, leider, wir ______.

## 2 Ü2 Was kann/darf man hier (nicht)? Was können/dürfen Sie hier (nicht)? Schreiben Sie bitte

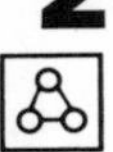

**Bildsymbole zu Ihrer Information**

① 
Gepäck-abfertigung

② 
Nichtraucher

③ 
Kein Trinkwasser!

④ 
Nichts hinauswerfen!

⑤ 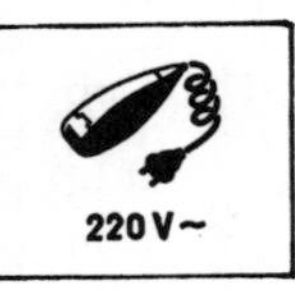

Rasier-steckdose

⑥ 
Lichtschalter

⑦ 
Nicht öffnen, bevor der Zug hält!

⑧ 
Sitzplatz für Schwer-beschädigte

einschalten – ~~aufgeben~~ – rauchen – trinken – hinauswerfen – sitzen – öffnen – sich rasieren

① *Hier kann man sein Gepäck aufgeben. / Hier können Sie Ihr Gepäck aufgeben.*

② ______

**Ü 3** **Ergänzen Sie und fragen Sie bitte**

3

*Beispiel:* Wir möchten / Ich möchte } rauchen. — Dürfen wir / Darf ich } hier rauchen?

1. ... ... Sie zum Essen einladen. 2. ... ... mit dir ins Kino gehen. 3. ... ... Ihnen ein Angebot machen. 4. ... ... dich um Hilfe bitten. 5. ... ... mir dein Fahrrad leihen. 6. ... ... dir ein Taxi rufen. 7. ... ... dich nach Hause bringen. 8. ... ... dir einen Rat geben.

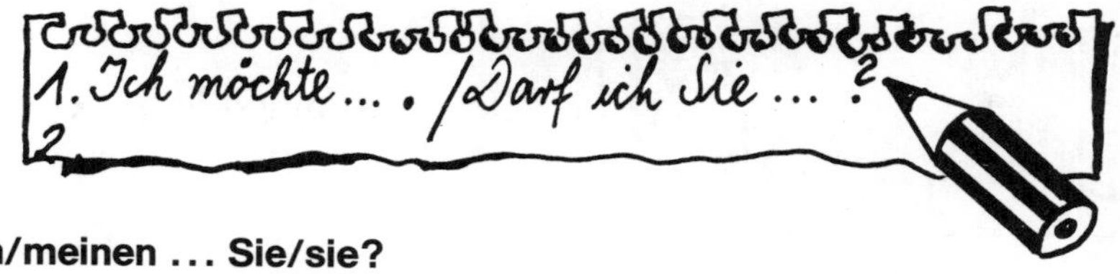

1. Ich möchte ... . / Darf ich Sie ... ?
2.

**Ü 4** **Was sehen/sagen/glauben/wissen/meinen ... Sie/sie?**
**Machen Sie Sätze mit "daß"**

4

*Beispiel:* **1. Sie haben gesagt, daß sie** bis einen Tag nach Weihnachten in Berlin **sind.**

| | |
|---|---|
| 1. 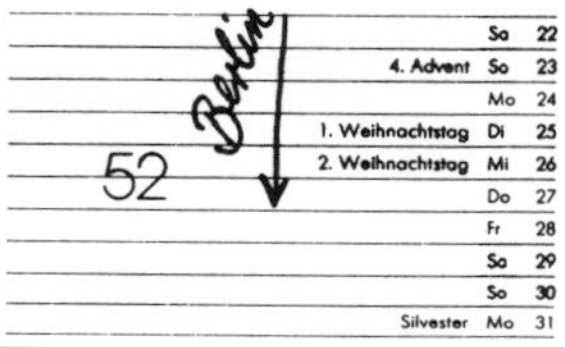 | Wir sind bis einen Tag nach Weihnachten in Berlin. |
| 2.  | Der Einbrecher ist durch das Fenster in die Wohnung gestiegen. |
| 3.  | Wir brauchen 800 Mark für die Miete. |
| 4.  | Angeln ohne einen Angelschein ist verboten. |
| 5.  | Das Auto fährt gegen die Wand. |
| 6.  | Rocko schaut um die Ecke. |

2. Ich habe gesehen, daß ...

# 9B

7. Mustafa kommt aus der Türkei.

8. Er war beim (= bei dem) Arzt.

9. Der Supermarkt liegt gegenüber dem Rathaus.

10. Wir fahren mit dem Auto.

11. Der Tannenbaum ist mit Kerzen geschmückt.

12. Er ist nach dem Frühstück in die Stadt gefahren.

13. Er sucht seinen Ring schon seit einer Stunde.

14. Er kommt vom (= von dem) Arzt.

15. Die Ferien dauern vom achtzehnten Juni bis zum dritten August.

16. Der Fuchs läuft zum (= zu dem) Raben.

## Ü 5 Ergänzen Sie bitte die Modalverben und die Verben 

Die Einladung und ...

Liebe Elke,

am Freitag, dem 14. September, wollen wir den dreißigsten Geburtstag von Peter feiern. Dazu ______ wir Dich herzlich ______. Wir ______ ______ um sechs Uhr ______. ______ Du mit der Bahn ______? Du ______ auch bei uns ______, wenn Du ______.

Herzliche Grüße

Deine Eva und Peter

einladen - beginnen - kommen - übernachten

... die Antwort

Liebe Eva, lieber Peter,

herzlichen Dank für Eure Einladung. Am Freitag kann ich leider nicht ______, denn ich ______ zu meinem Bruder nach Hamburg; seine Frau ______ heute ins Krankenhaus. Ich ______ ab morgen eine Woche lang ihre Kinder ______.

Herzliche Grüße

Eure Elke

kommen - versorgen

## Ü 6 Schreiben Sie bitte eine Einladung an ...

Stichwörter:

nächsten Samstag
Freundin
aus Frankreich
Party mit Freunden
dazu herzlich einladen
um 19.30 Uhr
übernachten
schreiben oder anrufen

______, ______

Liebe(r) ______,

am nächsten Samstag ______

______

______

Herzliche Grüße

______

## Ü 7 Schreiben Sie einen Antwortbrief:

a) Sie können kommen
b) Sie können nicht kommen

Liebe(r)... ______, ______

______

______

**1/2** Ü1 **a) Lesen Sie die Geschichte**
**b) Unterstreichen Sie alle Verbformen im Text**
**c) Schreiben Sie den Infinitiv Präsens dieser Verben neben den Text. (Benutzen Sie ein Lexikon)**

# Die Geschichte von Tante Mila und dem Patentbesenverkäufer

„Patentbesen"
Besen
Stiel
Wassersack
Rohr
Schrubber
„Nässe"

„der Mann mit dem Patentbesen"
Schnurrbart
Mila
„Putzwassertteich"

*sein* — *kommen*
*haben* — *erfinden*

So war es, als der Mann mit dem Patentbesen zu Mila kam: Er war ein besonders freundlicher Mann mit einer leisen Stimme und sanften Augen und einem dünnen blonden Bart. Den Patentbesen hatte er selbst erfunden. Man konnte (5) mit der einen Seite kehren, an der anderen Seite war ein Schrubber, und in der Mitte hing ein Wassersack, den konnte man abknöpfen. An der Schrubberseite war der Stiel ein Rohr, und wenn man auf den Wassersack drückte, floß das Putzwasser durch das Rohr und den Schrubber (10) auf den Fußboden.

Niemand in der Blaufärberstraße wollte diesen Patentbesen haben, eigentlich auch Mila nicht, aber der Mann sah so traurig aus, und er wollte so gern seine Erfindung vorführen, darum ließ Mila sich alles von ihm zeigen: das Kehren, (15) das Schrubben und die Sache mit dem Wassersack. Ihre Küche sah aus wie ein Putzwasserteich. Mila rief: »Aber dann muß man ja alles wieder aufwischen!«

»Ja«, sagte der Mann. »Das sagen sie alle.« Und er sah noch trauriger aus als vorher, wie er da mitten in der Nässe stand, (20) und seine Hosenbeine trieften[1] und sein Schnurrbart zitterte.

Mila schämte sich, weil sie gesagt hatte, was alle sagen. Sie fragte: »Wie viele haben Sie noch?«

»Zehn«, sagte der Mann. »Ich habe noch keinen einzigen
25 verkauft.« Er wurde rot, so peinlich war ihm das.

»Kopf hoch!« rief Mila. »Unverhofft kommt oft![2] Ich nehme alle!« Sie gab dafür wieder ihr letztes Geld aus.

1 triefen: tropfen
2 "Unverhofft kommt oft!": Oft kommt das, was man nicht erwartet (nicht erhofft).

**Ü 2** **Lesen Sie noch einmal genau die Zeilen 5 – 10 der Geschichte von Tante Mila und dem Patentbesenverkäufer:**
**a) Zeichnen Sie nach der Beschreibung den Patentbesen**
**b) Was kann man mit dem Besen machen? Erklären Sie bitte**

**Ü 3** **Erzählen Sie die Geschichte von Tante Mila und dem Patentbesenverkäufer:**
**a) Sie sind Erzähler/Erzählerin**
**b) Sie sind Patentbesenverkäufer/Patentbesenverkäuferin**
**c) Sie sind Tante Mila**

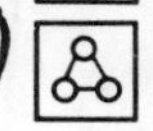

**Ü 4** **Schreiben Sie eine neue Geschichte: "Tante Mila und der Kopfpflegemaschinenverkäufer"**

**4** **Ü 5** **Lesen Sie zuerst 10A4 im Lehrbuch.**
**Bearbeiten Sie dann die folgenden Aufgaben** 

**a) Hören Sie zunächst den ganzen Text 10A4, Übung 8**

Über welche Zeit in seinem Leben spricht Klaus Haase?

Über die Zeit von ______________ bis ____________________.

**b) Hören Sie den Anfang des Textes und ergänzen Sie den folgenden Lückentext**

Ja, und ___ ___________ Ausbildung und beruflichen Tätigkeit _______ ich Ihnen _________ etwas ____________: ______ 1966 ______ '69 _______ ich in Berlin ___________, _____ der Freien Universität, ______ _________ Germanistik und Anglistik; und das ____________ habe ich __________ von _____ bis _______ in ______________ an der Ludwig-Maximilians-Universität _________________________. Dann _______ ich mein Studium erst einmal _________________________ und _____ ____________ __________ als Fremdenführer ______ das Amtliche Bayerische Reisebüro _____ München _________________.

**c) Hören Sie weiter und beantworten Sie die folgenden Fragen**

a) Was hat Klaus Haase in den Jahren 1970 - 1971 gemacht?
b) Was hat er "nebenher" noch gemacht?

**d) Hören Sie den Schluß des Textes und ergänzen Sie die folgende Zusammenfassung**

V____ '72 b___ '77 h___ Klaus Haase Deu______ als Fr___________________ f______ Ga_____________________ unt_______________________. 1977 h______ er s________ St______________ wieder aufg___________________ und das Examen gem___________. Dan___________, v_____ '77 b____ '79, h____ er als Lek______ für Ver________ und Rundfunkanstalten gea_______________; nebenher h__________ er e_____________ Schauspielausb____________ in Ber______ und M_____________ gem_____________.

**Ü 6 Lesen Sie den Lebenslauf von Wolfgang Planck und ergänzen Sie den folgenden Text**

LEBENSLAUF

| | |
|---|---|
| Angaben zur Person: | Wolfgang Planck<br>Brantropstr. 66, 4630 Bochum<br>Tel.: 0234/70 21 47 |
| Geburtstag/-ort: | 29. Sept. 1959 in Düsseldorf |
| Staatsangehörigkeit: | deutsch |
| Familienstand: | verheiratet, 1 Kind |
| Religion: | römisch-katholisch |
| Eltern: | Josef Planck, Andrea Planck, geb. Silbernagel |
| Schulbildung: | 1965 - 1969 Grundschule Düsseldorf-Bilk<br>1969 - 1975 Heinrich-Heine-Gymnasium, Düsseldorf |
| Abschluß: | Juni 1975 Mittlere Reife |
| Berufsausbildung: | 1975 - 1978 Schreinerlehre bei der Fa. Wilh. Schäfer & Co KG, Düsseldorf; während der Lehrzeit Kurs für Technisches Zeichnen an der VHS Düsseldorf |
| Abschluß: | März 1978 Gesellenprüfung |
| | 1978 - 1979 (März bis Oktober) Zivildienst in der Universitätsklinik, Düsseldorf |
| | 1979 - 1981 (November bis März) Bauzeichner im Architekturbüro Raumer, Düsseldorf, gleichzeitig Besuch der Abendschule |
| Abschluß: | Januar 1981 Technikerprüfung |
| | 1981 - 1984 Studium an der Ingenieurschule für Bauwesen in Münster, Fachrichtung Architektur |
| Abschluß: | April 1984 Ingenieur grad. |
| Berufstätigkeit: | seit Mai 1984 angestellt als Ingenieur im Amt für Stadtentwicklung und Stadtplanung in Bochum |

Wolfgang Planck wurde am ______ als Sohn von ______ ______ und ______ ______ (geborene ______) in ______ geboren.

Von 1965 bis 1969 besuchte er die ______ ______.

Von 1969 bis 1975 ______ er das ______ in ______.

Er schloß seine Schulbildung mit der "______" ab.

Danach (von 1975 bis 1978) ______ er eine ______ bei der Firma Wilh. Schäfer & Co KG. Außerdem nahm er an einem ______ ______ an der ______ teil.

Seine Schreinerlehre ______ er mit der Gesellenprüfung ______.

Von März 1978 bis ______ leistete er Zivildienst an der ______ ______ in Düsseldorf.

Von 1979 bis 1981 ______ er als Bauzeichner im Architekturbüro Raumer.

Gleichzeitig ______ er die ______.

Von 1981 bis 1984 ________________ er an der ______________________ in Münster das Fach ______________. Das Studium ___________ er mit dem Ingenieur-Examen __________.

Seit Mitte Mai 1984 ist er als _______________ im Amt für Stadtentwicklung und Stadtplanung in Bochum ____________________.

**Ü 7 Schreiben Sie diesen Lebenslauf in der Ich-Form**

Am 29. September 1959 wurde ich __________

__________

**Ü 8 Schreiben Sie Ihren eigenen Lebenslauf**

**a) in tabellarischer Form**

| Angaben zur Person: | Schulbildung: |
|---|---|
| Geburtstag/-ort: | |
| Staatsangehörigkeit: | Abschluß: |
| Familienstand: | Berufsausbildung: |
| Religion: | |
| Eltern: | Abschluß: |
| | Berufstätigkeit: |

**b) in ganzen Sätzen**

LEBENSLAUF

Am __________ wurde ich als Sohn/Tochter von __________ __________ in __________ geboren. __________ __________

**Ü 9 Geben Sie den Lebenslauf von Hanna Gall in ganzen Sätzen wieder**

*Lebenslauf*

| | | |
|---|---|---|
| *Angaben zur Person:* | | *Hanna Gall*<br>*Hauptstr. 27/I*<br>*8044 Unterschleißheim*<br>*Tel. 089 / 3 10 42 67* |
| *Geburtstag/-ort:* | | *27.03.1960 in Bayreuth* |
| *Staatsangehörigkeit:* | | *deutsch* |
| *Familienstand:* | | *ledig* |
| *Religion:* | | *evangelisch-lutherisch* |
| *Eltern:* | | *Marianne Gall, geb. Wich*<br>*Ludwig Gall* |
| *Schulbildung:* | *1966 - 70* | *Pestalozzi-Grundschule Kulmbach* |
| | *1970 - 79* | *Neusprachliches Gymnasium Kulmbach* |
| | *Juli 1979* | *Abitur* |
| | *1979 - 85* | *Studium der Fächer Englisch und Französisch an der Universität Erlangen-Nürnberg* |
| *Abschluß:* | *1985* | *Staatsexamen, M. A.* |
| *Berufsausbildung/* | | |
| *Berufstätigkeit:* | *1985 - 86* | *Praktikum, anschließend Redakteurin für fremdsprachliches Lehrmaterial im Oldenbourg Verlag, München* |
| | *seit 10/86* | *Redakteurin in der Romanistik-Redaktion des Langenscheidt-Verlags, München; zuständig für die Entwicklung von Lehrwerken für Erwachsene* |

**Ü 10 Lesen Sie den Anfang des folgenden Märchens und schreiben Sie den Schluß dazu**

①

# Hans im Glück

Hans hatte sieben Jahre bei einem Müller gearbeitet. Nun wollte er wieder nach Hause. "Sieben Jahre sind eine lange Zeit", sagte er eines Morgens zu seinem Meister, "ich möchte meine Mutter wiedersehen. Bitte gib mir meinen Lohn und laß mich gehen!" Der Müller ging zu seinem Geldkasten und nahm den Lohn heraus. "Hier ist dein Lohn", sagte er zu Hans und gab ihm einen Klumpen Gold, so groß wie sein Kopf.
Hans steckte den Goldklumpen in einen Sack, nahm seinen Wanderstock und marschierte los.

②

Der Weg war steil, die Sonne war heiß, das Gold war schwer: Hans wurde langsam müde.
Da kam ein Reiter den Weg entlang. Hans dachte: "Der Reiter hat es gut; er braucht keine Last auf dem Rücken zu tragen wie ich."
"Was hast du da?" fragte der Reiter. "Einen Klumpen Gold", antwortete Hans, "aber der ist mir viel zu schwer."
"Wenn du willst, können wir tauschen", sagte der Reiter.
"Abgemacht", antwortete Hans. Hans gab dem Reiter das Gold, stieg auf das Pferd und ritt los.
Aber schon bald merkte das Pferd, daß Hans kein richtiger Reiter war, und warf ihn ab.

③

Ein Bauer, der auf der Wiese seine Kuh melkte, fing das Pferd und half Hans wieder auf die Beine.
Hans war sehr durstig. "Du hast es gut", sagte er zu dem Bauern, "du hast eine Kuh; immer wenn du durstig bist, hast du Milch und außerdem Käse und Butter."
"Ja, eine Kuh ist ein nützliches Tier", antwortete der Bauer, "wenn du willst, können wir tauschen: Du gibst mir das Pferd, und ich gebe dir die Kuh dafür." "Abgemacht", sagte Hans.
Er setzte sich hin; er wollte die Kuh melken. Die Kuh aber merkte, daß Hans kein richtiger Bauer war und nicht richtig melken konnte: Deshalb gab sie ihm einen Tritt. …

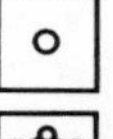

**Bitte verwenden Sie zum Schreiben die Bilder und Stichwörter auf den beiden nächsten Seiten.**

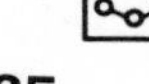

④ Mann mit Schwein - groß und fett - „?" Hans am Boden, stöhnen - „Getreten?" - „Kuh vielleicht schon alt?" „Schwein haben!" - „Tauschen?" - „o.k.!" - Schwein eigensinnig: immer in andere Richtung laufen - Hans verzweifelt

⑤ Frau - Gans - Hans „Gut: Eier, Federn, Braten – kein Ärger mit Schwein" „Tausch?" - „Natürlich!"

⑥ Scherenschleifer (= ein Mann, der Scheren und Messer scharf macht) - lustig, Funken, Geld dafür! -

„Schöne Gans! Woher?" - „Viel Glück!" Hans: ganze Geschichte: Gold, Pferd, Kuh, Schwein, Gans - „Toll! Guter Geschäftsmann! Meine Arbeit?" „Schleifstein?" - Tausch: gewöhnlicher Pflasterstein ↔ Gans

⑦ Brunnen - durstig - trinken - Stein in Brunnen

⑧ Hans „Hurra! Glück! Endlich frei! Nichts mehr zu tragen!" - fröhlich nach Hause.

④

⑤

⑥

⑦

⑧

④ Da kam ein Mann mit einem Schwein; das Schwein war groß und fett. Der Mann fragte Hans: "Was ist denn los?" Denn Hans lag am Boden und stöhnte. "Die Kuh hat mich getreten", antwortete Hans. "Vielleicht ist die Kuh schon alt?" meinte der Mann. "Du hast es gut", sagte Hans, "so ein schönes, fettes Schwein möchte ich auch gern haben." "Wollen wir tauschen?", fragte der Mann. "Gerne," rief Hans, und sie tauschten.
Hans zog mit dem Schwein weiter. Das Schwein aber wollte nicht so, wie Hans wollte; es lief immer in eine andere Richtung. Hans war verzweifelt. ...

**Ü1** Ergänzen Sie die Verben im Präteritum und im Perfekt

## Rudolf Otto Wiemer

**starke und schwache Verben**

**ich trete**
**ich trat**
**ich habe getreten**

**ich schäme mich**
**ich** schämte **mich**
**ich** ______ **mich** ______

**ich weiß gründe**
**ich** ______ **gründe**
**ich** ______ **gründe** ______

**ich bereue**
**ich** ______
**ich** ______ ______

**ich falle auf die Füße**
**ich** ______ **auf die Füße**
**ich** ______ **auf die Füße** ______

**ich lerne dazu**
**ich** ______ **dazu**
**ich** ______ **dazu** ______

**ich komme hoch**
**ich** ______ **hoch**
**ich** ______ **hoch** ______

**ich ändere mich**
**ich** ______ **mich**
**ich** ______ **mich** ______

**ich pfeif drauf**
**ich** ______ **drauf**
**ich** ______ **drauf** ______

**ich sage jawoll**
**ich** ______ **jawoll**
**ich** ______ **jawoll** ______

**ich trete**
**ich trat**
**ich werde treten**

## Ü1 Regelmäßige Verben: Bilden Sie das Präteritum (3. Singular)

1

| ____/(e)t/e | ____/(e)t/e ____ | ____/(e)t/e |
|---|---|---|
| kauf/t/e | kauf/t/e ein | verkauf/t/e |
| arbeit/et/e | | |
| leben, ~~arbeiten~~, ~~einkaufen~~, verdienen, (sich) freuen, meinen, antworten, angeln, zunähen, flirten, zukleben, spielen, hören, nachschauen, ~~verkaufen~~, lernen, erobern, schützen, marschieren, suchen | ~~kaufen~~, fehlen, zeigen, besuchen, kosten, stöhnen, erzählen, suchen, dauern, stecken, einpacken, kaputtmachen, können, feiern, warten, lachen, landen, bauen, bestellen | ergänzen, brauchen, wohnen, aufmachen, reden, holen, machen, ausräumen, schicken, haben, sagen, übernachten, kochen, fragen, schwitzen, gehören, erzählen, müssen, zeigen, wollen, stellen |

## Ü2 Unregelmäßige Verben: Bilden Sie das Präteritum (3. Singular) und das Perfekt (3. Singular)

2

| | ........ / ........ / ........ ........ | ge/......../en / ......../en / ....../ge/....../en |
|---|---|---|
| ① a) bleiben | blieb | ist geblieben |
| schreiben | | |
| beschreiben | beschrieb | hat beschrieben |
| aufschreiben | schrieb auf | hat aufgeschrieben |
| einsteigen | | |
| umsteigen | | |
| aussteigen | | |
| scheinen | | |
| **– ei –** | **– ie –** | **– ie –** |

b) schneiden
aufschneiden
unterstreichen
angreifen

| -ei- | -i- | -i- |
|---|---|---|

② a) schließen
verlieren
anziehen — zog an

| -ie- | -o- | -o- |
|---|---|---|

③ a) trinken
finden
springen
singen

| -i- | -a- | -u- |
|---|---|---|

b) beginnen
schwimmen

| -i- | -a- | -o- |
|---|---|---|

④ a) sprechen
kommen
zurückkommen
wegwerfen
helfen

| -e/o- | -a- | -o- |
|---|---|---|

b) essen | | hat gegessen
vergessen | |

| -e- | -a- | -e- |
|---|---|---|

⑤ a) nehmen
mitnehmen
wegnehmen

| -e- | -a- | -o- |
|---|---|---|

b) lesen
sehen
geben
liegen ⚠
bitten ⚠

| -e- | -a- | -e- |
|---|---|---|

⑥ heben

| -e- | -o- | -o- |
|---|---|---|

⑦ a) schlafen
anfangen
aufhalten
liegenlassen | ließ liegen | hat liegengelassen
verlassen

| -a- | -ie/i- | -a- |
|---|---|---|

b)

| | | |
|---|---|---|
| fahren | | |
| abfahren | | |
| tragen | | |
| aufschlagen | | |
| **-a-** | **-u-** | **-a-** |

⑧

| | | |
|---|---|---|
| rufen | | |
| anrufen | | |
| laufen | | |
| weglaufen | | |
| zurücklaufen | | |
| **-u/au-** | **-ie-** | **-u/au-** |

⚠

| | | |
|---|---|---|
| gehen | ging | ist gegangen |
| stehen | stand | hat gestanden |
| tun | tat | hat getan |
| sein | | |
| haben | | |
| werden | wurde | ist geworden |

**Ü 3 Wie heißen die Infinitive?**

| | | | | | | |
|---|---|---|---|---|---|---|
| 1. | fallen, | fiel, | gefallen | 7. | hielt, | gehalten |
| 2. | , | gefiel, | gefallen | 8. | schloß, | geschlossen |
| 3. | , | bat, | gebeten | 9. | warf, | geworfen |
| 4. | , | ritt, | geritten | 10. | schliff, | geschliffen |
| 5. | , | lud, | geladen | 11. | lag, | gelegen |
| 6. | , | fing, | gefangen | 12. | ging unter, | ist untergegangen |

**Ü 4** **Ergänzen Sie die fehlenden Verben** 

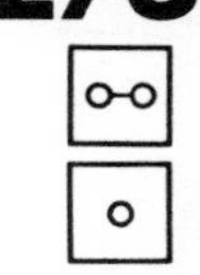

# Die Geschichte von Tante Milas Hausreinigungsfirma

So war es, als die zehn Patentbesen in Tante Milas Küche ________ ________: Immer ________ sie _____, und Mila ________ über die Stiele.

"Verschenken Sie die Dinger!" ________ Herr Samsohl. [...] "Wollen Sie einen?" ________ Mila. Natürlich ________ er keinen.

Am Tag darauf ________ Mila eine Idee: Sie ________ eine Hausreinigungsfirma gründen, [...] Sie ________ das allen Leuten, so begeistert ________ sie. [...] Sie ________ eine Anzeige in die Zeitung: "Junge Mädchen gesucht für Hausreinigungsbetrieb mit Patentbesen." [...]

Von guten Freunden ________ Mila kein Geld nehmen, und weil sich kein junges Mädchen ________ ________, ________ sie nun jeden Tag bei den Hausnachbarn. Dabei ________ sie aber nichts, und sie ________ kaum noch Zeit fürs Malen.

~~sein~~ – stehen – umfallen – fallen – sagen – fragen – wollen – haben – wollen – erzählen – sein – setzen – wollen – melden – putzen – verdienen – haben

○ **Ü 5 Ergänzen Sie die Verben im Präteritum** 

## Die letzte Geschichte von Tante Mila und den Patentbesen

Tante Mila __war__ im Kaufhaus. Ihre Patentbesen ______ ______ neben anderen Besen.

"Was sind das für Besen?" ______ Tante Mila die Verkäuferin. "Oh, das ist etwas ganz Neues!" ______ ______ die Verkäuferin, "diese Besen müssen Sie unbedingt ausprobieren!"

"Nein, danke!" ______ Tante Mila und ______ fort.

antworten – (fort)gehen – fragen – sagen – ~~sein~~ – stehen

**3** **Ü 6 Ergänzen Sie die Verben im Plusquamperfekt** 

○○ ○

## Die vorletzte Geschichte von Tante Mila und den Patentbesen

Wie aber __waren__ die Patentbesen ins Kaufhaus __gekommen__? Ganz einfach: Tante Mila ______ schon bald keine Lust mehr ______, mit ihren Patentbesen bei den Nachbarn zu putzen. Deshalb ______ sie ihre Firma ______. Sie ______ die Besen auf einen Wagen ______, ______ mit ihnen zur Brücke ______ und ______ sie in den Fluß ______. "Ab nach Holland!" ______ sie ______; die Besen

__________ aber nicht __________, denn die leeren Wassersäcke __________ sie oben __________. Dann __________ ein Schiff __________: Der Kapitän __________ alle Besen wieder aus dem Wasser __________ und sie ans Ufer __________.

Schließlich __________ Tante Mila die Besen __________ und sie ins Kaufhaus __________.

Sie __________ die Patentbesen einfach neben die anderen Besen __________; niemand __________ etwas __________.

Nun standen sie da .....

Und wenn sie niemand gekauft hat, dann stehen sie da noch heute.

haben - zumachen/schließen - laden - fahren - werfen - rufen - untergehen - halten - kommen - holen - bringen - nehmen - bringen - stellen - merken

**Ü 7** **Nebensätze, Nebensätze, Nebensätze: Ergänzen Sie die Verben und die Konjunktionen**

4–6

1. JAHR, 2. JAHR, 3. JAHR, 4. JAHR, 5. JAHR, 6. JAHR, 7. JAHR

ZUR MÜHLE

# Hans im Glück

1. Nachdem Hans sieben Jahre lang bei einem Müller gearbeitet hatte, wollte er wieder nach Hause.

2. __________ er den Müller um seinen Lohn __________, __________ der Müller zu ihm: "Hier ist dein Lohn" und __________ ihm einen Klumpen Gold.

nachdem

bitten, sagen

geben

3. __________ Hans die Straße entlang__________, __________ er langsam müde. — während gehen werden

4. __________ der Reiter Hans __________: "Was hast du da?" und Hans __________: "Einen Klumpen Gold, aber der ist viel zu schwer", __________ sie. — nachdem fragen antworten tauschen

5. __________ Hans eine Weile auf dem Pferd __________ __________, __________ das Pferd, __________ Hans kein Reiter __________, und __________ ihn ab. — nachdem reiten, merken daß sein, abwerfen

6. __________ ein Bauer das Pferd von Hans __________ __________, __________ Hans zu ihm: "Du hast es gut, __________ du durstig __________, __________ du Milch und außerdem Käse und Butter. — nachdem fangen, sagen immer wenn sein haben

7. __________ Hans die Kuh melken __________, __________ sie ihm einen Tritt, __________ er __________. — als wollen, geben so daß hinfallen

8. __________ Hans noch auf dem Boden __________, __________ ein Mann mit einem Schwein daher. — während liegen kommen

9. __________ der Mann mit dem Schwein zu Hans __________ __________: "Wer weiß, vielleicht ist die Kuh schon alt und gibt nur noch wenig Milch!", __________ Hans mit dem Mann die Kuh gegen das Schwein. — nachdem sagen tauschen

10. Hans __________ verzweifelt, __________ das Schwein immer in eine andere Richtung __________. — sein weil laufen

11. Hans ______________ sein Schwein gegen eine Gans, ____________ er dachte: "Dann habe ich Eier für das Frühstück, Federn für das Bett und einen Braten zu Weihnachten!" — tauschen, weil

12. ______________ Hans ______________, ____________ er einen Scherenschleifer (ein Scherenschleifer ist ein Mann, der Scheren ______________, ____________ sie wieder scharf ____________). — während, weitergehen, sehen, schleifen, so daß, sein

13. Hans ______________ die Gans gegen einen Stein, ____________ ihm der Beruf des Scherenschleifers so gut ______________. — tauschen, weil, gefallen

14. ____________ Hans an einem Brunnen Wasser ______________, ______________ der Stein in den Brunnen. — als, trinken, fallen

15. ______________ Hans alles ______________, ____________ er: "Nun bin ich endlich frei!" und ____________ froh nach Hause. — nachdem, verlieren, rufen, laufen

# 11A

**1** **Ü1** **Was sagen die Leute?**
**Schreiben Sie Dialoge zu den Bildern ①, ② und ③**

①

②

Wie finden Sie das .....?
findest du den .....?
die .....?

Wie gefällt Ihnen dieses .....?
dir dieser .....?
diese .....?

- Phantastisch!
- Toll!
- Prima!
- Sehr gut!
- Gut!
- Es geht.
- Etwas langweilig.
- Nicht so gut.
- Schlecht.
- Scheußlich!

- Das finde ich nicht!
- So?
- Wirklich?

- Stimmt!
- Da haben Sie recht!
- Das finde ich auch!
- Wirklich!
- Ganz richtig!

---

Was für Gepäck haben Sie? – Eine Tasche und ein Paket.
Was für ein Koffer ist das? – Ein großer schwarzer.

③

**Ü 2 Was ist was? Benutzen Sie ein Lexikon** 

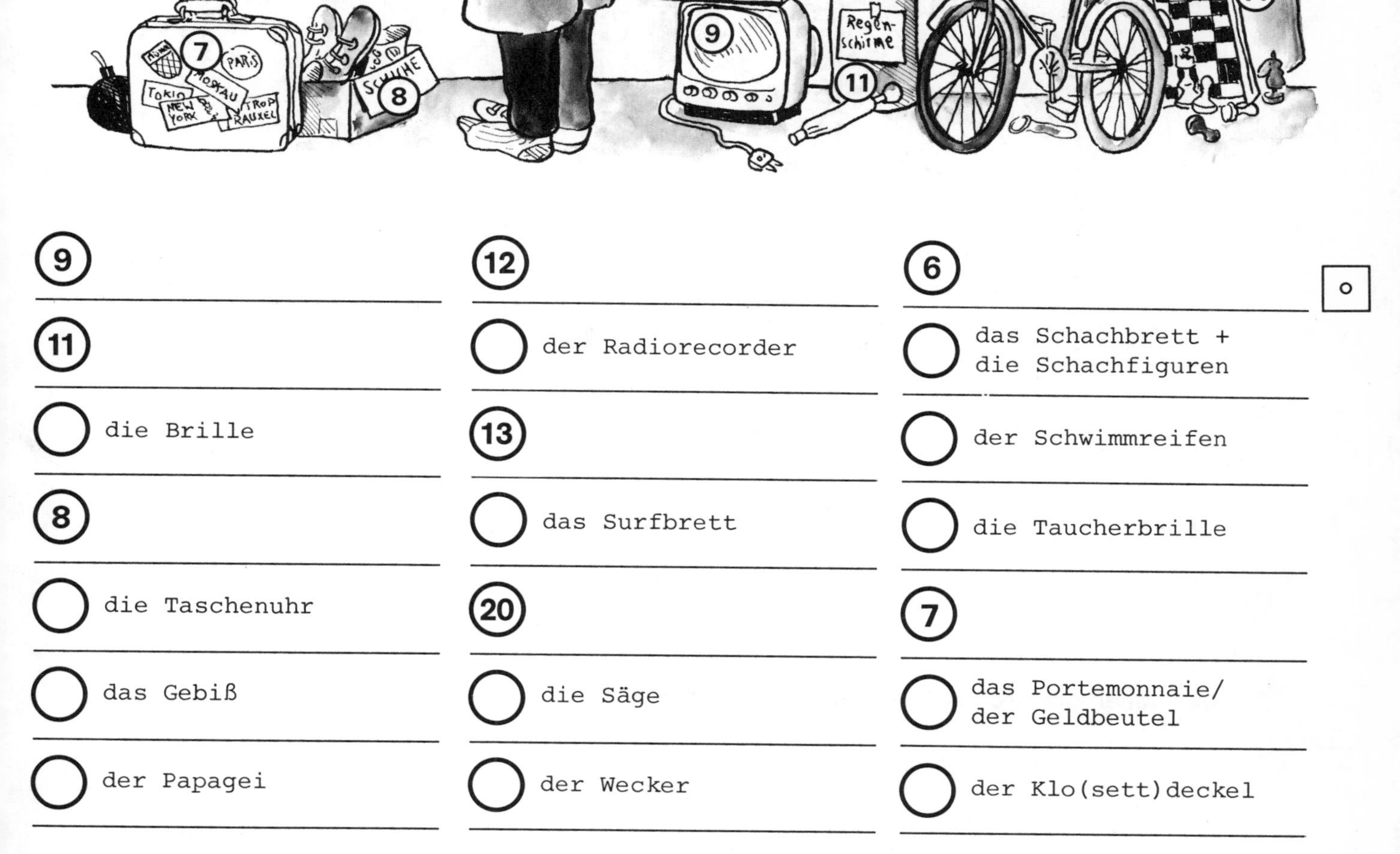


- (9)
- (11)
- ( ) die Brille
- (8)
- ( ) die Taschenuhr
- ( ) das Gebiß
- ( ) der Papagei

- (12)
- ( ) der Radiorecorder
- (13)
- ( ) das Surfbrett
- (20)
- ( ) die Säge
- ( ) der Wecker

- (6)
- ( ) das Schachbrett + die Schachfiguren
- ( ) der Schwimmreifen
- ( ) die Taucherbrille
- (7)
- ( ) das Portemonnaie/ der Geldbeutel
- ( ) der Klo(sett)deckel

**Ü 3 Sie haben etwas verloren und sprechen mit dem Mann im Fundbüro. Schreiben Sie den Dialog**

## 2 Ü 4 Wie heißen die Kleidungsstücke auf deutsch?

① ______

② ______

③ ______

④ ______

⑤ ______

⑥ ______

⑦ ______

⑧ das Unterhemd

⑨ ______

⑩ ______

⑪ ______

⑫ ______

⑬ ______

⑭ ______

⑮ ______

⑯ ______

⑰ ______

⑱ ______

## Ü 5 Was sehen Sie noch auf dem Bild? Notieren Sie bitte

## Ü 6 Malen Sie die Farben bitte

weiß ☐ gelb ☐ rot ☐ schwarz ☐ grün ☐ blau ☐

beige ☐ orange ☐ braun ☐ grau ☐ hellblau ☐ dunkelblau ☐

**Ü 7 Schreiben Sie Gespräche / Dialoge**

## 3 Ü8 a) Rekonstruieren Sie das Gespräch (→ Lehrbuch 11A3)
b) Schreiben Sie ein neues Gespräch

- 50. oo Hübsch!

o Blau?

- Nein.

o Kostet?

- 98. Weich!

o ...

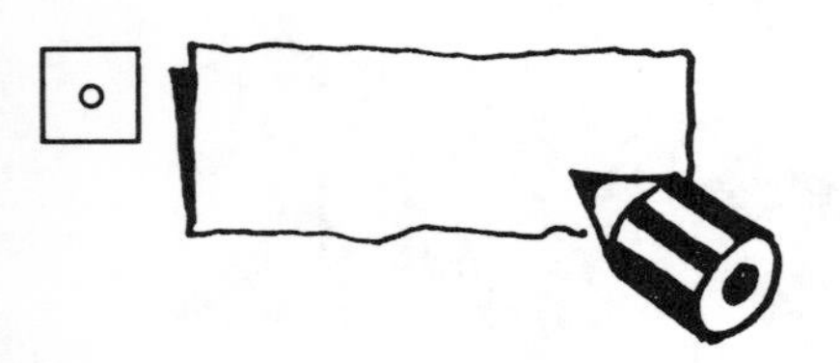

## 5 Ü9 Richtig oder falsch? Kreuzen Sie bitte an

| | richtig | falsch |
|---|---|---|
| 1. Ihr gefällt der Pullunder nicht. | | |
| 2. Er wollte eine blaue Weste kaufen. | | |
| 3. Die Westen gefielen ihm alle. | | |
| 4. Sie sagt, daß Westen jetzt ganz modern sind. | | |
| 5. Er hat viele Westen anprobiert, und die passen alle zu seinem neuen Jackett. | | |
| 6. Sie probiert den Pullunder an - und behält ihn für sich. | | |
| 7. Sie will ihm eine Weste kaufen. | | |
| 8. Er ist einverstanden. | | |

## Ü10 Hören Sie das Gespräch im Textilgeschäft und bearbeiten Sie die folgenden Aufgaben

**a) Lesen Sie bitte zuerst den folgenden Text:**

*Er* ist in einem Textilgeschäft.
Er will sich eine blaue Weste
zu seinem neuen Jackett kaufen.
Der *Verkäufer* weiß sofort:
Blaue Westen haben wir nicht.
Aber vielleicht kann er dem
Herrn einen Pullunder ver-
kaufen?
Gelingt ihm das? Was glauben Sie?

**b) Ergänzen Sie bitte**

- Ka*nn* ich Ihnen he*lfen* ?
- o Ich su_______ eine bl_______ We_______ zu diesem Jack_________.
- Eine Weste, eine blaue Weste, Mom_______. Sch_________ w_____ mal.
  Ja, da s_____ sie - n_______. Aug___________! Übrigens, pro___________
  Sie doch mal die_______ Pull__________.
- o Ich m_________ k___________ P_____________;
  ich su_________ eine Weste!
- Ja, ja, ich w_______. Es ist nur wegen der Grö_____.
  Ich brau_______ Ihre Gr_______. Pro__________ Sie
  doch bitte mal! So, s_______ sch_____, nicht wahr?
- o Na ja, n________ schl_________. Aber jetzt
  zei_______ Sie mir mal eine blaue Weste!
- Neunund_______________ Mark, reine Wo________, ni______ teu________.
- o Sch_____, das ist wirk_________ n_______ zu t_______. Aber j_______
  z__________ Sie mir eine blaue Weste! Oder haben Sie k_______?
- Ja, also, das ist so: Wir haben k_______ W_______________ mehr.
- o K_______ W_______________ mehr? Warum sa_______ Sie das n_______ gl_______?
- Se_______ Sie, Westen sind n_______ m_______ mo_________, besonders
  f____ ju_______ Men_________ nicht. Erst Herr_____ ab 60, 70 ...
  Dies_______ Pull_________ st______ Ihnen wirk_________ g_____.
- o Ja, er gef_______ mir ja au______.
- Na also, der sit_____ genau ri_________, hat eine elegante wei_____ Fo_____,
  schö_____ Far_______ ... Oder wo___________ Sie noch einen and_____________
  Pull____________ pro___________ - oder eine he_________ Weste!
- o Sie h_______ also d_______ Westen? .....

**c) Beantworten Sie bitte die Fragen**

1. Was glauben Sie: Warum zeigt der Verkäufer dem jungen Mann am Schluß doch noch eine Weste?
2. Wie sieht diese Weste aus? Was kostet sie?
3. Warum nimmt der junge Mann diese Weste *nicht?*

## 6 Ü 11 Die Geschichte vom grünen Fahrrad

**a) Rekonstruieren Sie die Geschichte**

eine Frau aus dem Haus

der große Bruder

ein anderes Mädchen

der Nachbarsjunge

Rot? Haben alle! Blau!

Blau? Zu dunkel! Gelb! Lustiger!

Ein scheußliches Gelb! Himmelblau! Schön!

Himmelblau? Blöde! Rot!

Grasgrün: noch nie gesehen! Rot! Schön!

grün

rot

blau

gelb

himmelblau

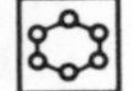

**b) Drehen Sie die Scheiben und erzählen Sie die Geschichte anders**

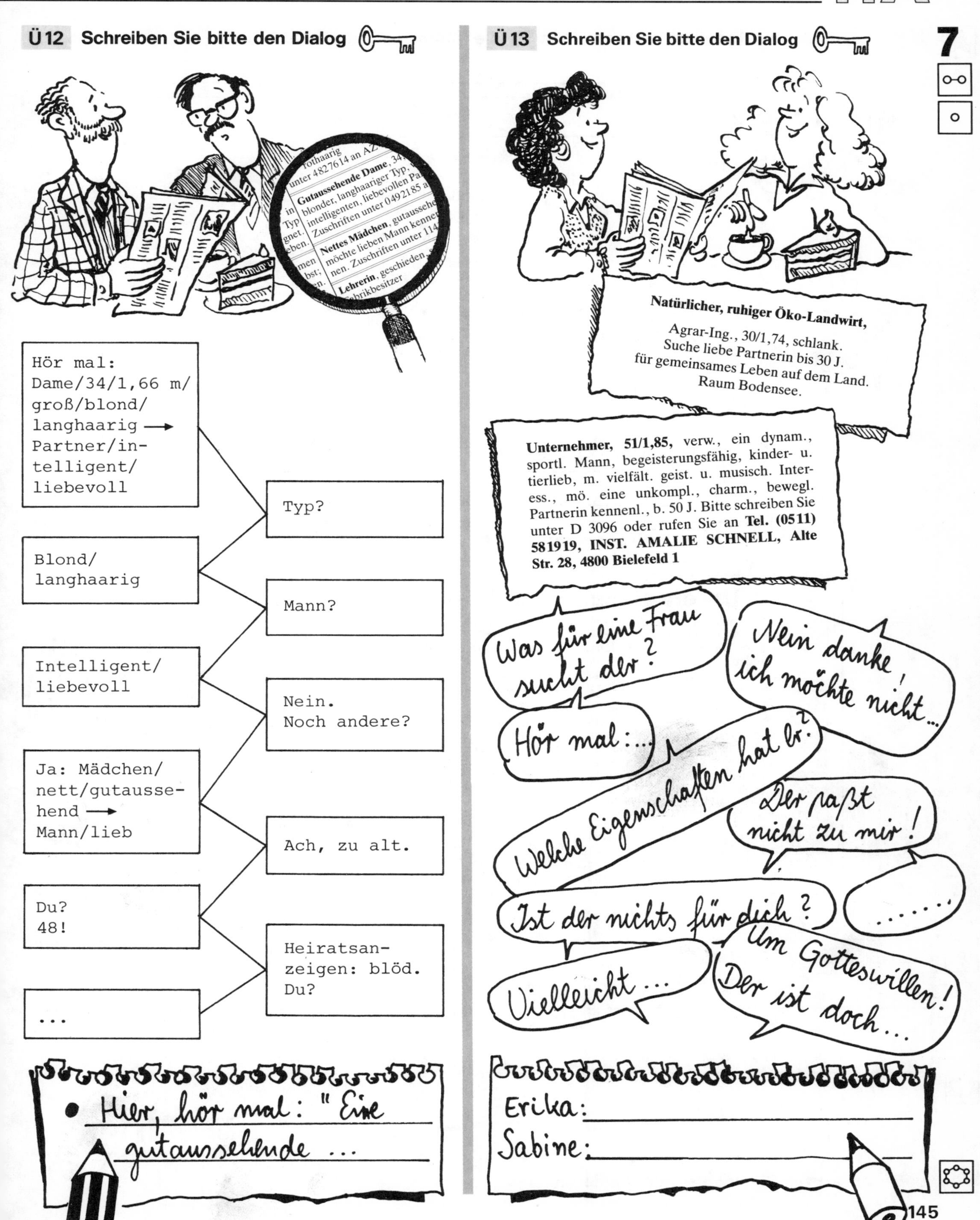
Ü 12 Schreiben Sie bitte den Dialog
Hör mal: Dame/34/1,66 m/groß/blond/langhaarig → Partner/intelligent/liebevoll
Typ?
Blond/langhaarig
Mann?
Intelligent/liebevoll
Nein. Noch andere?
Ja: Mädchen/nett/gutaussehend → Mann/lieb
Ach, zu alt.
Du? 48!
Heiratsanzeigen: blöd. Du?
...
• Hier, hör mal: "Eine gutaussehende ...
Ü 13 Schreiben Sie bitte den Dialog
7
Natürlicher, ruhiger Öko-Landwirt,
Agrar-Ing., 30/1,74, schlank. Suche liebe Partnerin bis 30 J. für gemeinsames Leben auf dem Land. Raum Bodensee.
Unternehmer, 51/1,85, verw., ein dynam., sportl. Mann, begeisterungsfähig, kinder- u. tierlieb, m. vielfält. geist. u. musisch. Interess., mö. eine unkompl., charm., bewegl. Partnerin kennenl., b. 50 J. Bitte schreiben Sie unter D 3096 oder rufen Sie an Tel. (0511) 581919, INST. AMALIE SCHNELL, Alte Str. 28, 4800 Bielefeld 1
Was für eine Frau sucht der?
Nein danke, ich möchte nicht...
Hör mal: ...
Welche Eigenschaften hat er?
Der paßt nicht zu mir!
Ist der nichts für dich?
......
Vielleicht ...
Um Gotteswillen! Der ist doch ...
Erika:
Sabine:

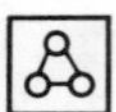

**Ü 14 Lesen Sie die Anzeigen und schreiben Sie die Informationen in eine Tabelle**

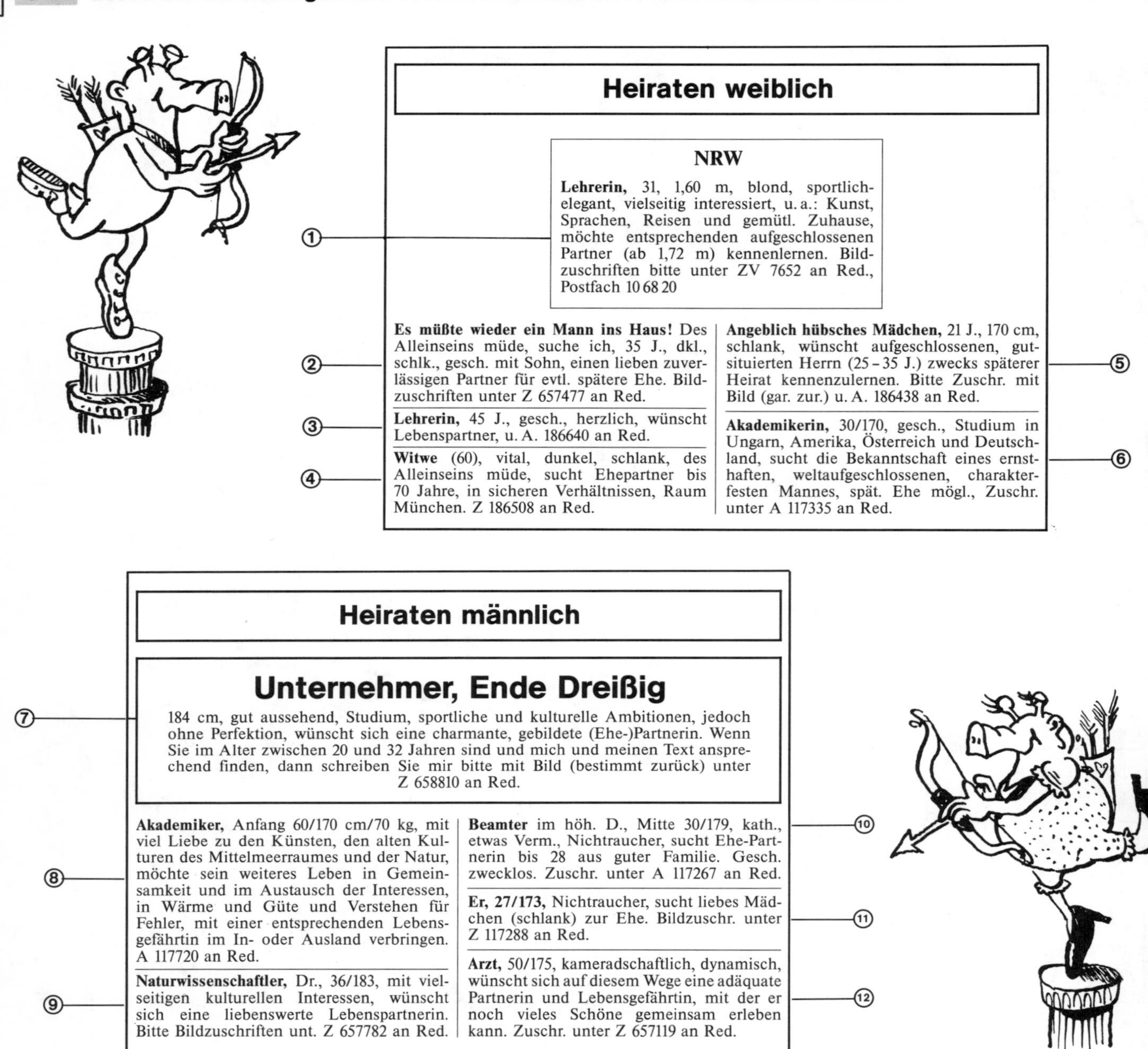

## Heiraten weiblich

**NRW**

① **Lehrerin,** 31, 1,60 m, blond, sportlich-elegant, vielseitig interessiert, u. a.: Kunst, Sprachen, Reisen und gemütl. Zuhause, möchte entsprechenden aufgeschlossenen Partner (ab 1,72 m) kennenlernen. Bildzuschriften bitte unter ZV 7652 an Red., Postfach 10 68 20

② **Es müßte wieder ein Mann ins Haus!** Des Alleinseins müde, suche ich, 35 J., dkl., schlk., gesch. mit Sohn, einen lieben zuverlässigen Partner für evtl. spätere Ehe. Bildzuschriften unter Z 657477 an Red.

③ **Lehrerin,** 45 J., gesch., herzlich, wünscht Lebenspartner, u. A. 186640 an Red.

④ **Witwe** (60), vital, dunkel, schlank, des Alleinseins müde, sucht Ehepartner bis 70 Jahre, in sicheren Verhältnissen, Raum München. Z 186508 an Red.

⑤ **Angeblich hübsches Mädchen,** 21 J., 170 cm, schlank, wünscht aufgeschlossenen, gutsituierten Herrn (25 – 35 J.) zwecks späterer Heirat kennenzulernen. Bitte Zuschr. mit Bild (gar. zur.) u. A. 186438 an Red.

⑥ **Akademikerin,** 30/170, gesch., Studium in Ungarn, Amerika, Österreich und Deutschland, sucht die Bekanntschaft eines ernsthaften, weltaufgeschlossenen, charakterfesten Mannes, spät. Ehe mögl., Zuschr. unter A 117335 an Red.

## Heiraten männlich

⑦ **Unternehmer, Ende Dreißig**

184 cm, gut aussehend, Studium, sportliche und kulturelle Ambitionen, jedoch ohne Perfektion, wünscht sich eine charmante, gebildete (Ehe-)Partnerin. Wenn Sie im Alter zwischen 20 und 32 Jahren sind und mich und meinen Text ansprechend finden, dann schreiben Sie mir bitte mit Bild (bestimmt zurück) unter Z 658810 an Red.

⑧ **Akademiker,** Anfang 60/170 cm/70 kg, mit viel Liebe zu den Künsten, den alten Kulturen des Mittelmeerraumes und der Natur, möchte sein weiteres Leben in Gemeinsamkeit und im Austausch der Interessen, in Wärme und Güte und Verstehen für Fehler, mit einer entsprechenden Lebensgefährtin im In- oder Ausland verbringen. A 117720 an Red.

⑨ **Naturwissenschaftler,** Dr., 36/183, mit vielseitigen kulturellen Interessen, wünscht sich eine liebenswerte Lebenspartnerin. Bitte Bildzuschriften unt. Z 657782 an Red.

⑩ **Beamter** im höh. D., Mitte 30/179, kath., etwas Verm., Nichtraucher, sucht Ehe-Partnerin bis 28 aus guter Familie. Gesch. zwecklos. Zuschr. unter A 117267 an Red.

⑪ **Er, 27/173,** Nichtraucher, sucht liebes Mädchen (schlank) zur Ehe. Bildzuschr. unter Z 117288 an Red.

⑫ **Arzt,** 50/175, kameradschaftlich, dynamisch, wünscht sich auf diesem Wege eine adäquate Partnerin und Lebensgefährtin, mit der er noch vieles Schöne gemeinsam erleben kann. Zuschr. unter Z 657119 an Red.

| Anzeige-Nr. | Wie alt? Wie groß? | Aussehen? | Was macht sie/er? | Wie soll der Partner/ die Partnerin sein? |
|---|---|---|---|---|
| ① | 31<br>1,60 m | blond, sportlich, elegant | Lehrerin, Sprachen, Reisen | aufgeschlossen, Sprachen, Reisen |
| ② | | | | |

**Ü 15 Antworten Sie schriftlich auf eine Anzeige**

# Wie die Deutschen wohnen

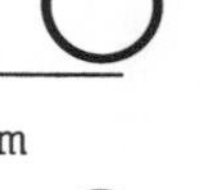
8

**Ü 16 Was für Häuser sind das? Benutzen Sie ein Lexikon** 

①

④

②

⑤

⑥

③

⑦

⑧

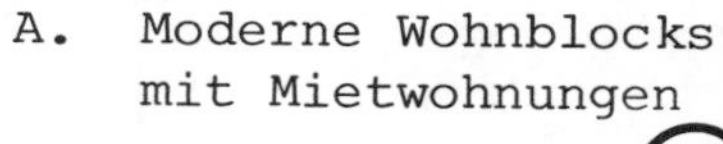
A. Moderne Wohnblocks mit Mietwohnungen ◯

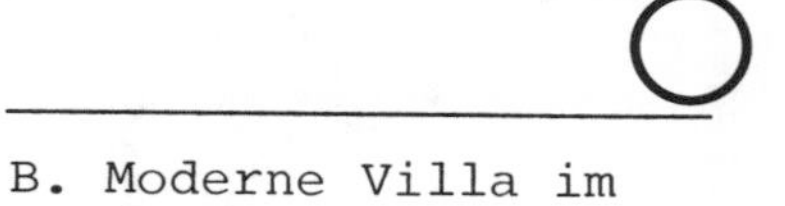
B. Moderne Villa im Grünen ◯

C. Reihenhäuser, wie man sie überall findet ◯◯

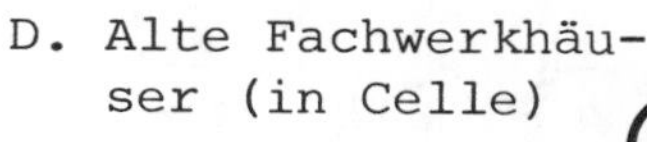
D. Alte Fachwerkhäuser (in Celle) ◯

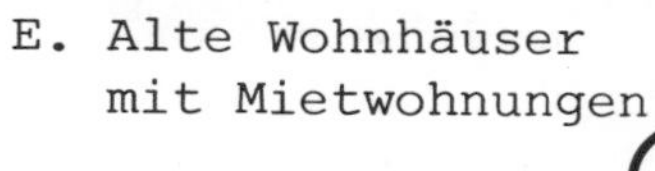
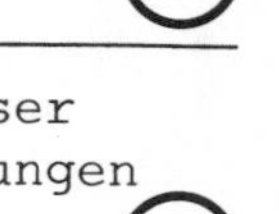
E. Alte Wohnhäuser mit Mietwohnungen ◯

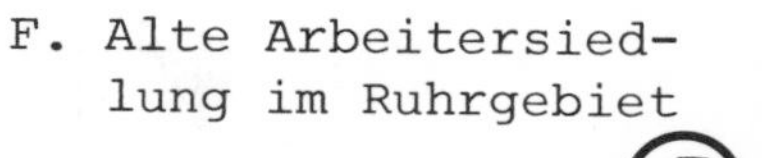
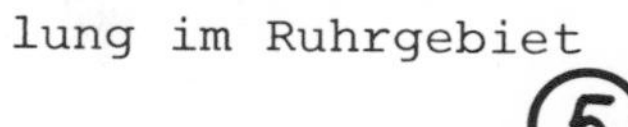

F. Alte Arbeitersiedlung im Ruhrgebiet ⑤

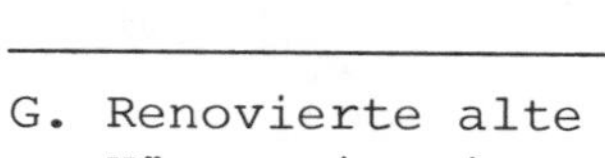
G. Renovierte alte Häuser in einer Großstadt ◯

## 9 Ü 17 Die Räume (Zimmer) einer Wohnung: Was ist was? – Bitte numerieren Sie

Erdgeschoß

Obergeschoß

1 2 3 4 5 6 7 8 9 10 11 12

- ◯ der Eßplatz / das Eßzimmer
- ◯ der Wohnraum / das Wohnzimmer
- ◯ der Schlafraum / das Schlafzimmer
- ◯ ◯ das Kinderzimmer
- ◯ die Küche
- ◯ das Bad / das Badezimmer
- ◯ ◯ der Flur / die Diele
- ◯ die Toilette / das WC
- ◯ die Terrasse
- ◯ der Balkon / die Loggia

## Ü 18 Welche Möbelstücke und Gegenstände sind im Wohnzimmer, ...?

| Wohnzimmer | Schlafzimmer | Bad | Küche | Terrasse |
|---|---|---|---|---|
| der Couchtisch | | | | |

**Ü 19 Lesen Sie zuerst den folgenden Text, hören Sie dann das Gespräch und ergänzen Sie**

9

Herr und Frau Miller waren zu Besuch bei Hempels. Nun sind sie wieder zu Hause. Sie sprechen über die Wohnung von Hempels und über ihre eigene Wohnung, über die Möbel von Hempels und über ihre eigenen Möbel.

Er: Oh, war das l__________!

Sie: Aber die W__________ ist w__________ __________ h__________.

Er: F__________ ich n__________.

Sie: Doch, sch__________ gr__________, und b__________ haben ein A__________. Das haben wir nicht. Und der K__________ hat a__________ ...

Er: Ein fr__________ Kerl! "P__________ ist d__________" - hast du das gel__________?

Sie: Ja, ja, und hast du die K__________ ges__________? So h__________ und fr__________! So e__________ m__________ ich auch h__________.

Er: Ich f__________ unsere v__________ sch__________.

Sie: Ach so, du b__________ doch n__________ in der K__________!

Er: So, du f__________ ihre W__________ also sch__________?!

Sie: Ja, s__________ sch__________!

Er: Das k__________ ich w__________ nicht v__________! Gr__________ ist sie, aber alles andere ist g__________ n__________ und l__________.

Sie: Was ist l__________?

Er: Die M__________ zum B__________!

Sie: Aber wir spr__________ doch von der W__________!

Er: Die M__________ g__________ zur W__________! Die sind sogar bes__________ w__________!

Sie: Und wie f__________ du u__________ M__________?

## 10 Ü 20 Welcher Satz paßt zu welcher Anzeige? Lesen Sie und ordnen Sie zu

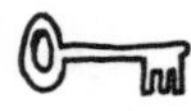

# Wohnungsanzeigen

### Vermietungen

1. **Zwei 1/2-Zi.-Appartements,** m. Kochn., Duschbad, Diele u. HZ, in ruhiger Lage Nähe Hupfeldschule ab sof. zu vermieten. ☎ **36028**
2. **1-Zi.-Ap.,** 25 qm, ZH, Spüle, E-Herd, Kühlschr., Teppichboden, Bad u. WC, DM 270 plus NK und Kaution. Mönchebergstr. 50, ☎ 891400
3. **3-Zi.,** Kü., Bad, HZ, Nähe Lutherplatz zu vermieten. ☎ 36901
4. **1-Zi.-Appartement** (leer) frei. Billigst! ☎ 14174 (nur von 8–17 Uhr)
5. **Möbl. Zimmer,** Nähe Hauptbahnhof, ab 1. 1. frei. ☎ 71424
6. **Kl. Laden** mit Wohn., Nähe Hauptpost, frei. Angebote unter A 1/3376 Pressehaus
7. **Sep. möbl. Zimmer,** Küche u. Dusche, Zentrum, frei. ☎ 05605/5200
8. **2-Zimmer-Appartement zum 1. 2.** zu verm., 350 DM u. Nebenabgaben. Tel. 84971, Mo.–Fr. 7–16 Uhr
9. **2-Zi.,** Kü., Bad, 50 qm, Nähe Berliner Brücke, DM 350,–. ☎ 15691 Mi., Do. 8 bis 16 Uhr
10. **2 ZKB,** renoviert, 2-Fam.-Haus, z. 1. 1., DM 550,– + NK. ☎ 0561/75270 ab 15 Uhr
11. **2½ Zi.,** Kü., Bad, sep. WC, Teppichbod., 79 qm, Altbau, 1. 1. od. 1. 2., DM 420,– + NK. ☎ 17677

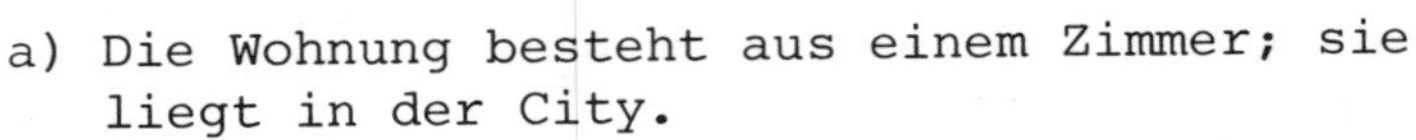

a) Die Wohnung besteht aus einem Zimmer; sie liegt in der City.

b) Zur Wohnung gehören eine Küche, ein Bad und drei Zimmer.

c) Die Wohnung kostet 350 Mark; es gibt keine Nebenkosten.

d) Zur Wohnung gehören eine Kochnische, eine Diele und eine Dusche; man kann sie sofort mieten.

e) Die Wohnung hat Teppichboden; sie ist in einem alten Haus.

f) Die Wohnung ist in einem Haus, in dem es nur zwei Wohnungen gibt.

g) Die Wohnung besteht aus einem Zimmer mit Spüle, Elektroherd und Kühlschrank.

h) Die Wohnung besteht aus einem Zimmer; in dem Zimmer sind keine Möbel.

i) Wenn man die Wohnung mieten will, kann man montags bis freitags zwischen sieben Uhr und sechzehn Uhr anrufen.

| | |
|---|---|
| NA = Nebenabgaben = Nebenkosten | 2-Fam.-Haus: Zweifamilienhaus |
| m. = mit | Mo = Montag |
| u. = und | Mi = Mittwoch |
| verm. = vermieten | Do = Donnerstag |
| qm. = Quadratmeter ($m^2$) | Fr = Freitag |

## 11 Ü 21 Was sagt die Vermieterin? Hören Sie das Telefongespräch und schreiben Sie in die Tabelle

| Die Anruferin möchte wissen: | Die Vermieterin sagt: |
|---|---|
| 1. Ist das Zimmer noch frei? | 1. Ja. |
| 2. Wie hoch sind die Nebenkosten ungefähr? | 2. |
| 3. Muß man die Nebenkosten auch im Sommer bezahlen? | 3. |
| 4. Wie hoch ist die Mietsicherheit (Kaution)? | 4. |

| | |
|---|---|
| 5. 31 $m^2$, ist das nur das Zimmer - oder mit Kochnische und Bad zusammen? | 5. |
| 6. Wie weit ist es bis zur Stadtmitte? | 6. |
| 7. Wann kann ich mal vorbeikommen? | 7. |

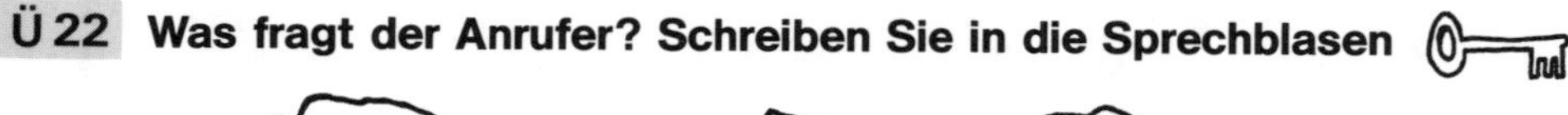

**Ü 22 Was fragt der Anrufer? Schreiben Sie in die Sprechblasen**

1. Das Wohnzimmer hat ca. 25 $m^2$, das Schlafzimmer ca. 15.
2. Schrank, Couch, 2 Sessel, Couchtisch, Tisch und vier Stühle.
3. Ja, für einen Schreibtisch ist noch Platz.
4. Zur Zeit 95 Mark im Monat, für Heizung, Wasser usw.
5. 2 Monatsmieten.
6. Ja, bis zur Haltestelle sind es etwa 10 Minuten zu Fuß.
7. Bis zum Hauptbahnhof ca. 20 Minuten.
8. Ab dem fünfzehnten.
9. Heute abend ab 18 Uhr.
10. Auf Wiederhören!

**Ü 23** **Sie haben eine Wohnung oder ein Zimmer gemietet. Füllen Sie bitte die folgenden Teile eines Mietvertrags aus:**

# Wohnungs-Mietvertrag

Der (Die) Vermieter ______________________________

______________________________

wohnhaft in ______________________________

und der (die) Mieter ______________________________

______________________________

______________________________

schließen folgenden Mietvertrag:

**§ 1 Mieträume**

1. Im Hause ______________________________
(Ort, Straße, Haus-Nr.)
werden folgende Räume vermietet:
_______ Zimmer, _______ Küche/Kochnische, _______ Bad/Dusche/WC, _______ Bodenräume/
Speicher Nr. _______, _______ Kellerräume Nr. _______
_______ Garage/Stellplatz, _______ Garten, _______ **gewerblich** genutzte Räume

**§ 3 Miete**

1. Die Miete beträgt monatlich: _______ DM; in Worten:
DM ______________________________
2. Zusätzlich zur Miete zahlt der Mieter
a) für **Heizung und Warmwasser** ☐ eine **Vorauszahlung** ☐ einen **Pauschalbetrag** in Höhe von _______ DM
b) für die folgenden Betriebskosten ______________________________
______________________________
☐ einen **Pauschalbetrag** ☐ eine **Vorauszahlung** in Höhe von _______ DM monatlich.
3. Der Gesamtbetrag (Summe aus Miete und Betriebskosten) in Höhe von _______ DM ist auf das Konto _______
______________________________ des Vermieters zu zahlen.

**Ü 1** **Silbenrätsel**

~~ba~~ - ~~bal~~ - blu - che - de - den - der - der - ~~du~~ - ~~e~~ - fe - fel - he - hem - herd - ho - hü - ke - ken - ~~kin~~ - klei - kon - kos - kra - ~~kü~~ - ~~kühl~~ - le - lek - män - mer - mer - mer - pe - ras - rök - sak - sche - ~~schlaf~~ - schrank - schu - se - sel - sen - sen - ~~ses~~ - sok - ~~spü~~ - stie - strümp - te - tel - ten - ~~ter~~ - tro - wan - wat - ~~wohn~~ - zim - zim - zim

| WOHNUNG: | KLEIDUNGSSTÜCKE (Plural!): | |
|---|---|---|
| Ba... | B... | St... |
| Bal... | H... | |
| Du... | H... | |
| E... | H... | |
| Kin... | K... | |
| Kü... | K... | |
| Kühl... | M... | |
| Schlaf... | R... | |
| Ses... | S... | |
| Spü... | S... | |
| Ter... | Sch... | |
| Wohn... | St... | |

1/2

**Ü1 Schreiben Sie bitte Fragen**

a) Was für ein Schirm war das?

b) Was für einen Schirm suchen Sie?

~~Schirm~~ – Fahrrad – Brille – Uhr – Tasche – Koffer – Radiorecorder – Kleid – Bild – Fernseher – Fotoapparat – Hut

c) Welcher Schirm gefällt dir besser?

d) Welchen Schirm möchtest du?

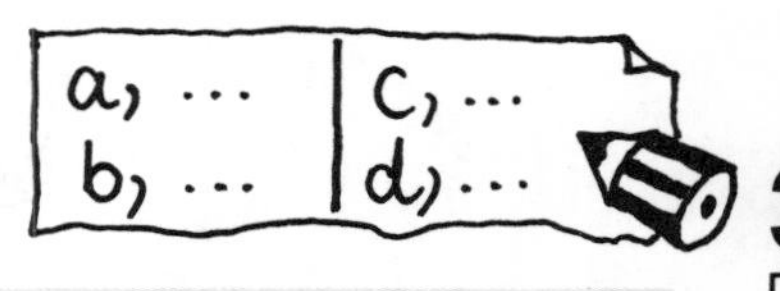


3

**Ü2 Fragen Sie bitte nach den folgenden Mustern:**

a) Welcher Mantel gefällt dir besser, der schwarze oder der graue?

b) Welchen Mantel möchtest du, den schwarzen oder den grauen?

Ⓐ Die *Adjektiv-Endungen nach* dem *bestimmten* Artikel:

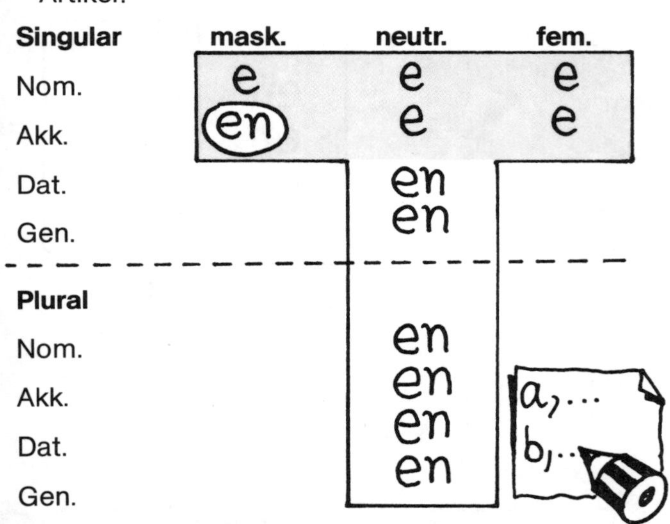

| Singular | mask. | neutr. | fem. |
|---|---|---|---|
| Nom. | e | e | e |
| Akk. | (en) | e | e |
| Dat. | | en | |
| Gen. | | en | |
| **Plural** | | | |
| Nom. | | en | |
| Akk. | | en | |
| Dat. | | en | |
| Gen. | | en | |



| | |
|---|---|
| der Mantel | blau |
| das Kleid | rot |
| die Hose | grün |
| der Schal | schwarz |
| der/das Sakko | grau |
| die Bluse | weiß |
| das Hemd | gelb |
| der Hut | braun |
| der Rock | hellblau |
| das Sweatshirt | kariert |
| der Pullunder | gestreift |
| die Weste | groß |
| die Schuhe | klein |
| die Jeans | lang |
| die Socken | kurz |

**Ü3 Fragen und antworten Sie bitte nach den folgenden Mustern:**

a) Was für ein / Schirm war das? – Ein / großer, blauer.

b) Was für einen Schirm suchst du? – Einen großen, blauen.

c) Was für Schirme waren das? – Große, blaue.

d) Was für Schirme magst du? – Große, blaue.

a, … b, … c, … d, …

der Schirm, die Uhr, der Koffer, das Radio, die Tasche, der Fotoapparat, der Ring, das Rad, das Auto, der Mann, die Frau

groß, klein, hell, dunkel, schwarz, blau, intelligent, blond, lieb, nett, gut, billig, neu, gebraucht ...

Ⓑ Die *Adjektiv-Endungen nach* dem *unbestimmten* Artikel:

| Singular | mask. | neutr. | fem. |
|---|---|---|---|
| Nom. | (er) | (es) | e |
| Akk. | (en) | (es) | e |
| Dat. | | en | |
| Gen. | | en | |
| **Plural** | | | |
| Nom. | | (e) | |
| Akk. | | (e) | |
| Dat. | | en | |
| Gen. | | (er) | |

**Ü 4** **Fragen und antworten Sie bitte nach den folgenden Mustern:**

a) Wie gefällt dir mein__ neu**er** Mantel? – Nicht schlecht, aber dein__ alt**er** gefällt mir noch besser.

b) Wie findest du mein**en** neu**en** Mantel? – Nicht schlecht, aber dein**en** alt**en** finde ich besser.

der neue Mantel – das neue Kleid – die neue Krawatte – der neue Hut – das neue Sweatshirt – die neue Hose – der neue Rock – das neue Hemd – die neue Bluse – die neue Tasche – das neue Auto – das neue Zimmer ...

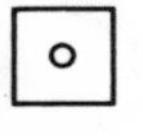

© Die *Adjektiv-Endungen nach* dem *Possessiv-pronomen*

| Singular | mask. | neutr. | fem. |
|---|---|---|---|
| Nom. | er | es | e |
| Akk. | en | es | e |
| Dat. | | en | |
| Gen. | | en | |
| **Plural** | | | |
| Nom. | | en | |
| Akk. | | en | |
| Dat. | | en | |
| Gen. | | en | |

**Ü 5** **GESUCHT!**

**Ergänzen Sie bitte die Adjektivendungen** 

Beispiel: Groß**er** schlank**er** Mann mit schwarz**em** Bart.

Ⓓ Die *Adjektiv-Endungen ohne Begleiter* (Artikel, Pronomen)

| Singular | mask. | neutr. | fem. |
|---|---|---|---|
| Nom. | er | es | e |
| Akk. | en | es | e |
| Dat. | em | em | er |
| Gen. | en | en | er |
| **Plural** | | | |
| Nom. | | e | |
| Akk. | | e | |
| Dat. | | en | |
| Gen. | | er | |

= Ⓑ

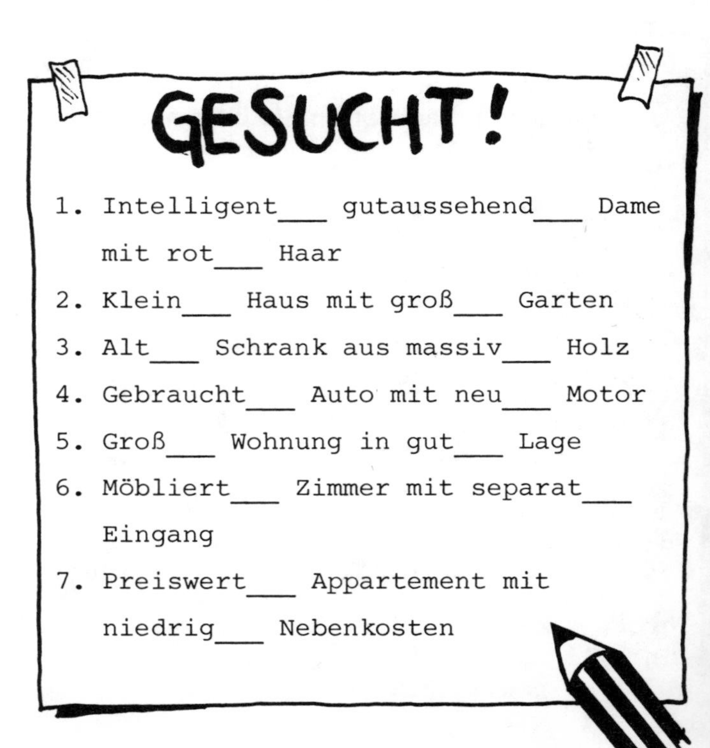

GESUCHT!

1. Intelligent___ gutaussehend___ Dame mit rot___ Haar
2. Klein___ Haus mit groß___ Garten
3. Alt___ Schrank aus massiv___ Holz
4. Gebraucht___ Auto mit neu___ Motor
5. Groß___ Wohnung in gut___ Lage
6. Möbliert___ Zimmer mit separat___ Eingang
7. Preiswert___ Appartement mit niedrig___ Nebenkosten

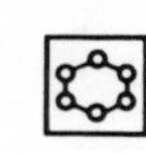

## Ü 6 Variante Ⓐ ◀▶ Variante Ⓑ: Ergänzen Sie die (Adjektiv-)Endungen

| Ⓐ | | Ⓑ | |
|---|---|---|---|
| **1. Nominativ Singular** | | | |
| a) der / dieser / welcher | neu e Mantel | ein – / mein – / kein – | neu er Mantel |
| b) d___ / dies___ / welch___ | alt___ Auto | ein___ / mein___ / kein___ | alt___ Auto |
| c) d___ / dies___ / welch___ | schwarz___ Tasche | ein___ / mein___ / kein___ | schwarz___ Tasche |
| **2. Akkusativ Singular** | | | |
| a) d___ / dies___ / welch___ | neu___ Mantel | ein___ / mein___ / kein___ | neu___ Mantel |
| b) d___ / dies___ / welch___ | alt___ Auto | ein___ / mein___ / kein___ | alt___ Auto |
| c) d___ / dies___ / welch___ | schwarz___ Tasche | ein___ / mein___ / kein___ | schwarz___ Tasche |
| **3. Nominativ und Akkusativ Plural** | | | |
| d___ / dies___ / welch___ / mein___ / kein___ | neu___ Mäntel | – | neu___ Mäntel |
| | alt___ Autos | – | alt___ Autos |
| | schwarz___ Taschen | – | schwarz___ Taschen |

## Ü 7 Bilden Sie Sätze nach den folgenden Mustern:

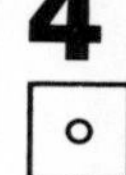

a) Dieser Pullover ist neu. Das ist ein neuer Pullover.

b) Diese Pullover sind neu. Das sind neue Pullover.

| | |
|---|---|
| Hemd - Hose - Anzug - Bluse - Rock - Mantel - Weste - Schrank - Bild - Bett - Wohnung - Zimmer - Buch ... | neu - alt - modern - billig - preiswert - altmodisch - bequem - teuer - schön - hell - spannend ... |

# 12A

**1** Ü1 **Schreiben Sie einen *kurzen* Text zu dem Bild**

Ohne Teiche gibt es keine Frösche.
Ohne ...

Ohne → Kein Ohne
Kein → Ohne Kein
Ohne
Keine Deutschen

Ü2 **Ergänzen Sie bitte den folgenden Text**

*Wenn* es *keine Teiche* mehr gibt, (dann) gibt es auch ________ ________ mehr, *weil* Frösche ________ brauchen. Wenn es aber ____ ________ mehr gibt, dann ________________________,
weil ________________________________________.
Und wenn ________________________________, ________________
________________________________, weil ________________________.
Und wenn es in Deutschland keine Babys mehr gibt, (dann) ________________
________________________________.

**2** Ü3 **Recht im Alltag. – Lesen und schreiben Sie bitte**

| | *Der Kunde will ...* | *Der Verkäufer (Das Geschäft) muß ...* |
|---|---|---|
| Der Verkäufer (das Geschäft) muß eine neue *Ware zurücknehmen* und das *Geld bar zurückgeben,* wenn die Ware einen Fehler hat. | Die Ware hat einen Fehler; der Kunde will sie zurückgeben. | Der Verkäufer muß die Ware zurücknehmen und das Geld bar zurückgeben. |
| Der Verkäufer muß dem Kunden (Käufer) einen *Preisnachlaß (Rabatt) geben,* wenn der Kunde die fehlerhafte Ware behalten will. | Die Ware hat einen Fehler; doch der Kunde will sie behalten. | |

| | | |
|---|---|---|
| Der Verkäufer muß dem Kunden eine *neue Ware geben*, wenn die zuerst gekaufte neue Ware einen Fehler hat. Der Kunde muß dann die erste Ware zurückgeben. | Die Ware hat einen Fehler; der Kunde will eine neue Ware. | |
| Das Geschäft muß die neue Ware *kostenlos reparieren*, wenn der Kunde damit einverstanden ist. | Die Ware hat einen Fehler; der Kunde sagt: "Reparieren Sie die Ware!" | |

**Ü 4 Lesen – Hören – Notieren – Rekonstruieren**

**a) Lesen Sie zuerst den folgenden Text**

Eine Kundin kommt in ein Geschäft. Sie sagt, daß sie einen Pullover gekauft hat und daß der Pullover einen Fehler hat. Sie möchte ihr Geld zurückhaben – oder den gleichen Pullover ohne Fehler. Den gibt es aber nicht mehr, nur noch in Gelb. Das paßt aber nicht zu ihren Sachen.
Der Verkäufer will der Kundin das Geld nicht zurückgeben; er sagt, daß der Pullover im Geschäft in Ordnung war und daß die Kundin den Pullover zu Hause kaputtgemacht hat.
Die Kundin möchte den Geschäftsinhaber sprechen, aber der Verkäufer ist selbst der Chef. Schließlich machen sie einen Kompromiß: Das Geschäft repariert den Pullover kostenlos.

**b) Hören Sie jetzt den Dialog und notieren Sie Stichpunkte nach dem folgenden Muster:**

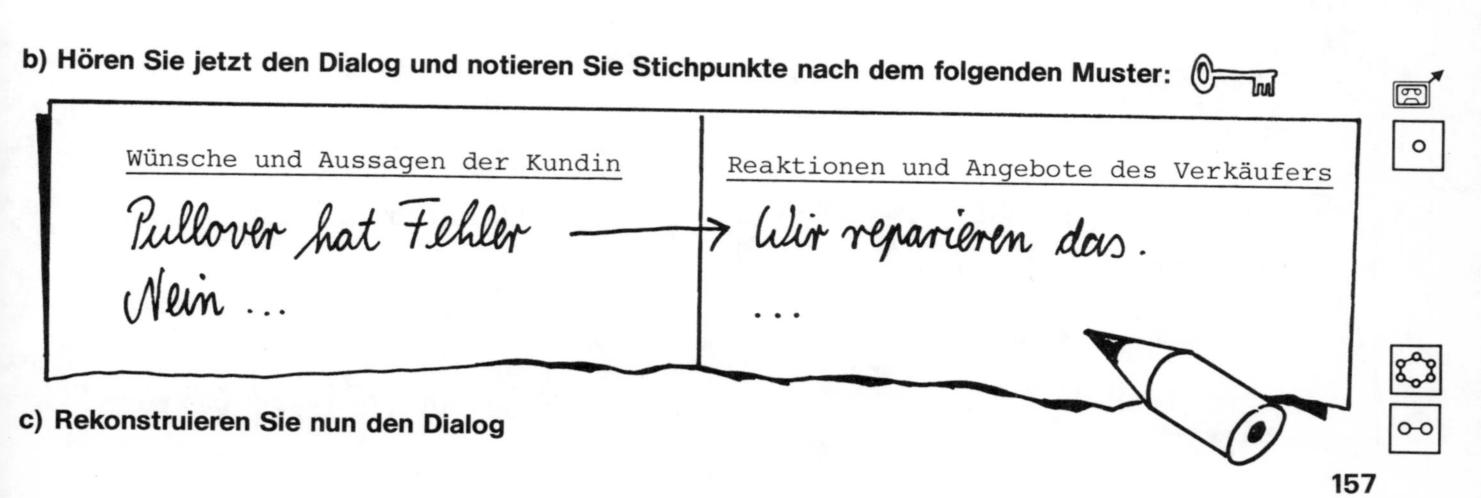

| Wünsche und Aussagen der Kundin | Reaktionen und Angebote des Verkäufers |
|---|---|
| Pullover hat Fehler → | Wir reparieren das. |
| Nein ... | ... |

**c) Rekonstruieren Sie nun den Dialog**

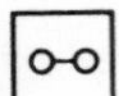

**Ü 5 Lesen Sie zuerst „den Fall" rechts. Formulieren Sie dann Gegenargumente gegen mögliche Argumente des Verkäufers.**

Der Fall

Sie haben einen Radiorecorder gekauft. Nach vier Wochen ist das Cassetten-Laufwerk kaputt: Wenn Sie auf den Knopf "Play" drücken, läuft die Cassette viel zu schnell. Sie bringen den Recorder ins Geschäft zurück; Sie wollen einen neuen Recorder oder Ihr Geld bar zurück.

Mögliche Argumente des Verkäufers

1. Wir können Ihnen keinen neuen Recorder geben, denn den Recorder gibt es nicht mehr.
2. Wir können Ihnen das Geld nicht bar zurückgeben, denn wir können den Recorder nicht wieder verkaufen.
3. Wir können den Recorder reparieren; die Reparatur müssen Sie aber bezahlen.
4. Da haben Sie Pech gehabt; außerdem haben Sie keinen Garantieschein.
5. Der Recorder war in Ordnung; Sie haben ihn selbst kaputtgemacht.

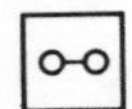

JHRE GEGENARGUMENTE

1. Dann will ich mein Geld zurück, weil ...
2. ..........

## 3 Ü 6 Erzählen Sie die Geschichte nach

# Ein schwerer Fehler

Stichwörter:

Oskar links - Auto entgegen → CRASH

Polizist: Oskar schuld! 50 Mark Strafe!

Oskar: Nein. Bin Auto!

P.: Führerschein!

O.: Bitte.

Führerschein okay.

P.: Kein Auto!

O.: Doch! 4 Räder + Motor

P. will O. verhaften

O.: Warum?

P.: Dumme Witze! Oder verrückt?!

Oskar fuhr auf der linken Straßenseite. Ein Auto kam ...

**Ü 7** **a) Beschreiben Sie diese Situation**
**b) Wer macht hier Fehler? Wieso? – Schreiben Sie bitte**

**Ü 8** **Wer darf zuerst fahren? Warum? / Wer muß warten? Warum? – Schreiben Sie bitte**

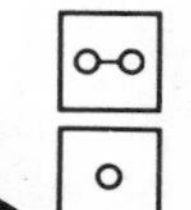

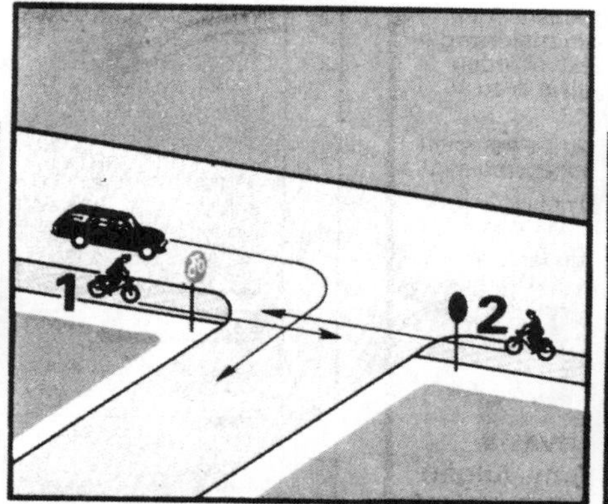

## 4 Ü 9 „Rotkäppchen" – Was passierte zuerst, was dann?

**a** Es wunderte sich, daß die Türe aufstand, und wie es in die Stube trat, so kam es ihm so seltsam darin vor, daß es dachte: »Ei, du mein Gott, wie ängstlich wird mir's heute zumut, und bin sonst so gerne bei der Großmutter!« Es rief »Guten Morgen«, bekam aber keine Antwort. Darauf ging es zum Bett und zog die Vorhänge zurück: da lag die Großmutter und hatte die Haube tief ins Gesicht gesetzt und sah so wunderlich aus. »Ei, Großmutter, was hast du für große Ohren!« »Daß ich dich besser hören kann.« »Ei, Großmutter, was hast du für große Augen!« »Daß ich dich besser sehen kann.« »Ei, Großmutter, was hast du für große Hände!« »Daß ich dich besser packen kann.« »Aber, Großmutter, was hast du für ein entsetzlich großes Maul!« »Daß ich dich besser fressen kann.« Kaum hatte der Wolf das gesagt, so tat er einen Satz aus dem Bette und verschlang das arme Rotkäppchen.

**b** Es war einmal eine kleine süße Dirne, die hatte jedermann lieb, der sie nur ansah, am allerliebsten aber ihre Großmutter, die wußte gar nicht, was sie alles dem Kinde geben sollte. Einmal schenkte sie ihm ein Käppchen von rotem Sammet, und weil ihm das so wohl stand und es nichts anders mehr tragen wollte, hieß es nur das Rotkäppchen.

**c** Rotkäppchen aber holte geschwind große Steine, damit füllte sie dem Wolf den Leib, und wie er aufwachte, wollte er fortspringen, aber die Steine waren so schwer, daß er gleich niedersank und sich totfiel.

**d** Die Großmutter aber wohnte draußen im Wald, eine halbe Stunde vom Dorf. Wie nun Rotkäppchen in den Wald kam, begegnete ihm der Wolf. Rotkäppchen aber wußte nicht, was das für ein böses Tier war, und fürchtete sich nicht vor ihm. »Guten Tag, Rotkäppchen«, sprach er. »Schönen Dank, Wolf.« »Wo hinaus so früh, Rotkäppchen?« »Zur Großmutter.« »Was trägst du unter der Schürze?« »Kuchen und Wein: gestern haben wir gebacken, da soll sich die kranke und schwache Großmutter etwas zugut tun und sich damit stärken.« »Rotkäppchen, wo wohnt deine Großmutter?« »Noch eine gute Viertelstunde weiter im Wald, unter den drei großen Eichbäumen, da steht ihr Haus, unten sind die Nußhecken, das wirst du ja wissen«, sagte Rotkäppchen.

**e** Rotkäppchen aber war nach den Blumen herumgelaufen, und als es so viel zusammen hatte, daß es keine mehr tragen konnte, fiel ihm die Großmutter wieder ein, und es machte sich auf den Weg zu ihr.

**f** Der Wolf aber ging geradeswegs nach dem Haus der Großmutter und klopfte an die Türe. »Wer ist draußen?« »Rotkäppchen, das bringt Kuchen und Wein, mach auf.« »Drück nur auf die Klinke«, rief die Großmutter, »ich bin zu schwach und kann nicht aufstehen.« Der Wolf drückte auf die Klinke, die Türe sprang auf, und er ging, ohne ein Wort zu sprechen, gerade zum Bett der Großmutter und verschluckte sie. Dann tat er ihre Kleider an, setzte ihre Haube auf, legte sich in ihr Bett und zog die Vorhänge vor.

**g** Da waren alle drei vergnügt; der Jäger zog dem Wolf den Pelz ab und ging damit heim, die Großmutter aß den Kuchen und trank den Wein, den Rotkäppchen gebracht hatte, und erholte sich wieder, Rotkäppchen aber dachte: »Du willst dein Lebtag nicht wieder allein vom Wege ab in den Wald laufen, wenn dir's die Mutter verboten hat.«

**h** Der Jäger ging eben an dem Haus vorbei und dachte: »Wie die alte Frau schnarcht, du mußt doch sehen, ob ihr etwas fehlt.« Da trat er in die Stube, und wie er vor das Bette kam, so sah er, daß der Wolf darin lag. »Finde ich dich hier, du alter Sünder«, sagte er, »ich habe dich lange gesucht.« Nun wollte er seine Büchse anlegen, da fiel ihm ein, der Wolf könnte die Großmutter gefressen haben und sie wäre noch zu retten: schoß nicht, sondern nahm eine Schere und fing an, dem schlafenden Wolf den Bauch aufzuschneiden. Wie er ein paar Schnitte getan hatte, da sah er das rote Käppchen leuchten, und noch ein paar Schnitte, da sprang das Mädchen heraus und rief: »Ach, wie war ich erschrocken, wie war's so dunkel in dem Wolf seinem Leib!« Und dann kam die alte Großmutter auch noch lebendig heraus und konnte kaum atmen.

**i** Eines Tages sprach seine Mutter zu ihm: »Komm, Rotkäppchen, da hast du ein Stück Kuchen und eine Flasche Wein, bring das der Großmutter hinaus; sie ist krank und schwach und wird sich daran laben. Mach dich auf, bevor es heiß wird, und wenn du hinauskommst, so geh hübsch sittsam und lauf nicht vom Weg ab, sonst fällst du und zerbrichst das Glas, und die Großmutter hat nichts. Und wenn du in ihre Stube kommst, so vergiß nicht, guten Morgen zu sagen, und guck nicht erst in alle Ecken herum.«
»Ich will schon alles gut machen«, sagte Rotkäppchen zur Mutter und gab ihr die Hand darauf.

**j** Der Wolf dachte bei sich: »Das junge zarte Ding, das ist ein fetter Bissen, der wird noch besser schmecken als die Alte: du mußt es listig anfangen, damit du beide erschnappst.« Da ging er ein Weilchen neben Rotkäppchen her, dann sprach er: »Rotkäppchen, sieh einmal die schönen Blumen, die ringsumher stehen, warum guckst du dich nicht um? Ich glaube, du hörst gar nicht, wie die Vöglein so lieblich singen? Du gehst ja für dich hin, als wenn du zur Schule gingst, und ist so lustig haußen in dem Wald.«

**k** Rotkäppchen schlug die Augen auf, und als es sah, wie die Sonnenstrahlen durch die Bäume hin und her tanzten und alles voll schöner Blumen stand, dachte es: »Wenn ich der Großmutter einen frischen Strauß mitbringe, der wird ihr auch Freude machen; es ist so früh am Tag, daß ich doch zu rechter Zeit ankomme«, lief vom Wege ab in den Wald hinein und suchte Blumen. Und wenn es eine gebrochen hatte, meinte es, weiter hinaus stände eine schönere, und lief darnach, und geriet immer tiefer in den Wald hinein.

**l** Wie der Wolf sein Gelüsten gestillt hatte, legte er sich wieder ins Bett, schlief ein und fing an, überlaut zu schnarchen.

| 1 | 2 | 3 | 4 | 5 | 6 | 7 | 8 | 9 | 10 | 11 | 12 |
|---|---|---|---|---|---|---|---|---|---|---|---|
| b | | | | | | | | | | | |

## Ü 10 Beschreiben Sie bitte das Bild

Fernsehapparat/Fernseher – Raketenposter – Märchenbuch – Cassettenrecorder – Steckdose – Bombe – Telefon – Poster von Rod Steward

## Ü 11 Die Begegnung mit dem Säufer: Erzählen Sie bitte die Geschichte
**a) Sie sind der Erzähler oder b) Sie sind der kleine Prinz**

5

Stichwörter:

Nächster Planet: Säufer – Besuch kurz – Prinz schwermütig – Säufer vor Flaschen – "Was machst du?" – "Trinken." – "Warum?" – "Vergessen!" – "Was?" – "Schäme mich." – "Warum?" – "Saufe." – Schweigen – Prinz weg, bestürzt – "Große Leute sehr wunderlich!"

Die Begegnung des kleinen Prinzen mit dem Säufer

Auf dem nächsten Planeten, den der kleine Prinz besuchte, wohnte ein Säufer. ...

## 6 Ü 12 Bertolt Brecht: Der Zweckdiener

**Ergänzen Sie bitte**

### URSACHE = ZWECK → ZWECKURSACHE

| URSACHE = ZWECK | | ZWECKURSACHE |
|---|---|---|
| 1. Warum / Zu welchem Zweck (Wozu) | macht der Nachbar Musik? | Weil er turnt. Damit er turnen kann. |
| 2. Warum / Zu welchem Zweck (Wozu) | turnt er? | |
| 3. Zu welchem Zweck (Wozu) | benötigt er Kraft? | |
| 4. Warum / Zu welchem Zweck (Wozu) | muß er Feinde besiegen? | |
| 5. Warum / Zu welchem Zweck (Wozu) | ißt er? | |

## 12A W

### Ü1 Kreuzworträtsel

**Waagrecht**

1 Rotkäppchen pflückte einen ____ Blumen.

2 Farbe

3 Mit einer ____ kann man Papier schneiden.

4 Gegenteil von "gesund"

5 Kind (weiblich)

6 Alkoholisches Getränk

7 Tiere, die fliegen können

8 Teil des Körpers (vorne, Mitte)

9 Am Wegrand standen viele bunte _____.

10 Der ____ hat den Wolf getötet.

11 " ... was hast du für große _____?" - "Damit ich dich besser packen kann!"

12 An den Fenstern hängen ____.

**Senkrecht**

3 Sie taten ____ in den Leib des Wolfes.

4 Gebäck, süß

5 "Mund" von Tieren

6 Raubtier

13 Gewächse aus Holz

14 Rotkäppchen lief in den ____.

15 Hosen, Hemden, Röcke, Mäntel ... sind ____ (Oberbegriff).

16 Körperteil (Plural): Man kann damit hören.

17 Licht, das von der Sonne kommt

18 Körperteil (Plural): Man kann damit sehen.

19 Die Kinder lernen in der ____.

Das Lösungswort lautet:

G

# 12B

## 1 Ü1 Gebrauchen Sie bitte Konditionalsätze

***Beispiel:*** a) "Wenn das Zimmer groß genug ist, nehme ich es."

b) "Ich nehme das Zimmer, wenn es groß genug ist."

| Kondition/Bedingung | Konsequenz/Folge |
|---|---|
| 1. Die neue Ware hat einen Fehler. | Der Verkäufer (das Geschäft) muß die Ware zurücknehmen. |
| 2. Der Kunde möchte die fehlerhafte Ware behalten. | Der Verkäufer (das Geschäft) muß einen Rabatt geben. |
| 3. "Sie bezahlen die Reparatur." | "Wir können den Recorder reparieren." |
| 4. Die Garantiezeit ist vorbei. | Der Käufer muß die Reparatur selbst bezahlen. |
| 5. "Die Miete ist nicht zu hoch." | "Ich miete das Appartement." |
| 6. "Das Zimmer ist groß genug." ✓ | "Ich nehme das Zimmer." ✓ |
| 7. "Du brauchst Hilfe." | "Du kannst mich anrufen." |
| 8. "Dir gefällt mein neuer Hut nicht." | "Ich tausche meinen neuen Hut um." |
| 9. "Ich habe genug Deutsch gelernt." | "Ich mache die Prüfung." |

## 2 Ü2 Beantworten Sie bitte die Fragen (→ Lehrbuch, 11A6)

1. Warum hat das Mädchen sein Fahrrad grün gestrichen?
2. Warum hat es sein Fahrrad dann rot / dann blau / dann gelb / dann himmelblau gestrichen?
3. Und warum hat das Mädchen am Schluß sein Fahrrad wieder grün angestrichen, grasgrün?

1. Das Mädchen hat sein Fahrrad grün gestrichen, weil Grün dem Mädchen gut gefallen hat.
2. ...

## Ü3 Beantworten Sie bitte die folgenden Fragen

1. Warum gehst du nicht mit ins Kino?
2. Warum bist du gestern abend nicht gekommen?
3. Warum ißt du nichts?
4. Warum rauchen Sie so viel / nicht mehr?
5. Warum heiratest du nicht?
6. Warum fährst du (nicht) mit dem Bus/Fahrrad in die Stadt?
7. Warum hast du das Buch nicht zu Ende gelesen?
8. Warum hast du (nicht) die karierte Weste gekauft?
9. Zahnschmerzen? Warum gehst du nicht zum Zahnarzt?

1. a) Weil ich den Film schon kenne.
   b) Weil ich Western-Filme nicht mag!
2. ...

3

## Ü4 Zu welchem Zweck / Wozu ...

1. ... zeigt der Wolf Rotkäppchen die Blumen?
2. ... pflückt Rotkäppchen einen Blumenstrauß?
3. ... legt sich der Wolf in das Bett der Großmutter?
4. ... ißt der Nachbar von Herrn K.?
6. ... brauchst du denn ein Auto?
7. ... lernen Sie Deutsch?
8. ... treiben Sie Sport?
9. ... sprichst du so leise?
10. ... liest du jeden Satz zweimal?

1. a) Damit es vom Weg abgeht.
   b) Um zum Haus der Großmutter laufen zu können.

4

## Ü5 Ergänzen Sie bitte die Tabelle

| Sachverhalt | Erwartete Konsequenz | Unerwartete Konsequenz |
|---|---|---|
| 1. Die Äpfel sind noch nicht reif. | Herr Böse und Herr Streit pflücken die Äpfel nicht. | Herr B. und Herr S. pflücken die Äpfel trotzdem. |
| 2. Die Miete für das Appartement ist zu hoch. | Ich miete das Appartement nicht. | |
| 3. Der Mantel gefällt mir nicht. | | Ich habe den Mantel trotzdem gekauft. |
| 4. Die Fußgängerampel ist rot. | Wir gehen nicht über die Straße. | |
| 5. Rauchen ist schädlich für die Gesundheit. | | Immer mehr junge Leute fangen (trotzdem) zu rauchen an. |
| 6. Ich habe den Film schon zweimal gesehen. | | |
| 7. Ich habe den Text schon dreimal gelesen. | | |
| 8. Ich habe gestern abend zwei Schlaftabletten genommen. | | |
| 9. Peter ist schon früh aufgestanden. | | |
| 10. Maria hatte gestern Kopfschmerzen. | | |

## Ü6 Gebrauchen Sie nun Konzessivsätze zu den Beispielen 1. – 10. von Ü5

1. a) Obwohl die Äpfel noch nicht reif sind, pflücken Herr B. und Herr S. sie.
   b) Herr B. und Herr S. pflücken die Äpfel, obwohl sie noch nicht reif sind.

2. ...

## Ü 1 zu 9A1

**Welche dieser Äußerungen haben eine „hohe Temperatur" (= sind aggressiv)? Welche haben eine „niedrige Temperatur" (= sind entspannt-freundlich)? Hören Sie dazu die Tonaufnahme auf der Cassette**

Es tut mir ja auch leid
Da ist doch das Schild
Ich warte schon eine Stunde
Oh, das tut mir leid
Ich kann hier nicht raus
Hier dürfen Sie nicht parken
Warum sind Sie so unhöflich
Ich fahre sofort weg
Das ist meine Einfahrt
Warum parken Sie vor meiner Einfahrt
Wie bitte
Das habe ich doch nicht gesehen
Können Sie nicht lesen
Sie können doch hier nicht parken
Ich komme aus Frankreich
Ja, ja schon gut
Das ist zuviel
Entschuldigen Sie, habe ich nicht gesehen.

100 – 50 – 0

Das ist meine Einfahrt.

## Ü 2 zu 9A2

| Was ist Ihrer Meinung nach ..... | gefährlich? | ungefährlich? | Warum? |
|---|---|---|---|
| nachts im Hausflur singen | | | |
| gegen eine Mülltonne fahren | | | |
| auf fremde Klingeln drücken | | | |
| mit dem Auto links überholen | | | |
| auf dem Gehsteig parken | | | |
| mit Schuhen ins Bett gehen | | | |
| spät nach Hause kommen | | | |
| bei Rot über die Straße gehen | | | |
| betrunken Auto fahren | | | |
| mit dem Lift rauf- und runterfahren | | | |
| die Garage kaputtmachen | | | |
| alle Hausbewohner aufwecken | | | |
| mit einem Betrunkenen mitfahren | | | |
| im Lift einschlafen | | | |
| 1/2 Liter Schnaps trinken | | | |

## Ü 3 zu 9A4

**Was paßt zusammen? Bitte ankreuzen**

| | "Warum?" | ein Lied | die Haustür | das Fenster | auf der Straße | einen Schlüssel | vor einer Haustür | die dunklen Fenster | "Ja, die Tür ist zu." | den Herrn im 3. Stock | "Haben Sie keinen Schlüssel?" | "Man kann ja nicht schlafen!" |
|---|---|---|---|---|---|---|---|---|---|---|---|---|
| sehen | | | | | | | | | | | | |
| öffnen | | | | | | | | | | | | |
| fragen | | | | | | | | | | | | |
| rufen | | | | | | | | | | | | |
| pfeifen | | X | | | X | | X | | | | | |
| antworten | | | | | | | | | | | | |
| runterwerfen | | | | | | | | | | | | |
| fragen | | | | | | | | | | | | |
| brauchen | | | | | | | | | | | | |
| aufmachen | | | | | | | | | | | | |
| stehen | | | | | | | | | | | | |
| schreien | | | | | | | | | | | | |
| spazierengehen | | | | | | | | | | | | |
| nicht verstehen | | | | | | | | | | | | |

**Schreiben Sie mit diesen „Sätzen" eine Geschichte**

**Ü 4**
**zu 10A1**

**Was paßt zusammen? Machen Sie Sätze und schreiben Sie damit eine Geschichte**

Die Römer
Die 1. römische Legion
General Fortissimus
Die Germanen
Die Soldaten
Der Koch

waren
tranken
griffen ..... an
trugen
eroberten
warteten
marschierten
fuhr
schützten
feierten
verließ
standen
sangen
sprangen
marschierte
schwammen
hatte
kamen
konnten ..... sehen
landeten
bauten
fuhren

ganz vorne
laut
nach Gallien
ein großes Fest
die Grenze
hinten
das Lager
schwere Waffen
ganz Gallien
an den Rhein
die Römer
viel Essen auf seinem Wagen
keinen von den Germanen
alle weg
von den Bäumen
Bier
am Ufer
auf der anderen Seite
von oben
Schiffe
auf ihre Schilde
über den Fluß
durch den Fluß

**Ü 5**
**zu 10A3**

**Was tun die drei Männer? Wie sehen sie aus?**

| Tätigkeit | Gesicht | Kleidung |
|---|---|---|
| *gehen* | *groß* | ... |

| Tätigkeit | Gesicht | Kleidung |
|---|---|---|
| ... | ... | ... |

**Ü 6**
**zu 10A4**

**Ordnen Sie die Wörter** 

| Ausbildung/Studium | Beruf / berufliche Tätigkeit |
|---|---|
| *Student(in), ...* | *Arbeiter(in), ...* |

*~~Arbeiter~~(in)  Werkstatt  Germanistik  Besenbinder  Mitarbeiter(in)*
*Hausmeister(in)  ~~Student(in)~~  Urlaub  Ärztin  Sekretär(in)  Arzt*
*Dolmetscher(in)  Klasse  Magister  Ferien  Berater(in)  Hausmann*
*Lehrer(in)  Chef(in)  Dozent(in)  Kollege  Klassenzimmer  Abitur*
*Hausfrau  Schule  Kollegin  bei Ford  Meister(in)*
*Einbrecher(in)  Schauspielausbildung  Universität  8-Stunden-Tag  Anglistik  Mittagspause*

## Ü 7 zu 11A1 Was gehört zusammen?

| | Musik | Film | Geld | Winter | spielen | auf-stehen | Reise | naß | Wande-rung | spre-chen | Fuß | Ferien |
|---|---|---|---|---|---|---|---|---|---|---|---|---|
| Koffer | | | | | | | | | | | | × |
| Fahrrad | | | | | | | | | | | | |
| Papagei | | | | | | | | | | | | |
| Schuh | | | | | | | | | | | | |
| Wecker | | | | | | | | | | | | |
| Surfbrett | | | | | | | | | | | | |
| Skier | | | | | | | | | | | | |
| Handtasche | | | | | | | | | | | | |
| Fernseher | | | | | | | | | | | | |
| Schirm | | | | | | | | | | | | |
| Gepäck | | | | | | | | | | | | |
| Cassetten-recorder | | | | | | | | | | | | |
| Schachbrett | | | | | | | | | | | | |

## Ü 8 zu 11A2 Finden Sie die folgenden Farben eher „warm" oder „kalt"?

rot lila gelb orange braun grün

pink blau (dunkel- / hell-) rosa türkis beige

(und weitere Farben in Ihrer Umgebung)

warm — kalt

4 3 2 1 0 1 2 3 4

Sortieren Sie auch die Bilder im *Lehrbuch,* Malerei im 20. Jahrhundert, nach „warm" und „kalt"

## Ü 9 zu 11A2 100 Mark sind .....

| | viel, | wenig, | fast nichts, |
|---|---|---|---|
| wenn man sie verliert. | | | |
| wenn man dafür 200.000 DM im Lotto gewinnt. | | | |
| wenn man im Monat 1.500 DM verdient. | | | |
| wenn ich dafür meiner Freundin/meinem Freund ein Geschenk kaufe. | | | |
| wenn man sie in einem Monat für Zigaretten bezahlt. | | | |
| wenn man dafür ..... | | | |
| eine schicke Krawatte | | | |
| einen Pullunder | | | |
| ein paar Schuhe | | | |
| einen Hut | | | |
| ein Jackett | | | |
| einen Rock | | | |
| einen Schal | | | |
| .....kaufen kann. | | | |

**Ü 10 zu 12A3** **Oskars Unfallpartner berichtet. – Bitte ergänzen Sie**

Heute morgen ging alles schief. Ich habe den (1) _____ nicht gehört und verschlafen. Darum hatte ich große (2) _____; ich wollte schnell zur (3) _____. Aber der Fahrstuhl (4) _____ (5) _____! Dann wollte mein Auto nicht (6) _____. Es hatte kein (7) _____ mehr. Also mußte ich zuerst (8) _____ (9) _____. Dann (10) _____ ich los, aber alle Ampeln (11) _____ (12) _____. Plötzlich kam mir ein Skateboardfahrer (13) _____. Er (14) _____ auf der falschen (15) _____. Wir (16) _____ zusammen mein Auto (17) (18) _____. Zum Glück war (19) _____ (20) _____. Die Polizei war (21) _____ da. Der andere war (22) _____ an dem Unfall. Er durfte nicht auf der (23) _____ (24) _____. Er sollte (25) _____ (26) _____. Aber er wollte nicht zahlen. Da hat ihn der Polizist (27) _____. Mein Auto war (28) _____ und mußte (29) _____ (30) _____. Ich bin dann zu Fuß zur Arbeit gegangen.

(1) Wecker / (2) ....

**Ü 11 zu 12A3** **Bitte sammeln und ergänzen Sie**

| + Punkte | – Punkte |
|---|---|
| Urlaub mit der Familie | keine Parkplätze |
| Automarkt | Motor |
| „Auto-Plätze“ | einzelne Teile |

AUTO

**Ü 12 zu 12A1–7**

(1) .............
Vorfahrt
Verkehr
Hände
Führerschein
Auto
.............

(2) .............
Äpfel
Garten
Leiter
Unfall
pflücken
.............

(3) .............
Rabatt
Säufer
Flaschen
Schwermut
Restaurant
.............

(4) .............
Aufstehen
Waschen
Frühstück
Wecker
Bier
.............

(5) .............
Augen
Mund
Kaffee
Ohren
Nase
.............

(6) .............
umtauschen
Ware
Kunde
Garantiezeit
Obergeschoß
.............

(7) .............
Küche
Quadratmeter
Flur
Zahnbürste
Balkon
.............

(8) .............
Partner
schlank
sportlich
Beine
naturliebend
.............

**a) In jeder Wortgruppe paßt ein Wort nicht – welches?**
**b) Ordnen Sie jedes „falsche“ Wort in eine passende Gruppe ein.**
**c) Suchen Sie für jede Gruppe einen Titel (Oberbegriff).**
**d) Suchen Sie weitere Wörter für jede Gruppe.**

## Ü13 zu 9–12A Was sagen (fragen) Sie?

1. Jemand sagt zu Ihnen: "Hier dürfen Sie nicht parken!"
2. Sie fahren mit dem Zug; sie sitzen im "Nichtraucher"-Wagen. Plötzlich fängt jemand an zu rauchen.
3. Sie sind in einem Restaurant; Sie müssen dringend telefonieren.
4. Ihr Freund möchte Sie mit seinem Auto nach Hause bringen; er hat aber schon vier Bier getrunken.
   a) Sie lehnen ab.
   b) Sie machen einen anderen Vorschlag.
5. Herr K. behauptet, daß er Sie kennt. Sie kennen Herrn K. aber <u>nicht</u>.
6. Bei Familie Neumeier ist seit zwei Tagen die Garage offen, und der Zeitungskasten ist nicht geleert.
   a) Sie sprechen mit einem anderen Nachbarn.
   b) Sie rufen bei der Polizei an.
7. Sie können nicht in ihre Wohnung, weil Sie Ihren Haustürschlüssel verloren/vergessen haben. Sie klingeln bei einem Nachbarn.
8. In der Wohnung Ihres Nachbarn ist fast jeden Abend bis in die Nacht so viel Lärm, daß Sie nicht schlafen können. Sie beschweren sich.
9. Ein Verkäufer möchte Ihnen einen neuen Staubsauger verkaufen.
   a) Sie haben schon einen.
   b) Sie brauchen keinen.
   c) Sie interessieren sich für den Staubsauger, aber der Preis ist Ihnen zu hoch.
10. Sie haben sich um einen Arbeitsplatz beworben. Der Personalchef fragt sie nach Ihrer Herkunft, nach Ihrer Ausbildung und nach Ihrer bisherigen beruflichen Tätigkeit.
11. Fassen Sie kurz den Inhalt des Märchens "Die Sterntaler" zusammen.
12. Ihre Freundin sagt zu Ihnen: "Welches Bild (auf S. 40 und 41 des *Lehrbuchs*) gefällt dir (nicht)?" Sagen und begründen Sie Ihre Meinung.

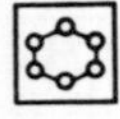

13. Beschreiben Sie bitte Ihr Gepäck (Koffer, Tasche).
14. Sie haben Ihre Uhr verloren. Sie gehen zum Fundbüro. Was sagen Sie?
15. Sie möchten sich einen Pullover / ein T-Shirt / eine Hose kaufen. Sie gehen in ein Geschäft und sprechen mit der Verkäuferin.
16. Ihre Freundin sagt zu Ihnen: "Schau mal, wie findest du meine neue Jacke / mein neues Kleid / meinen neuen Hut?"
17. Sie möchten ein blaues T-Shirt (gut, preiswert). Der Verkäufer zeigt Ihnen aber nur ein grünes T-Shirt, das ziemlich teuer ist.
18. Beschreiben Sie kurz Ihre neue Wohnung / Ihr neues Zimmer.
19. Sie haben in der Zeitung folgende Wohnungsanzeige gelesen: "Möbl. 1-Zi-Whg, 260,-, Tel. ..." Sie rufen an: Was fragen Sie?
20. "Ohne Teiche ... keine Deutschen!" Ihr Freund versteht das nicht. Erklären Sie es ihm bitte.
21. Sie haben eine Hose gekauft; zu Hause sehen Sie, daß die Hose ein Loch hat. Sie gehen in das Geschäft zurück und sprechen mit dem Verkäufer.
22. Sie lernen in einer Fahrschule Auto fahren. Der Fahrlehrer zeigt Ihnen dieses Bild:

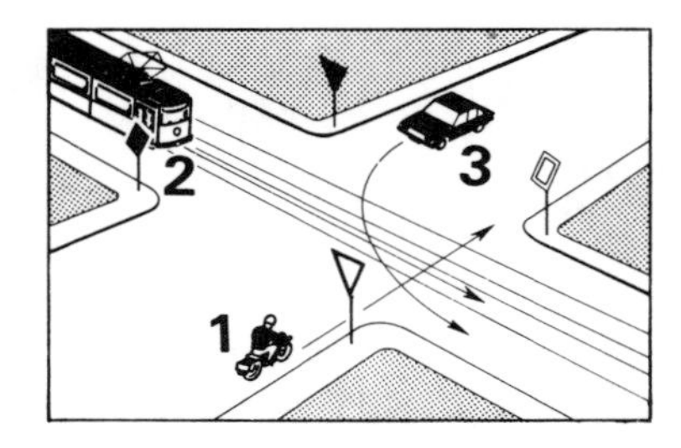


Er fragt Sie: "Wer darf zuerst fahren, wer dann? Warum?"

23. Erzählen Sie den Schluß des Märchens "Rotkäppchen".
24. Jemand fragt Sie: "Warum rauchen Sie so viel?"

## A Wörter: Machen Sie ein Kreuz 

1. Hier ist Rauchen verboten; hier ..... Sie nicht rauchen!
   - a müssen
   - b dürfen
   - c wollen
   - d möchten

2. "Entschuldigen Sie bitte, ..... Sie mir sagen, wie spät es ist?"
   - a wollen
   - b dürfen
   - c sollen
   - d können

3. "Eine Super-Uhr! Und ganz billig!" - "Nein, danke, ich ..... keine Uhr, ich habe schon eine."
   - a benutze
   - b gebrauche
   - c brauche
   - d mag

4. Der Personalchef: "Sie haben sich bei uns beworben; was für eine ..... haben Sie?
   - a Bildung
   - b Ausbildung
   - c Beruf
   - d Studium

5. "Hier sind zwei Bilder: ..... Sie bitte die Bilder."
   - a beschreiben
   - b schreiben
   - c erzählen
   - d zählen

6. "Schau mal, wie ..... dir meine neue Jacke?"
   - a findest
   - b siehst
   - c gefällt
   - d steht

7. Der Taxifahrer fragt: "Haben Sie noch mehr ..... ?"
   - a Kleider
   - b Tasche
   - c Kleidung
   - d Gepäck

8. Sie haben Ihre Handtasche verloren; Sie gehen zum ..... .
   - a Gepäckträger
   - b Polizei
   - c Fundbüro
   - d Bahnhof

9. "Schau mal, hier: 40m$^2$ und nur 200 Mark."- Er/Sie liest gerade eine ..... .
   - a Heiratsanzeige
   - b Wohnungsanzeige
   - c Vermietung
   - d Appartement

10. "2 ZKB" bedeutet ..... .
    - a 2 Zimmer, Kochnische, Balkon
    - b 2 Zimmer, Kochnische, Bad
    - c 2 Zimmer, Küche, Balkon
    - d 2 Zimmer, Küche, Bad

11. Eine fehlerhafte Ware kann man ..... .
    - a vergessen
    - b verkaufen
    - c umtauschen
    - d wechseln

12. Wer darf hier zuerst fahren; wer hat .....?
    - a Zeit
    - b ein Auto
    - c recht
    - d Vorfahrt

## o B Grammatik: Machen Sie ein Kreuz

1. "Entschuldigung, ..... ich hier telefonieren?"
   - a könne
   - b kenne
   - c können
   - d kann

2. Hier ist Parken verboten; hier ..... man nicht parken.
   - a darf
   - b darfst
   - c dürft
   - d dürfen

3. Carlo hat gesagt,
   - a daß heute er nicht kommen kann.
   - b daß er heute nicht kann kommen.
   - c daß er kann kommen nicht heute.
   - d daß er heute nicht kommen kann.

4. Antek Pistole machte Besen, die nie .....
   - a kaputtgehten
   - b kaputtgingen
   - c kaputtgehen
   - d kaputtgegangen

5. Von 1980 bis 1985 ..... ich bei der Firma X, danach ..... .
   - a arbeitete
   - b arbeitet
   - c arbeite
   - d arbeiten

6. Die drei Männer sprachen miteinander, nachdem sie einander zufällig ..... .
   - a begegneten
   - b begegnet waren
   - c begegnet haben
   - d begegnet hatten

7. Wenn ich Zeit habe,
   - a besuche ich dich.
   - b ich besuche dich.
   - c ich dich besuche.
   - d besuche dich ich.

8. Ein Besenverkäufer ist ein Mann,
   - a der was verkauft Besen.
   - b die Besen verkauft er.
   - c und verkauft er Besen.
   - d der Besen verkauft.

9. Das ist wirklich ein ..... Bild.
   - a schönen
   - b schöne
   - c schöner
   - d schönes

10. "Nimm die ..... Jacke, die steht dir besser."
    - a blauer
    - b blaues
    - c blaue
    - d blauen

11. Der rote PKW hat Vorfahrt, ..... er von rechts kommt.
    - a denn
    - b weil
    - c deshalb
    - d nämlich

12. "Ich habe die Wohnung gemietet, ..... die Miete sehr hoch ist."
    - a zwar
    - b dennoch
    - c obwohl
    - d damit

## C Orthographie: Schreiben Sie bitte die Wörter

Frau B. hat (0) ne Schr (1) bmasch (2) ne gekauft. Zw (3) Buchst (4) ben funktion (5) ren nicht. (6) r Fr (7) nd kann sie repar (8) ren. Aber Frau B. br (9) ngt sie (10) ns Geschäft zur (11) ck.

H (12) te habe ich mir eine n (13) e Uhr gekauft. Der Verk (14) fer war sehr fr (15) ndlich; die Uhr war sehr t (16) er, aber sie l (17) ft nicht. Sch (18) ßlich!

"Auf der Stra (19) e (20) eht da (21) Wa (22) er."
"Ha (23) du ver (24) anden, wa (25) er gesagt hat?" – "Nein." – "Da (26) ist auch kein Wunder." – "Wa (27) ?" – "Da (28) du ihn nicht ver (29) anden ha (30) ."

Die W (31) re h (32) t einen F (33) ler; d (34) rum will Herr A. die R (35) parat (36) r nicht bez (37) len.

| | |
|---|---|
| 0 eine | 19 |
| 1 } | 20 |
| 2 } | 21 |
| 3 | 22 |
| 4 | 23 |
| 5 | 24 |
| 6 | 25 |
| 7 | 26 |
| 8 | 27 |
| 9 | 28 |
| 10 | 29 |
| 11 | 30 |
| 12 | 31 |
| 13 | 32 |
| 14 | 33 |
| 15 | 34 |
| 16 | 35 } |
| 17 | 36 } |
| 18 | 37 |

## D Lesen: Ergänzen Sie die passenden Wörter

*Carlo Manzoni*

**Der Hausschlüssel**

Herr Veneranda blieb vor einer Haustür stehen, betrachtete die dunklen geschlossenen Fensterläden und pfiff abermals, als wolle er jemanden rufen.
An einem Fenster des dritten [1] erschien ein Herr.
„[2] Sie keinen Schlüssel?", schrie [3] Herr, um sich verständlich [4] machen.
„Nein, ich habe [5] Schlüssel", schrie Herr Veneranda.
„[6] die Haustür zugeschlossen?" [7] der Herr am Fenster wieder.
„[8], sie ist zu", antwortete [9] Veneranda.
„Dann werfe ich [10] den Schlüssel hinunter."
„Wozu?" [11] Herr Veneranda.
„Um die [12] aufzuschließen", erwiderte der Herr [13] Fenster.
„Also gut", schrie [14] Veneranda. „Wenn Sie wollen, [15] ich die Haustür aufschließe, [16] werfen Sie mir nur [17] Schlüssel herunter."
„Aber müssen [18] denn nicht herein?"
„Ich? [19]. Wozu auch?"
„Wohnen [20] denn nicht hier?" fragte der [21] am Fenster, der [22] mehr recht mitkam.
„Ich? Nein", [23] Herr Veneranda zurück.
„Und [24] wollen Sie dann den [25] ?"
„Wenn Sie wollen, daß [26] die Tür aufschließe, muß ich [27] doch mit dem [28] aufschließen. Glauben Sie vielleicht, [29] könnte es mit einer Pfeife?"
„[30] will gar nicht, [31] die Tür aufgemacht wird", [32] der Herr am [33]. „Ich meinte, Sie wohnten [34]; ich hörte Sie pfeifen."
„[35] denn alle, die hier [36] Haus wohnen?" erkundigte sich [37] Veneranda mit voller Lautstärke.
„Nur [38] sie keinen Schlüssel [39]", antwortete der Herr oben.
„[40] habe keinen Schlüssel", schrie Herr Veneranda.

1 Stockes
2 3 4
5
6 7
8 9
10
11
12 13
14 15
16 17
18
19
20 21 22
23
24 25
26 27
28 29
30 31 32
33 34
35 36 37
38 39
40

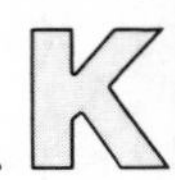

## ○ E Schreiben

### 1. Schreiben Sie einen Brief

Sie suchen eine Wohnung in Bielefeld. In der Zeitung "Bielefelder Tageblatt" lesen Sie die folgende Anzeige:

**Wohnungen und App.** westlich der Universität Bielefeld zu verm. Auskunft: XA 5177

Sie interessieren sich für eine der Wohnungen.
Sie möchten aber noch mehr über die Wohnung wissen.
Sie schreiben deshalb einen Brief.
Schreiben Sie auch etwas über Ihre Person, Ihre Familie und über Ihre Wünsche bezüglich der Wohnung.

### 2. Erzählen Sie (schriftlich) den Inhalt des Märchens „Die Sterntaler"

Sie können dabei die folgenden Stichwörter benutzen:

kleines Mädchen: Vater und Mutter tot;
arm: kein Kämmerchen, kein Bettchen;
nur noch: Kleider auf dem Leib,
Stück Brot.

Gut und fromm; hinaus ins Feld;
armer Mann: hungrig; Stück Brot.

1. Kind: "Es friert mich am Kopfe."
2. Kind: kein Leibchen, kalt.
3. Kind: kein Röcklein.

Wald, dunkel; 4. Kind: kein Hemdlein.

Mädchen: nichts mehr am Leib.
Plötzlich: Sterne vom Himmel, blanke Taler.
Neues Hemd.
Reich.

# Lösungsschlüssel zu -Übungen, Wiederholungs- und Kontrollaufgaben

3 Ü2 Gustav-Emil-Ida-Gustav-Emil-Samuel;
Berta-Anton-Richard-Berta-Ida-Emil-Richard-Ida;
Cäsar-Otto-Nordpol-Richard-Anton-Dora.

Ü3 eins, drei, fünf, sieben, zwölf, siebzehn, achtzehn;
null, zwei, vier, sechs, dreizehn, sechzehn, zwanzig;
neun, acht, zehn, elf, vierzehn, fünfzehn, neunzehn.

Ü4 Nummer ② ist Vogts. Er kommt auch aus Deutschland. - Nummer ③ ist Smith. Er kommt aus England. - Nummer ④ ist Maradona. Er kommt aus Argentinien. - Nummer ⑤ ist Beckenbauer. Er kommt aus Deutschland. - Nummer ⑥ ist Rivera. Er kommt aus Italien. - Nummer ⑦ ist Eusebio. Er kommt aus Portugal. - Nummer ⑧ ist Platini. Er kommt aus Frankreich. - Nummer ⑨ ist Krankl. Er kommt aus Österreich. - Nummer ⑩ ist Pelé. Er kommt aus Brasilien. - Nummer ⑪ ist Garrincha. Er kommt auch aus Brasilien.

4 Ü5 hat - Teilnehmer - fünf - Männer.
Peter Bauer.
Michiko Tanaka - aus Japan.
kommt - Australien.
kommt - Brasilien.
kommen - Italien.
ist - ist krank.
ist da.
kommt - aus Italien.

3 Ü4 die Nummer - aus. heißt. Ida - Otto - Richard. buchstabiere - Karl - Ida - Richard - Theodor - Otto - Richard - Friedrich. Decher. Dora. Dora. Die Vorwahl - sechs - drei - fünf. null - sechs - sechs - drei - fünf. null - vier. zwo - null - vier. Auf Wiederhören.

Ü5 1. 71 69; 2. 10 48 58; 3. 3 21 37; 4. 8 33 60; 5. 6 50 67; 6. 8 31 92; 7. 74 96; 8. 12 21 63; 9. 10 32 84; 10. 33 46 94; 11. 17 91 57.

Ü6 ① vierhundertdreiundzwanzig;
② sechshundertachtundvierzig;
③ dreihundertfünfundneunzig;
④ zweihundertsechsundsiebzig;
⑤ fünfhundertsiebenundsechzig.

Ü7 2. Barbara Fordemannn wohnt in Herford. Sie hat die Telefonnummer 5 47 66, Vorwahl 0 52 21 (Herford). 3. Karl-Heinz Frölich wohnt in Bünde. Er hat die Telefonnummer 7 65 02, Vorwahl 0 52 23 (Bünde). 4. Elisabeth Gerdes wohnt in Herford. Sie hat die Telefonnummer 5 51 07, Vorwahl 0 52 21 (Herford). 5. Die Gaststätte "Alter Dorfkrug" hat die Telefonnummer 5 17 81, Vorwahl 0 52 21 (Herford). 6. Die Gaststätte "Candle-Light" hat die Telefonnummer 7 89 77, Vorwahl 0 52 23 (Bünde). 7. Die "Dorett-Bar" (Nightclub) hat die Telefonnummer 5 33 52, Vorwahl 0 52 21 (Herford).

Ü10 1. richtig; 2. falsch; 3. falsch; 4. falsch; 5. richtig; 6. falsch; 7. richtig; 8. falsch; 9. richtig; 10. falsch; 11. falsch.

Ü11 1. wohnt - spricht - Deutsch und Französisch - ist - Studentin.
2. wohnt - ist - spricht - Deutsch - Russisch.
3. lebt - Jahre - spricht - Griechisch - Italienisch.
4. kommt - studiert - Deutsch - in - ist.
5. ist - Marokkaner - kommt - arbeitet - ist.
6. aus - Türkei - Arbeiter - wohnt - in - Familie - daheim - der.
7. sprechen - Deutsch - Millionen - Menschen - lernen - Deutsch.

**1A–2AW** Ü3 aus, Arzt, kommt, Italien, (Rhein), lernen, Bier, sie, Kaffee, nehmen, Land, Arbeiter, Teilnehmer, neun, woher, wer, Satz, Tag, die, vier, das, Tee, Cola, fünf, elf, wie, wohnt, lebt, Spanien.

Ü4 Berufe: Krankenschwester, Studentin, Lehrer, Ingenieur, Ärztin, Diplomat, Dolmetscherin:
Getränke: Bier, Cola, Kaffee, Wein, Mineralwasser, Limonade.

**2B1** Ü1 a) Frau Barbieri kommt aus Italien. Sie ist Studentin. Sie spricht Italienisch.
b) Wie ist Ihr Name? Puente. Wie schreibt man das? Buchstabieren Sie bitte! Wo wohnen Sie? In Frankfurt. Wie ist Ihre Telefonnummer?
c) Der Deutschkurs hat 12 Teilnehmer. Frau Puente kommt aus Spanien. Nummer 2 ist Frau Boucher aus Kanada. Herr Dupont ist aus Frankreich. Frau Scoti ist nicht da. Sie ist krank.

**2B2** Ü2 1. heiße, heißt; 2. komme, kommst; 3. ist, ist; 4. trinken, nehme.

Ü3 1. Herr Miller, Er, Er, Frau Puente, Sie, Herr und Frau Scoti, Sie.
2. Sie, Sie, Ich, Sie, Sie, Sie.

**2B4** Ü5 a) Woher kommst du? - Ich komme... .
Wo wohnst du? - Ich wohne ... .
Wo arbeitest du? - Ich arbeite ... .
Was trinkst du? - Ich trinke ... .
Woher kommen Sie? - Ich komme ... .
Wo wohnen Sie? - Ich wohne ... .
Wo arbeiten Sie? - Ich arbeite ... .

b) Sprichst du ...? - Nein, ich spreche ... .
Nimmst du ...? - Nein, ich nehme ... .
Wohnst du ...? - Nein, ich wohne in ... .
Sprechen Sie ...? - Nein, ich spreche ... .
Nehmen Sie ...? - Nein, ich nehme ... .
Wohnen Sie ...? - Nein, ich wohne ... .

c) Miza Lim: Sie kommt / studiert / wohnt / ist ... .

Mustafa Benhallam: Er kommt / wohnt / ist ... .

Alexandra Karidakis: Sie lebt / arbeitet / kommt ... .

Barış Önal: Er kommt / lebt, wohnt / arbeitet / ist ... .

Ü6 komm/e, komm/en; sprech/e, sprich/st; sprech/en, sprich/t; heiß/e, heiß/t, heiß/en; nimm/st, nimm/t, nehm/en, nehm/e; lern/en; arbeit/en, arbeit/et, arbeit/est; wohn/e, wohn/st; studier/en, studier/st, studier/t; versteh/t; notier/en; schreib/en, schreib/t; buchstabier/en; trink/en; leb/t.

Ü10 2. Woher kommt er? 3. Wie heißen Sie? 4. Wo wohnen Sie? 5. Wo arbeiten Sie? 6. Ich heiße...
7. Ich komme aus ... . 8. Ich wohne in ... .
9. Ich arbeite bei ... . 10. Ich bin ... (Jahre alt). 11. Ja, ich trinke auch ... / Nein, ich

trinke kein ... . 12. Ja/Nein, ich spreche ... . 13. Ja/Nein, ich komme aus ... . 14. Ja/Nein, ich wohne in ... . 15. Ja/Nein, ich arbeite bei ... .

**3A2** Ü1 1: der Radiergummi, 2: die Tasche, 3: das Heft, 4: die Lampe, 5: der Füller, 6: das Regal, 7: das Bild, 8: die Landkarte, 9: der Tisch, 10: das Buch, 11: ???, 12: die Kreide, 13: das Tonbandgerät, 14: der Stuhl, 15: der Tageslichtprojektor.

Ü2 ist - ein - heißt das - Tonbandgerät - Tonband - Tonbandgerät - Tonbandgerät - Nummer 15 - Lampe - Nein, ein - noch einmal - Tageslichtprojektor - das - deutsch - heißt.

**3A3** Ü3 A9, B7, C2, D6, E4, F5, G8, H1, I3.

**3A4/5** Ü6 2. sechsundsiebzig Mark fünfzehn, sechsundsiebzig Mark und fünfzehn Pfennig; 3. sechshundertzwei Mark dreiundfünfzig, sechshundertzwei Mark und dreiundfünfzig Pfennig; 4. tausendfünfhunderteinunddreißig Mark, eintausendfünfhunderteinunddreißig Mark; 5. hundertsechzig Mark sechsundsechzig, einhundertsechzig Mark und sechsundsechzig Pfennig; 6. vierzehn Mark vierzehn, vierzehn Mark und vierzehn Pfennig; 7. zehn Mark vierundzwanzig, zehn Mark und vierundzwanzig Pfennig.

**3A5** Ü7 Miete ... - Möbel/Hausrat - Körperpflege - Essen - Gesundheit - Fernsehen/Zeitung - Auto/Fahrtkosten - Telefon - Kleidung - Restaurant - Sonstiges.

Ü10 1. richtig; 2. richtig; 3. falsch; 4. falsch; 5. falsch; 6. richtig; 7. richtig; 8. falsch; 9. richtig.

Ü11 Eine Gulaschsuppe kostet DM 3,50 (drei Mark und fünfzig Pfennig); ein Paar Würstchen kostet DM 3,60 (drei Mark und sechzig Pfennig); eine Bratwurst kostet DM 2,40 (zwei Mark und vierzig Pfennig); ein Schinkenbrot kostet DM 3,70 (drei Mark und siebzig Pfennig); ein Käsebrot kostet DM 3,20 (drei Mark und zwanzig Pfennig); ein Hamburger kostet DM 3,50 (drei Mark und fünfzig Pfennig); eine Portion Pommes frites kostet DM 1,80 (eine Mark und achtzig Pfennig); ein Glas Tee kostet DM 1,95 (eine Mark und fünfundneunzig Pfennig); eine Tasse Kaffee kostet DM 2,40 (zwei Mark und vierzig Pfennig); ein Kännchen Kaffee kostet DM 4,- (vier Mark); ein Glas Milch kostet DM 1,60 (eine Mark und sechzig Pfennig); eine Dose Cola kostet DM 1,90 (eine Mark und neunzig Pfennig), ein Viertel Wein kostet DM 4,50 (vier Mark und fünzig Pfennig); eine Flasche Bier kostet DM 2,60 (zwei Mark und sechzig Pfennig).
Die Leberknödelsuppe kostet DM 3,50 (drei Mark und fünfzig Pfennig); die Gulaschsuppe kostet DM 4,80 (vier Mark und achtzig Pfennig); die Hühnersuppe kostet DM 2,20 (zwei Mark und zwanzig Pfennig); das "Texas"-Steak kostet DM 19,80 (neunzehn Mark und achtzig Pfennig); das Zigeunersteak kostet DM 19,80 (neunzehn Mark und achtzig Pfennig); der gemischte Salat kostet DM 3,90 (drei Mark und neunzig Pfennig); der Kartoffelsalat kostet DM 2,50 (zwei Mark und fünfzig Pfennig); die Kartoffeln kosten DM 2,50 (zwei Mark und fünfzig Pfennig); die Eiernudeln kosten DM 2,50 (zwei Mark und fünfzig Pfennig).

**3A9** Ü15 1. richtig; 2. falsch; 3. richtig; 4. richtig; 5. richtig; 6. falsch; 7. falsch; 8. richtig; 9. richtig; 10. falsch; 11. richtig; 12. falsch; 13. richtig.

**3AW** Ü1 1. Picknick; 2. Auto; 3. Radio; 4. Käse; 5. Wein; 6. Ausweis; 7. Essen; 8. Cola; 9. Hamburger; 10. Telefon; 11. Eier; 12. Regal; 13. PARKWAECHTER

Ü2 Milch - Fisch - Schinkenbrot - Butter - Wuerstchen - Tomaten - Oliven - Bratwurst - Kaffee - Kaesebrot - Pommes frites - Bier - MINERALWASSER

Ü3 Speisen: Bratwurst - Gulaschsuppe - Kartoffelsalat - Zigeunersteak
Getränke: Cola - Kaffee - Mineralwasser - Whisky
Essen: Butter - Eier - Gemüse - Käse
Sachen: Lampe - Radiergummi - Regal - Tasche

**3B1** Ü1 der Paß - der Star - der Salat - der Gangster - der Clown - der Computer - der Hamburger - die City - die Garage - die Cassette - die Hostess - die Nummer/die Zahl - das Auto - das Baby - das Glas - das Radio - das Telefon

**3B2** Ü3 1. Die Studentin kommt aus Japan. 2. Das Baby ist 6 Monate alt. 3. Der Deutschkurs hat 12 Teilnehmer. 4. Die Arbeiterin arbeitet bei Siemens. 5. Bjarne wohnt in München. 6. Der Gangster heißt Al Capone. 7. Die Dolmetscherin spricht Englisch, Französisch und Spanisch. 8. Das Radio spielt. 9. Die Lehrerin schreibt einen Satz. 10. Die Frau trinkt einen Kaffee.

**3B3** Ü4 3: Das ist ein Radio. - Was ist das? 4: Das ist ein Computer. - Was ist das? 5: Das ist Anni Sinowatz. - Wer ist das? 6: Das ist eine Cassette. - Was ist das? 7: Das ist ein Hamburger. - Was ist das? 8: Das ist eine Garage. - Was ist das? 9: Das ist Rocko. - Wer ist das? 10: Das ist ein Tonbandgerät. - Was ist das? 11: Das ist ein Tageslichtprojektor. - Was ist das? 12: Das ist ein Gangster. - Wer ist das? 13: Das ist ein Buch. - Was ist das? 14: Das ist eine Tasche. - Was ist das? 15: Das ist Marlies Demont. - Wer ist das? 16: Das ist ein Bild. - Was ist das? 17: Das ist Herr Müller. - Wer ist das? 18: Das ist Herr Miller. - Wer ist das?

**3B5** Ü6 1. Woher kommst du / kommen Sie? 2. Sprichst du / Sprechen Sie auch Englisch? 3. Wie heißt du / heißen Sie? 4. Hast du / Haben Sie auch Hunger? 5. Bist du / Sind Sie krank? 6. Nehmt ihr / Nehmen Sie auch ein Steak? 7. Wohnt ihr / Wohnen Sie auch in Berlin? 8. Seid ihr / Sind Sie auch aus Italien?

Ü7 a) machen - sind - haben - sind - ist - ist - ruft - ist - fangen;
b) ist - hat - ißt - frißt - trinkt - trinkt - spricht - bin - sind - essen - (fr)esse.

Ü8 1. Was ist heute? 2. Wer macht das Essen? Was macht Frau Wolter? 3. Wer hat Wurst, Brot und Bier? Was hat sie? 4. Wer arbeitet? 5. Wer schreibt einen Brief? Was schreibt er? 6. Wer ist nicht da?

**4A1** Ü1 2: der Oberarm; 3. die Schulter; 4: die Brust; 5: der Bauch; 6: der Rücken; 7: der Unterarm; 8: die Hand; 9: der Oberschenkel; 10: der Unterschenkel; 11: das Knie; 12: der Fuß; 13: der Knöchel; 14: die Zehe; 15: der Finger; 16: der Hals; 17: die Haare; 18: der Bart; 19: das Ohr; 20: das Auge; 21: die Nase; 22: der Mund; 23: die Lippen; 24: die Stirn; 25: das Kinn.

**4A2** Ü2 5, 8, 2, 7, 3, 1, 4, 6.

Ü9 Nummer 2: Das ist ein Hund; Nummer 3: Das ist ein Kissen; Nummer 4: Das ist eine Wäscheklammer; Nummer 5: Das ist ein Messer; Nummer 6: Das ist ein Sofa; Nummer 7: Das ist ein Kochtopf; Nummer 8: Das ist ein Trichter; Nummer 9: Das ist eine Säge; Nummer 10: Das ist Klebstoff; Nummer 11: Das ist ein Servierwagen; Nummer 12: Das ist ein Schraubenzieher; Nummer 13: Das ist eine Bohrmaschine; Nummer 14: Das ist eine Schere; Nummer 15: Das ist ein Garn; Nummer 16: Das ist eine Axt.

Ü10 (1) und (2) sind (3) zu;
(4) und (5) machen (6) eine;
(7) ist (8) ist (9) ist;
(10) Das (11) ist;
(12) Es;
(13) holt (14) das (15) die (16) und;
(17) Die (18) fängt;
(19) schneidet (20) den;
(21) ist (22) und;
(23) die (24) auf;
(25) zieht (26) die (27) und (28) sie (29) weg;
(30) sie (31) das;
(32) das (33) zu;
(34) Die (35) ist;
(36) klebt (37) die (38) zu;
(39) Das (40) stöhnt;
(41) sind.

Ü11 Das Milchgeschäft war in Berlin-Kreuzberg. Wilhelm Etzin war der Besitzer. Er hatte eine Frau und zwei Kinder. Herr und Frau Etzin hatten noch keinen Kühlschrank. Sie hatten Milch und Sahne, Brot und Butter. Das Geschäft war im Keller. Es war kühl im Keller/Souterrain. Die Miete war billig. Ein Glas Milch war damals nicht teuer. Das war 1908.

Ü12 1. Zeit - Geld - Auto - ein - Auto - Haus - war - hatte - Freunde - hatte - Freunde - Freunde - keine - hatte - ich.
2. Schauspieler - Erfolg - berühmt - Termine - Rom - Paris - London.
3. Politiker - Macht - Flugzeug - viele - Telefone .
4. Pech.
5. keine - Freunde - Villa - Geld - Frau - auch - alles - das - nichts - allein - Menge - Zeit.

Ü1 1: Milchgeschäft; 2: Schinkenbrot; 3: Landkarte; 4: Tonband; 5: Vierzimmerwohnung; 6: Halstabletten; 7: Coladose; 8: Telefonnummer; 9: Koerperteile; 10: Bettruhe; 11: Bratwurst; 12: Angelschein; 13: Schultasche; 14: Bauchschmerzen; 15: Kaffeetasse; 16: Kuehlschrank
EIN BILDERRAETSEL

Ü3 *Trennbare Verben:*
anfangen, einkaufen, aufhören, aussehen, aufhalten, rausziehen, weitergehen, aufschneiden, zukleben, einladen, zunähen, mitbringen, wegwerfen, anrufen, aufschreiben.
*Nicht trennbare Verben:*
beschreiben, verdienen, verstehen, ergänzen, benutzen, bezahlen.

Ü4 1. fängt ... an; 2. kauft ... ein; 3. Beschreiben; 4. höre auf; 5. verdient; 6. sieht ... aus; 7. lade ... ein; 8. Verstehen; 9. Ergänzen; 10. Benutzen; 11. Schreiben ... auf; rufe ... an; 12. bezahlt.

**4B3** Ü5 a) 2: hattest; 3: waren; 4: war; 5: hatte;
b) war; war; hatte; ist; war.

Ü6 (Lösungsbeispiele)
1. Warst du gestern nicht zu Hause?
2. Hattest du keine Zeit?
3. Warst du krank? / Hattest du Husten?
4. War Susi (nicht) da?
5. Warst du krank?
6. Hattest du Fieber?
7. Hattest du Kopfschmerzen?
8. Warst du (nicht) beim Arzt?

**1–4W** (Lösungsbeispiele)
1. Ich heiße Barbara Fordemann; ich wohne in Herford, Blumenstraße 13; meine Telefonnummer ist 54 766.
2. Verzeihung, wie ist Ihr Name? (Verzeihung, wie heißen Sie?)
3. (Nein, danke), (ich möchte/trinke) lieber ein Mineralwasser.
4. a) (Ich komme) aus ...
   b) (Ja), (ein bißchen). / (Nein), (leider nicht).
5. Bitte, die Nummer von: Goethe-Institut, Zentrale, in München.
6. Nein, ich bin kein(e) Lehrer(in), ich bin ...
7. Nein, ich habe heute (leider) keine Zeit.
8. Was kosten die Tomaten? Und die Oliven?
9. Wie hoch ist die Miete für die (Zweizimmer)-Wohnung?
10. "Eine Bratwurst und eine Portion Pommes frites."
11. Ich habe Kopfschmerzen und Fieber.
12. Ich war zu Hause; ich war krank.
12. Ich war zu Hause; ich war krank.

**1–4K** **Kontrollaufgaben**

*A Wörter*
1d; 2c; 3b; 4c; 5c; 6a; 7c; 8c; 9b; 10a; 11c; 12d.

*B Grammatik*
1c; 2c; 3b; 4d; 5a; 6b; 7b; 8d; 9b; 10b.

*C Orthographie*
1: Guten; 2: geht; 3: Ganz; 4: Auch; 5: ist; 6: Freut; 7: schreibt; 8: einmal; 9: Frankreich; 10: Brasilien; 11: trinken; 12: nehme; 13: lieber; 14: Sprechen; 15: Französisch; 16: leider; 17: Englisch; 18: sind.

*D Lesen*
1: falsch; 2: richtig; 3: falsch; 4: falsch; 5: falsch; 6: falsch; 7: richtig; 8: falsch; 9: falsch; 10: falsch.

*E Sprechen*
1b; 2d; 3a; 4c; 5b.

**5A1** Ü3 ... zwischen Peking und Teheran ist vier Stunden; ... zwischen Lima und Casablanca ist fünf Stunden; ... zwischen Oslo und Bangkok ist sechs Stunden; ... zwischen Montreal und Istanbul ist acht Stunden ...

Ü4 In Rom ist es Abend, 20 Uhr. Dann ist es in Sydney Morgen, 5 Uhr.
In Stockholm ist es Nachmittag, 15 Uhr. Dann ist es in Peking Abend, 22 Uhr.
In Paris ist es Nacht, 2 Uhr. Dann ist es in Buenos Aires Abend, 22 Uhr.

In Montreal ist es Morgen, 8 Uhr. Dann ist es in Madrid Nachmittag, 14 Uhr ...

**5A3** Ü6 *a) Durchsagen am Flughafen*
1. Abflug British Airways 959 nach Manchester, Flugsteig A6.
2. Abflug Condor 2212 nach Palma de Mallorca und Ibiza, Flugsteig A4.
3. Abflug Lufthansa 306 nach Athen, Flugsteig A18.
4. Herr Hopier, Passagier nach Kairo, bitte zum Lufthansa-Flugscheinschalter Nummer 9.
5. Letzter Aufruf Lufthansa 796 nach Hamburg, Flugsteig B12.

*b)Durchsagen am Bahnhof*
1. Am Gleis 19 bitte einsteigen, Türen schließen, Vorsicht bei der Abfahrt.
2. Auf Gleis 19 fährt ein der Schnellzug 892 aus Salzburg zur Weiterfahrt nach Karlsruhe. Ankunft 15 Uhr 47.
3. Achtung, eine private Durchsage: Werner und Dieter Steiner, Werner und Dieter Steiner möchten bitte zum Kundendienst der Bundesbahn am Gleis 26 kommen. ...
4. Auf Gleis 22 fährt ein der Intercity 683 "Ernst Barlach" aus Hamburg-Altona. Ankunft 16 Uhr 24.
5. Auf Gleis 19 fährt in Kürze ein der verspätete Fernexpreß 728 "Berchtesgadener Land" aus Dortmund zur Weiterfahrt nach Berchtesgaden, mit Kurswagen nach Salzburg. Planmäßige Ankunft 15 Uhr 10.

**5A4** Ü7 1: richtig; 2: falsch; 3: richtig; 4: falsch; 5: falsch; 6: richtig; 7: richtig; 8: falsch; 9: richtig; 10: falsch

Ü8 (Lösungsbeispiel)
- • Hallo, Sabine, hier ist Elke. Wir fahren nächste Woche nach Frankfurt zur Buchmesse. Kommt ihr mit?
- o Vielleicht. Wann fahrt ihr denn genau?
- • Am Dienstagvormittag, um 8 Uhr.
- o Und wann kommt ihr zurück?
- • Das wissen wir noch nicht genau; vielleicht am Donnerstag oder am Freitag.
- o Wir haben nur Zeit bis Donnerstag.
- • Gut, dann bleiben wir auch nur bis Donnerstag.
- o Habt ihr schon ein Zimmer?
- • Nein, aber ich rufe gleich die Touristen-Zentrale in Frankfurt an. Dann rufe ich dich wieder an. ...

Ü9 Heute ist der elfte Dezember neunzehnhundertsechsundneunzig / Heute haben wir den elften Dezember ... ;
... der dreizehnte März neunzehnhundertneunundachtzig / ... den dreizehnten März ...;
... der einunddreißigste August neunzehnhundertachtundachtzig / ... den einunddreißigsten August ... ;
... der zwanzigste Juni neunzehnhundertneunundachtzig / ... den zwanzigsten Juni ...;
... der siebzehnte Februar neunzehnhundertzweiundneunzig / ... den siebzehnten Februar ... ;
der sechzehnte September neunzehnhundertsiebenundachtzig / ... den sechzehnten September ... ;
... der dritte Mai neunzehnhundertneunundachtzig / ... dritten Mai ...;
... achte Oktober neunzehnhundert(und)neunzig / ... den achten Oktober ... ;
... der fünfundzwanzigste April neunzehnhundertdreiundneunzig / ... den fünfundzwanzigsten April ... ;
... siebte Juli neunzehnhunderteinundneunzig / ... den siebten Juli ... ;
... der zwölfte November neunzehnhundertvierundneunzig / ... den zwölften November ... ;
der einunddreißigste Dezember neunzehnhundertneunundneunzig / ... den einunddreißigsten Dezember ... .

**5A5** Ü10 (Lösungsbeispiele)
1. In Nordrhein-Westfalen haben die Kinder vom dreiundzwanzigsten März bis zum dreizehnten April, vom achtzehnten Juni bis zum dritten August, vom siebten Oktober bis zum zwölften Oktober und vom einundzwanzigsten Dezember bis zum sechsten Januar Schulferien.

2. Am dreiundzwanzigsten Dezember beginnen die Weihnachtsferien in Baden-Württemberg, Bayern, Berlin, Bremen, Hamburg, Rheinland-Pfalz und Schleswig-Holstein.

3. Bis zum dreizehnten April dauern die Osterferien in Bayern, Berlin, Hessen, Niedersachsen, Nordrhein-Westfalen und Schleswig-Holstein.

4. a) Bayern: 13 Tage; b) Berlin: 22 Tage; c) Hessen: 20 Tage; d) Rheinland-Pfalz: 19 Tage; e) Schleswig-Holstein: 18 Tage.

5. a) In Baden-Württemberg dauern die Sommerferien vom fünfundzwanzigsten Juli bis zum siebten September.
b) In Hamburg dauern die Sommerferien vom fünfzehnten Juli bis zum vierundzwanzigsten August.
c) In Niedersachsen dauern die Sommerferien vom achtzehnten Juli bis zum achtundzwanzigsten August.
d) Im Saarland dauern die Sommerferien vom vierten Juli bis zum siebzehnten August.

Ü11 "Das ist die Stimme von Teddy Panther. Der Sänger macht im April eine Tournee durch die Bundesrepublik. Hier die Stationen: Sein erstes Konzert ist am 3. April in Kiel in der Ostseehalle. Am 6.4. tritt er in Hamburg auf. Und weiter geht's: am 9.4. in Bremen, 13. und 14. in Hannover, am 16. April in Köln. Vom 18. bis 20.4. gastiert Teddy Panther in Frankfurt. Am 23.4. in Stuttgart, und am 26. und 27. April das Finale in München, in der Olympiahalle.

**5A6** Ü12 ... Am dreiundzwanzigsten, das ist zu spät! Ich habe Schmerzen!
... Oh, das ist zu früh! Ich arbeite bis halb drei; um drei Uhr, paßt das? Geht das?
... Gut, dann frage ich meinen Chef. Also: Freitag 12 Uhr 15.
... Pasolini, Pa - so - li - ni.

Ü13
- o Hier Praxis Dr. Huber, guten Tag!
- • Guten Tag, hier ist Petersen. Ich habe einen Termin für heute nachmittag.
- o Ja, heute, 15 Uhr 30.
- • Ja, richtig. Aber das geht leider nicht. Meine Tochter ist ... Haben Sie morgen nachmittag einen Termin frei?
- o Morgen ist schlecht. Da ist nichts frei. Aber Donnerstagvormittag ...

- ● Am Vormittag kann ich leider nicht. Geht es auch am Nachmittag?
- o 17 Uhr?
- ● Ja, das ist gut.
- o Also, am 15., Donnerstag, 17 Uhr.
- ● Vielen Dank, auf Wiederhören!
- o Wiederhören.

Ü14 (Lösungsbeispiele)
1. (Herr Bamberg heißt mit Vornamen) Günter.
2. Herr Bamberg hat große Zahnschmerzen.
3. Herr Bamberg möchte Tabletten.
4. (Nein,) Herr Bamberg war noch nicht bei Dr. Huber.
5. Herr Bamberg macht morgen Examen.
6. Er möchte überhaupt nicht kommen.
7. Die Sprechstundenhilfe sagt: "Kommen Sie gleich, es geht ganz schnell."
8. (Ja,) Er kommt, in zehn Minuten.

Ü15 (Lösungsbeipiel)
Herr Riad hat am 30. Juli Examen. Heute ist Montag, der 29. Juli. Herr Riad hat Angst. Sein Kopf tut weh. "Ich habe Kopfschmerzen!" sagt Herr Riad. Er ruft den Arzt an. Er möchte einen Termin. Die Sprechstundenhilfe sucht einen Termin. "Haben Sie das Fieber schon lange?" fragt die Sprechstundenhilfe. "Nein, erst seit heute früh", antwortet Herr Riad. "Gut, dann kommen Sie bitte morgen, zehn Uhr!" - "Nein, das geht nicht! Ich möchte heute noch kommen!" ruft Herr Riad. "Ich habe sehr große Schmerzen!" - Die Sprechstundenhilfe sagt: "Moment mal, also dann heute, nachmittag, 17 Uhr 30." - "Vielen Dank", sagt Herr Riad.

7 Ü17 (Lösungsbeispiel)
Er ist sehr in Eile. Um 19 Uhr hat er eine Konferenz in Düsseldorf. Jetzt ist es kurz nach siebzehn Uhr. Herr Gröner findet eine Autowerkstatt, aber die ist schon zu. Der Meister sagt, er hilft am nächsten Morgen. Vielleicht ist der Motor kaputt - das geht nicht so schnell. Der Meister schreibt die Adresse und die Telefonnummer von Herrn Gröner auf. Dann ruft er ein Taxi. Herr Gröner fährt mit dem Taxi nach Düsseldorf.

1 Ü1 (Lösungsbeispiel)
- o Ich möchte morgen nach Berlin. Wann kann ich fliegen?
- ● Sie können am Vormittag ...
- o Das ist zu früh. Kann ich ...?
- ● Ja, da können Sie ...
- o Und wann kann ich übermorgen ...? Ich möchte am Abend ...
- ● Sie können um 18 Uhr 35 fliegen, ...

Ü2 a)
- o Wir möchten in den Osterferien ...
- ● Wie lange möchtet ihr denn bleiben?
- o ...
- ● Hm. Ich rufe Gisela an, vielleicht möchte sie mitfahren; dann können wir zusammen mit dem Auto fahren.

b) ● Hallo, Gisela, Sabine und Peter möchten am Freitag nach Paris fahren ... Möchtest du auch mitfahren? Ich möchte dich einladen ... ich kann mitfahren ... Du kannst wirklich nicht? ... Natürlich kann ich das verstehen, ... du möchtest nach Athen. ... Da kann ich leider nicht ... Möchtest du denn ganz allein fahren? ... Schade, da kann man nichts machen. Tschüs!

c) ● Also, Gisela möchte nicht nach Paris. Sie möchte im Mai nach Athen, ... Jetzt möchte/brauche ich erst einmal einen Kognak.

**5AW** Ü1 *Waagerecht:*
besuchen, suchen, anfangen, dauern, finden, anrufen, schlafen, umsteigen, kosten, nehmen, sehen, helfen, wohnen, können, bleiben.
*Senkrecht:*
mitfahren, fahren, beginnen, gehen, kommen, nehmen, haben, essen, arbeiten, fragen, einsteigen.

Ü2 1. Hotelzimmer; 2. kaputt; 3. Hilfe; 4. Herbstferien; 5. Bahnhof; 6. Passagier; 7. Minuten; 8. Gleis; 9. Fahrkarte
? = LUFTHANSA

**6A1** Ü3
- ● Wo kommst du jetzt her?
- o Von Mario.
- ● Und was hast du so lange gemacht? Jetzt ist es 20/zwanzig vor acht!
- o ...
- ● Hausaufgaben? Sieben Stunden Hausaufgaben? Um eins war die Schule aus!
- o Ja, um halb zwei waren wir bei Mario - dann haben wir Hausaufgaben gemacht. Das war so viel: ... Ich habe Mario Mathe erklärt.
- ● Und warum ist deine Hose kaputt?
- o Das hat Pluto gemacht.
- ● ...
- o Der Hund von Mario.
- ● Ihr habt Fußball gespielt!
- o Nein, wir haben gearbeitet, wir haben gelernt. Frag Mario!

**6A2** Ü6 "Durchsagen im Supermarkt":
1. Verehrte Kunden! Wir bieten Ihnen heute wieder Sonderangebote zu kleinen Preisen. Zum Beispiel: 500 Gramm Jacobs-Kaffee "Edelmocca" oder, für Teefreunde, Thiele Tee "Broken Special", auch 500 Gramm, jede Packung nur 8/acht Mark 99! ...
2. Die Sonne des Südens auf unseren Tisch: Italienische Blutorangen, Handelsklasse 2, 1,5 Kilogramm für nur eine Mark 99! Oder Blumenkohl, aus Italien oder Frankreich - nur 1/eine Mark 49 pro Stück. ...
3. Bei uns bekommen Sie die ganze Kraft der Milch zu Minipreisen: Frischmilch nur 99 Pfennig pro Liter; Holländische Markenbutter, 250 Gramm für 1/eine Mark 99! Magerer gesunder Speisequark kostet bei uns nur 39 Pfennig der 250-Gramm Becher. Und eine norwegische Spezialität: Ridderkäse mit 60 Prozent Fettgehalt gibt's heute für unglaubliche eins 49 je 100/hundert Gramm. ...
4. Und abends sind alle durstig: Cola, die Literflasche schon für eins 29; Paulaner Hell, das frische Bier für die ganze Familie, der Kasten nur 12/zwölf Mark 99. Und Vater hat ein besonderes Gläschen verdient: Kognak "Napoleon", die 0,7-Liter Flasche zu 13/dreizehn Mark 98. ...

**6A3** Ü7 1: richtig; 2: falsch; 3: richtig; 4: richtig; 5: falsch; 6: richtig; 7: falsch; 8: richtig; 9: falsch; 10: falsch; 11: richtig; 12: falsch; 13: richtig; 14: richtig; 15: falsch

**6A4/5** Ü10 (Lösungsbeispiele)
*Verloren*
1. Der Mann sucht sein Geld. 2. Sie sind am Kiosk und im Kaufhaus gewesen, und sie sind mit der U-Bahn gefahren. 3. Am Kiosk haben sie

die Zeitung gekauft (mitgenommen). 4. Dann haben sie die Hose gekauft. 5. Dann sind sie mit der U-Bahn gefahren.

*Gefunden*
1. Er war zuerst am Kiosk. 2. Die Leute an der U-Bahn-Station haben das Fundbüro angerufen. 3. Im Kaufhof hat der Mann die Verkäuferin gesucht. 4. In der alten Hose. Die Verkäuferin hat die alte Hose eingepackt; das Geld war noch in der alten Hose.

**6A6** Ü13 (Lösungsbeispiele)
1. (in der) Stadt; 2. (ein) Geschenk (für Vater); 3. (eine) Hose (für sich); 4. Peter, (in einem) Restaurant; 5. komischer Typ, Blumen mitgebracht (für Monika); 6. (die) Blumen; 7. Monika: ins Kino (gehen)? Susi: Film schon gesehen; 8. Susi: Komm zu mir! Besuch; Peter, Blumen.

**6A7** Ü15
- o Das war eine Aufregung! Ich hab was gehört, so um 11/elf ein Klirren, einer hat die Scheibe kaputtgemacht.
- • Haben Sie keine Angst gehabt?
- o Und wie! Aber ich habe die Tür leise aufgemacht, und da war er!
- • Wer??
- o Na, der Einbrecher.
- • Ein Mann?
- o Ja, groß, stark!
- • O Gott!
- o Ich glaube, er hat Geld gesucht. Er hat alles aufgemacht und ausgeräumt.
- • Und was haben Sie gemacht?
- o Ich habe ihn gefragt: "Sagen Sie mal, was machen Sie hier?"
- • Und er?
- o Der sagt: " Entschuldigen Sie, ist hier Bahnhofstr. Nr. 9?" - "Ja, natürlich," sag ich, "Bahnhofstr. 9." Und dann sagt er: "Ja, kennen Sie mich denn nicht mehr?"
- • So eine Frechheit!
- o Und ich sag: "Nein, ich kenne Sie nicht, wer sind Sie denn?" Und er: "Na, ich bin doch ein Kollege von Hermann!"
- • Von Hermann??
- o Ja, Hermann ist mein Mann. Also, ich sag zu ihm: "Nein, setzen Sie sich mal hin. Ich mach ihnen erst ne Tasse Kaffee, und dann rufe ich Hermann an.
- • Wo war denn ihr Mann?
- o Der war nicht zu Hause. Also, ich mach Kaffee, und der sitzt da und schwitzt.
- • Schwitzt?
- o Na klar, der hat Angst gehabt.
- • Ich denke, Sie haben Angst gehabt!
- o Ja, zuerst ich, aber dann er. Und dann habe ich telefoniert. ...

**6B2/5** Ü1 gelebt - gearbeitet - eingekauft - verdient - (sich) gefreut - gemeint - geantwortet - geangelt - zugenäht - geflirtet - zugeklebt - gespielt - gehört - nachgeschaut - gekauft - gefehlt - gezeigt - besucht - gekostet - gestöhnt - erzählt - gesucht - gedauert - gesteckt - eingepackt - kaputtgemacht - gewartet - ergänzt - gebraucht - gewohnt - aufgemacht - geredet - geholt - gemacht - ausgeräumt - geschickt - gehabt - gesagt - übernachtet - gekocht - gefragt - geschwitzt.

**6B3/5** Ü2 1. geblieben - geschrieben - beschrieben - aufgeschrieben - eingestiegen - umgestiegen - geschnitten - aufgeschnitten - unterstrichen
2. geschlossen - verloren
3. getrunken - gefunden - begonnen
4. gesprochen - gekommen - geworfen - mitgekommen - zurückgekommen - weggeworfen - gegessen - vergessen
5. genommen - mitgenommen - gelesen - gesehen
6. gehoben
7. geschlafen - angefangen - aufgehalten - gefahren - abgefahren
8. gerufen - gelaufen - angerufen

**6B6** Ü4 notiert - buchstabiert - studiert - diktiert - repariert - funktioniert - fotografiert - passiert - telefoniert

**6B7** Ü5 (Lösungsbeispiele)
Der Einbrecher hat die Scheibe kaputtgemacht.
Er hat das Fenster aufgemacht.
Er hat Geld gesucht.
Er hat Uhren und Bilder in den Sack gesteckt.
Die Frau hat den Einbrecher gehört. Sie hat die Tür aufgemacht und hat den Einbrecher gefragt: "Was machen Sie hier?"
Da hat der Einbrecher gesagt:
"Entschuldigen Sie bitte! Ich habe hier früher gewohnt. Ich habe die alte Uhr gesucht."
Da hat die Frau ihm Kaffee gekocht.

**6B4** Ü6 Ich bin ... gefahren. Ich bin ... gekommen. Ich bin ... umgestiegen. Ich bin ... eingestiegen. Ich bin ... mitgekommen. Ich bin ... abgefahren. Ich bin ... zurückgekommen. Ich bin ... gelaufen. Ich bin ... gegangen. Ich bin ... aufgestanden.
Ich bin ... geblieben.
Ich bin ... gewesen.

**7A1** Ü1 ① ist links oben hinten / oben links hinten / oben hinten links / links hinten oben / hinten oben links (diese Varianten sind auch bei ②-⑧ möglich)
② ist hinten rechts oben; ③ ist vorne links oben; ④ ist vorne rechts oben; ⑤ ist hinten links unten; ⑥ ist hinten rechts unten; ⑦ ist vorne links unten; ⑧ ist vorne rechts unten.

Ü2 ① Links ist ein A, rechts ist ein H, oben ist ein U, unten ist ein S; Das ist ein HAUS!

② Oben ist ein Z, in der Mitte ist ein U, unten sind zwei G. das ist ein ZUG!

③ Links und rechts ist ein U. In der Mitte ist ein A und ein T. Unten sind zwei O. Das ist ein AUTO!

④ Links ist das B, rechts ist das R, unten ist das T, und wo ist das O? Das ist ein BROT!

⑤ Links ist ein R, rechts ist ein E, in der Mitte ist ein T; und wo ist das U? Das ist ein TUER!

**7A2** Ü3 ①
- o Entschuldigen Sie, wie komme ich zum Josephplatz?
- • Zum Josephsplatz? Gehen Sie geradeaus und dann an der Kreuzung links. Dann kommen Sie direkt zum Josephsplatz.

② a) Der Mann möchte zur Technischen Hochschule
b) Gehen Sie immer geradeaus, diese Straße geradeaus, ... und am Ende ist die Technische Hochschule.
c) Vielleicht ein Kilometer, zehn Minuten zu Fuß.

③ a) richtig; b) falsch; c) falsch; d) falsch; e) richtig; f) richtig

④
- o Ich suche die Polizei.
- • Die Landpolizeidirektion?
- o Ja, richtig.
- • Gehen Sie hier die Theresienstraße entlang bis zur zweiten Kreuzung, dann rechts, und zweite Straße links.

o Bis zur Kreuzung, dann rechts, und dann die zweite Straße links.
• Genau, und dann noch zwei- bis dreihundert Meter geradeaus und dann auf der rechten Seite das große Gebäude.
o Vielen Dank, das finde ich bestimmt.

**A3** Ü5 1: der Teppich; 2: das Sofa; 3: das Bild; 6: die Hose; 10: der Plattenspieler; 11: der Schrank; (das Regal); 12: die Vase; 15: die Bücher.

Ü6 Der Vater sucht den Fotoapparat zuerst im Wohnzimmer, auf dem Sofa, dann unter dem Sofa; aber da ist er auch nicht. Dann sucht er den Fotoapparat auf dem Regal, links von der Vase. Schließlich sucht er ihn in der Küche; im Kühlschrank? Aber vielleicht auf dem Tisch oder auf einem Stuhl. Mal sehn!

**4** Ü7 a) Falsch ist :
1. hat verkauft; 2. die ganze Zeit (auf dem Automarkt); 3. im Theater; 4. ist zu Fuß zum TÜV gelaufen; 5. beim TÜV; 6. direkt zum Automarkt; 7. verkauft; 8. hat er sich einen anderen Wagen gekauft.

**5** Ü9 Schuhe (1) ; Sonnenbrille (24) ; Schwimmflossen (22) ; Rettungsring (23) ; Kleiderhaken (2) ; Schirm (3) ; Zahnbürste (5) ; (Spazier-)Stock (4) ; Nachttisch (17) ; Nachttopf (14) ; Bett (13) ; Toilettenpapier (15) ; Fensterbank (19) ; Gardinenstange (21) ; Fisch (10) ; Sieb (9) ; Hemd (12) ; Krawatte (8) ; Hut (7) ; (Sardinen-)Dose (11) ; Strumpf (6) ; Einmachglas (16) ; (Schweizer) Käse (20) ; Bettdecke (18) ; Blumentopf (25)

**4** Ü3 1. Sie hat den Kuchen auf den Boden gestellt.
Sie hat den Fisch hinter das Bild gesteckt.
Sie hat den Schinken neben das Sofa gelegt.
Sie hat das Huhn in die Schublade gelegt (gesteckt).
Sie hat das Bier zwischen die Bücher gestellt.
Sie hat das Dessert unter den Tisch gestellt.
Sie hat die Würste an die Wand gehängt.
Sie hat die Suppe auf das Sofa gestellt.

2. Der Kuchen steht jetzt auf dem Boden.
Der Fisch steckt jetzt hinter dem Bild.
Der Schinken liegt jetzt neben dem Sofa.
Das Huhn liegt jetzt in der Schublade.
Das Bier steht jetzt zwischen den Büchern.
Das Dessert steht jetzt unter dem Tisch.
Die Würste hängen jetzt an der Wand.
Die Suppe steht jetzt auf dem Sofa.

Ü4 1. für das; 2. ohne; 3. durch die; 4. für die; 5. um die; 6. gegen den/einen; 7. um ... bis; 8. gegen; 9. bis zum; 10. ohne einen; 11. bis einen; 12. Ohne einen.

Ü1 (1) Rocko fliegt in/mit einem UFO ohne Führerschein durch das/ein Fenster in das/ein Wohnzimmer; er fliegt einmal um die Lampe und landet dann auf dem Tisch.

(2) Er klettert aus dem UFO, läuft einmal um die Blumenvase herum; dann springt er vom Tisch auf den Stuhl und schaut sich um. Vom Stuhl springt er auf das Sofa und landet auf der Katze Mira. Die Katze faucht.

(3) Rocko hat Angst; er rennt weg; er rennt mit dem Kopf gegen/an die Wand.

(4) Er steht wieder auf. Wohin? Er rennt in das Kinderzimmer von Peter und Anneliese. In der Ecke findet er eine Kiste mit Spielsachen: Autos, Puppen und ...

(5) Ein Roboter mit einem Auge und mit vier Armen steigt aus der Kiste. Rocko springt in den Kleiderschrank und versteckt sich zwischen den Kleidern.

(6) Am Morgen stehen Peter und Anneliese auf. Anneliese geht zum Kleiderschrank; ...

**8A5** Ü3 (1) der Koffer; (2) der Revolver; (4) der Füller; (6) der Radiorecorder; (3) der Computer; (10) der Fußball; (11) der Kerzenleuchter; (13) der Kochtopf; (23) der Knochen; (9) das Bild; (19) das Paar/die Hosenträger; (20) das Paar/die Skier; (21) das Fahrrad; (22) das Paket; (24) das Dreirad; (25) das Radio; (15) das Paar/die Hausschuhe; (7) die Angel; (8) die Babyflasche; (5) die Armbanduhr; (12) die Flasche Kognak/der Kognak; (18) die Krawatte; (16) die Puppe; (17) die Pfeife. Es fehlt: (14) die Bücher.

**8B1** Ü1 (Lösungsbeispiele)
1. a) Nein, der ist nicht für mich.
   b) Nein, für den ist der Brief auch nicht.
   c) Ja, (vielleicht ist er) für ihn.
2. Ja, (das Paket ist) für mich.
3. Ja, (die Geschenke sind) für sie.
4. Ja, (die Bücher sind) für euch/uns.
5. Nein, (der Kaffee ist) nicht für mich.
6. Ja, dich. / Nein, dich nicht.
7. Ja, (wir haben) euch (gesucht).
8. Nein, ich brauche dich nicht mehr.
9. Ja, wir besuchen euch mal.
10. Ja, ich kann dich mitnehmen.
11. Nein, wir haben euch nicht gesehen.
12. Ja, ich ruf' dich mal an.
13. Ja, wir haben dich verstanden.
14. Nein, ich erkenne dich/Sie nicht wieder.

Ü2 (Lösungsbeispiele)
1. a) Nein, mir (gehört der Koffer) nicht.
   b) Vielleicht ihr/ihm?
2. a) Nein, uns (gehört die Tasche) nicht.
   b) Ja, vielleicht ihr.
3. Ja, (der Computer gehört) mir.
4. Ja, (die Bücher gehören) ihnen.
5. Ja, (das Radio gehört) ihm.
6. Ja, ich zeig' sie dir mal.
7. Gut, ich erzähle sie Ihnen noch einmal.
8. Ja, wir schicken euch mal eine (Karte).
9. Ja, ich kann dir Zigaretten mitbringen.
10. Nein, ich kann es Ihnen heute leider nicht mehr reparieren.
11. Nein, mir (gehört der Wagen) nicht.
12. Nein, ihr könnt uns leider nicht helfen.

**8B2/3** Ü3 (Lösungsbeispiele)
1. a) Nein, das ist nicht mein Buch.
   b) Ja, (das ist) vielleicht ihr Buch.
2. a) Nein, das ist nicht meine Tasche.
   b) Ja, vielleicht seine (Tasche).
3. a) Nein, das ist nicht unser Koffer.
   b) Ja, (das ist) vielleicht ihr Koffer.
4. Ja, (das sind) uns(e)re (Kinder).
5. Nein, das sind nicht meine (Zigaretten).
6. Nein, das sind nicht meine (Schlüssel).
7. Ja, das ist mein Zimmer.
8. Ja, das ist mein Paß.

Ü4 (Lösungsbeispiele)
1. Ja, das ist ihr Gepäck.
2. Ja, das ist ihr Füller.
3. Nein, das ist nicht sein Fotoapparat.
4. Ja, das ist ihr Paß.
5. Nein, das ist nicht ihr Platz.
6. Ja, das sind ihre Schlüssel.
7. Ja, das ist ihr Auto.
8. Nein, das ist nicht sein Computer.
9. Nein, das sind nicht ihre Bücher.
10. Ja, das sind seine Zigaretten.

Ü5 1. mit meiner Familie; 2. auf unseren Urlaub; 3. mit seinen Freunden; 4. deine Geschenke; 5. unsere Freunde; 6. seinen Kindern; 7. meinen Fotoapparat; 8. deinen Führerschein; 9. Ihren Computer; 10. auf ihren Mann; 11. eure Hilfe; 12. in die Wohnung; 13. seiner Freundin; 14. unseren Lehrer; 15. bei unseren Freunden; 16. Ihren Nachbarn; 17. meine Brieftasche; 18. Unser Kurs; 19. mit deiner Lehrerin; 20. eure Karten; 21. meine Tasche; 22. deine Mutter; 23. Ihre Adresse; 24. mit ihrem Chef.

**8B4** Ü6
1. Rocko gibt ihn ihm.
2. Peter schenkt es ihr.
3. Susi leiht es ihr.
4. Susi schickt es ihr.

**8B5** Ü7 1. seit einer Stunde; 2. zu einem Arzt; 3. Nach dem Frühstück ... mit dem Bus in die Stadt. 4. bis zum Marktplatz; 5. aus dem Bus; 6. gegenüber dem Rathaus; 7. mit dem Lift bis zum dritten Stock; 8. vom 10. August bis zum 1. September; 9. zum nächsten Arzt; 10. Beim dritten Arzt; 11. am Abend ... zu Hause.

**8B6** Ü8
1. Seine Frau: Die Frau des Hodscha;
   das: Der Hodscha verläßt sein Haus;
   ihn: den Hodscha.
2. du: der Hodscha.
3. Er: der Hodscha.
4. Mein Ring: der Ring des Hodscha;
   ich: der Hodscha;
   meinen Ring: den Ring des Hodscha.
5. Ich: der Hodscha.
   ihn: den Ring;
6. Sie: die Frau des Hodscha.
7. du: der Hodscha;
   ihn: den Ring.

**8B7** Ü9
1. Das sind die Bücher von Fernando. Das sind Fernandos Bücher. Das sind seine Bücher.
2. Das ist das Auto von meiner Frau. Das ist ihr Auto.
3. Das ist der Paß von Frau Barbieri. Das ist Frau Barbieris Paß. Das ist ihr Paß.
4. Das ist die Tasche von Maria. Das ist Marias Tasche. Das ist ihre Tasche.
5. Das ist das Gepäck von Herrn und Frau Berger. Das ist Herrn und Frau Bergers Gepäck. Das ist ihr Gepäck.
6. Das sind die Knieschützer von Rocko. Das sind Rockos Knieschützer. Das sind seine Knieschützer.
7. Das ist die Puppe von dem Mädchen. Das ist die Puppe des Mädchens. Das ist seine Puppe.
8. Das ist die Pfeife von Opa. Das ist Opas Pfeife. Das ist seine Pfeife.
9. Das ist der Kochtopf von Vater. Das ist Vaters Kochtopf. Das ist sein Kochtopf.

**5–8W** (Lösungsbeispiele)
1. Entschuldigen Sie, haben Sie auch Platznummer 126? (Sie sitzen auf meinem Platz. / Das ist mein Platz!)
2. a) Nein, das ist nicht mein Koffer.
   b) Ja, der gehört mir.
3. a) Tut mir leid, das weiß ich nicht.
   b) Heute ist der (12. Juli).
4. a) Ich möchte aber ins Kino; immer Fußball, das ist langweilig!
   b) Komm doch mit zum Fußball; die Weltelf spielt!
5. Entschuldigen Sie, kann ich eine Zigarette rauchen?
6. Tut mir leid, ich kann nicht (mitkommen), ich habe Zahnschmerzen.
7. a) Tut mir leid, das weiß ich (auch) nicht.
   b) Gehen Sie bis zur zweiten Querstraße, dann links; der Bahnhof ist auf der linken/rechten Seite.
8. a) Das weiß ich doch nicht!
   b) In deiner Tasche.
   c) Im Schrank. / Ich habe ihn in den Schrank gelegt.
9. Zuerst habe ich ..., dann bin ich ...
10. Ich kann meinen Paß nicht finden. Hast du (nicht) meinen Paß gesehen?
11. Tut mir leid, das weiß ich nicht (; ich habe auch keine Uhr).
12. a) Um 8 Uhr am Bahnhof.
    b) Um 7 Uhr am Kino/vor dem Kino.
13. Ich möchte (morgen früh) nach Amsterdam. Wann kann ich fahren? Wann ist der Zug in Amsterdam?
14. Nach Paris und zurück, 2. Klasse bitte.
15. Ich brauche nächste Woche (vom 5. bis zum 7. November) ein Hotelzimmer (in Berlin).
16. Hallo, Peter/Petra, ich fahre am Montag zur Buchmesse nach Frankfurt. Kommst du mit?/ Möchtest du (nicht) mitkommen?
17. Guten Tag, ich habe Zahnschmerzen, ich brauche einen Termin / kann ich sofort kommen?
18. Guten Tag, mein Auto ist kaputt. Können Sie es heute noch reparieren?
19. Sie haben gesagt, ich kann das Auto heute abholen; und jetzt ist es immer noch nicht fertig! Ich brauche das Auto sofort!
20. Das siehst du doch, ich habe eingekauft! Die Sachen waren sehr teuer!

21.-22. Im Gechäft habe ich sie noch gehabt, da habe ich die Sachen bezahlt; danach waren wir noch im Restaurant, da habe ich sie auch noch gehabt; und dann sind wir mit der U-Bahn gefahren ...

24. a) Entschuldigen Sie bitte, wie komme ich (von hier aus) zum Bahnhof?
    b) Gehen Sie an der Ampel rechts, dann geradeaus bis zur zweiten Querstraße, dann links und dann immer geradeaus, noch ungefähr 200 Meter.
25. a) Entschuldigen Sie bitte, ich suche die Post. / Wie komme ich zur Post?
    b) Wo ist bitte das Einwohnermeldeamt?
26. Wohin fährst du? Und wie lange bleibst du?
27. Entschuldigen Sie bitte, wohnt hier Herr Otramba?
28. Entschuldigen Sie, mein Kugelschreiber ist kaputt; können Sie mir einen Kugelschreiber (oder einen Bleistift) leihen?
29. Ich kann Ihnen meinen leihen, ich habe zwei.
30. a) Ja, das ist (Petras) Tasche.
    b) Nein, das ist meine Tasche/die Tasche gehört mir!

## 5–8K Kontrollaufgaben

*A Wörter*
1b; 2c; 3d; 4a; 5b; 6a; 7c; 8c; 9d; 10a.

*B Grammatik*
1b; 2c; 3d; 4c; 5d; 6b; 7a; 8b; 9c; 10b.

*C Orthographie*
1: Weihnachten; 2: feiern; 3: liebsten; 4: Hause; 5: Familie; 6: Abend; 7: Menschen; 8: Kirche; 9: Wohnungen; 10: Christbaum; 11: geschmückt; 12: Kerzen; 13: Besonders; 14: schön; 15: Kinder 16: bekommen; 17: Geschenke; 18: Sachen; 19: Lebkuchen; 20: Essen.

*D Lesen*
1a; 2d; 3d; 4b; 5a; 6b; 7b; 8d; 9c; 10a.

*E Sprechen*
1b; 2a; 3a; 4c; 5c; 6a; 7c; 8c; 9b; 10b.

**9A1** Ü1 (Lösungsbeispiele)
a) Können Sie nicht lesen? - Wie bitte? - Das ist meine Einfahrt! Hier ist das Schild! - Warum sind Sie so unhöflich? - Fahren Sie sofort weg, ich muß hier raus! - Ja, ja, schon gut.
b) Entschuldigung, hier dürfen Sie nicht parken. - Wie bitte? - Das ist meine Einfahrt. Ich kann hier nicht raus. Ich warte schon eine Stunde. - Oh, Entschuldigung! Das habe ich nicht gesehen. Ich fahre sofort weg. - Vielen Dank.

**9A2** Ü4 (1) a, d; (2) b, c, h, i; (3) e, f, j; (4) g

Ü5 "Hallo? Wer ist da?" - "Haben Sie geklingelt?! Mitten in der Nacht?!" - "War das bei Ihnen?" - "Ja, bei uns hat es geklingelt!" - "Bei uns auch." - "Guten Morgen!" - "Aha, Burmeister mal wieder! Die arme Frau!" - "Prost!" - "Ich hole den Hausmeister." - "Gute Idee!" - "Einen Gruß an Ihre Frau!" - "Gute Nacht!" - "Der ist eingeschlafen." - "Ach was! Der hat vergessen, wo er wohnt!" - "Rufen Sie Frau Burmeister!"

Ü7 Willis Frau: "Ich versteh' das nicht: Immer kommst du so spät nach Hause. Und gestern warst du auch noch betrunken! Alle Leute im Haus ..."

Willi: "Es tut mir ja auch leid ..."

Willis Frau: "Das hast du schon oft gesagt. Und gestern bist du auch noch mit dem Auto gefahren, das ist doch gefährlich ..."

Fred: "Ja, das stimmt, das war gefährlich ..."

Willis Frau: "Dich versteh' ich überhaupt nicht, Fred! Warum bist du denn nicht gefahren?"

Fred: "Wir haben beide zuviel getrunken!"

Willis Frau: "Aha, und Willi fährt Auto, und du sitzt daneben und tust nichts. Du bist ein schlechter ..."

Fred: "Ich habe zu Willi gesagt: Wir dürfen beide nicht fahren. Tu das nicht! Die Polizei!!! Das ist gefährlich."

Willis Frau: "Und warum bist du mitgefahren?"

Fred: "Ja, was hätte ich denn ...?"

Hausmeister: "Und jetzt ist die Garage kaputt!"

Willi: "Ja, das tut mir ja auch sehr leid."

Hausmeister: "Das bezahlen Sie! Das ist teuer, das sage ich Ihnen! Und warum haben Sie so einen Krach gemacht? Gesungen haben Sie ..."

Willi: "Nein, nein, das stimmt nicht! Ich habe nicht ..."

Hausmeister: "Fragen Sie die anderen Leute! Alle haben es gehört. Und jetzt ist der Lift auch kaputt!"

Willi: "Was?! Ich bin nicht mit dem Lift gefahren! Das habe ich nicht ..."

Hausmeister: "Was sagen Sie? Sie wissen wohl gar nichts mehr! Sie sind zehn-, zwanzigmal mit dem Lift rauf und runter und wieder ..."

Willi: "Wie bitte?! Ich bin zu Fuß ..."

Willis Frau: "Nein, Willi, du bist mit dem Lift ..."

Hausmeister: "Sehen Sie! Ich habe es doch selbst ..."

Willis Frau: "Aber Fred, warum hast du nicht ein Taxi ..."

**9A3** Ü9 (Lösungsbeispiel)
o Firma Ford, guten Tag.
• Ackermann, guten Tag. Können Sie mich mit der Personalabteilung verbinden?
o Einen Moment bitte ...
□ Firma Ford, Personalabteilung, Kappus, guten Tag ...
• Ackermann! Guten Tag, Frau Kappus, ich habe eine Frage: Arbeitet bei Ihnen ein Herr Neumann?
□ Warum wollen Sie das wissen, Herr Ackermann?
• Darf ich Ihnen das einmal kurz erklären? Also: Ich bin ein Nachbar von Familie Neumann, wir wohnen auch in der Gartenstraße, und ich glaube, daß bei Neumanns etwas nicht stimmt: Der Zeitungskasten ist nicht geleert, die Zeitungen liegen auf der Straße, aber die Garage ist offen, schon seit Tagen ...
□ Haben Sie denn schon einmal bei Neumanns geklingelt?
• Natürlich! Aber niemand meldet sich. Deshalb haben Frau Reichel - das ist auch eine Nachbarin von Familie Neumann - und ich gedacht, wir rufen einfach einmal bei Ihnen an, vielleicht wissen Sie ...
□ Also, wenn das so ist - warten Sie bitte einen Moment, ich melde mich gleich wieder ...
.....
□ Hallo, Herr Ackermann?
• Ja?
□ Herr Neumann ist heute nicht da, mehr kann ich Ihnen auch nicht sagen ...
• Ja, aber da müssen wir doch etwas tun!
□ Es kann sein, daß er auf einem Kongreß ist, aber ...
o Ich meine, daß wir die Polizei anrufen müssen!
□ Langsam, langsam, Herr Ackermann!
• Also, Sie können ja machen, was Sie wollen, ich rufe die Polizei an! Auf Wiederhören!

**9AW** Ü1 (Lösungsbeispiele)
a) o Ich will nach Köln.
• Wann wollen Sie fahren?
o Morgen nachmittag.
• Sie können den Zug um 14 Uhr 47 nehmen, dann sind Sie um 15 Uhr 7 in Köln.

b) o Ich will nach München.
• Wann wollen Sie fahren?
o Morgen früh.
• Sie können um 6 Uhr 50 fahren.
o Muß ich da umsteigen?
• Ja, in Karlsruhe.

**9B1** Ü1
1. Ich will nach Paris. - Wohin willst du? / Wohin wollen Sie?
2. Wir wollen nach Paris. - Wohin wollt ihr?
3. Willst du auch nach Honolulu? - Nein, ich will nach Bangkok.
4. Ich will nach Kenia. - Wohin willst du? / Wohin wollen Sie?
5. Morgen muß ich nach Rom. - Wohin mußt du? / Wohin müssen Sie?
6. Wir müssen nächstes Jahr nach Australien. - Wohin müßt ihr? / Wohin müssen Sie?
7. Müssen Sie auch nach New York? - Nein, ich muß nach Los Angeles.
8. Müßt ihr wirklich schon nach Hause? - Ja, leider, wir müssen.

**9B3** Ü3 (Lösungsbeispiele)
1. Ich möchte Sie zum Essen einladen. Darf ich Sie zum Essen einladen?
2. Ich möchte mit dir ins Kino gehen. Darf ich mit dir ins Kino gehen?
3. Wir möchten Ihnen ein Angebot machen. Dürfen wir Ihnen ein Angebot machen?
4. Ich möchte dich um Hilfe bitten. Darf ich dich um Hilfe bitten?
5. Ich möchte mir dein Fahrrad leihen. Darf ich mir dein Fahrrad leihen?
6. Ich möchte dir ein Taxi rufen. Darf ich dir ein Taxi rufen?
7. Wir möchten dich nach Hause bringen. Dürfen wir dich nach Hause bringen?
8. Ich möchte dir einen Rat geben. Darf ich dir einen Rat geben?

Ü5 (Lösungsbeispiele)

Die Einladung

Liebe Elke,
am Freitag, dem 14. September, wollen wir den dreißigsten Geburtstag von Peter feiern. Dazu möchten wir Dich herzlich einladen. Wir wollen um 6 Uhr beginnen.
Kannst Du mit der Bahn kommen?
Du kannst auch bei uns übernachten, wenn Du willst.
Herzliche Grüße
Deine Eva und Peter

Die Antwort:

Liebe Eva, lieber Peter,
herzlichen Dank für Eure Einladung. Am Freitag kann ich leider nicht kommen, denn ich muß zu meinem Bruder nach Hamburg; seine Frau muß heute ins Krankenhaus. Ich muß ab morgen eine Woche lang ihre Kinder versorgen.
Herzliche Grüße
Eure Elke

**10A4** Ü5

1. Über die Zeit von 1966 bis 1979.

2. "Ja, und zu meiner Ausbildung und beruflichen Tätigkeit kann ich Ihnen kurz etwas sagen: Von 1966 bis '69 habe ich in Berlin studiert, an der Freien Universität, und zwar Germanistik und Anglistik; und das Studium habe ich dann von '69 bis '71 in München an der Ludwig-Maximilians-Universität fortgesetzt. Dann habe ich mein Studium erst einmal unterbrochen und das nächste Jahr als Fremdenführer für das Amtliche Bayerische Reisebüro in München gearbeitet."

3.a) Von 1970 bis 1971 war er Dolmetscher für die Bayerische Staatskanzlei; er hat Staatsgäste im Auftrag der Staatskanzlei betreut.
b) Nebenher hat er für den Südwestfunk gearbeitet und kleinere kulturelle Sendungen gemacht.

4. Von '72 bis '74 hat Klaus Haase Deutsch als Fremdsprache für Gastarbeiter unterrichtet. 1977 hat er sein Studium wieder aufgenommen und das Examen gemacht. Dann, von '77 bis '79, hat er als Lektor für Verlage und Rundfunkanstalten gearbeitet; nebenher hat er eine Schauspielausbildung in Berlin und München gemacht.

Ü6 (Lösungsbeispiel)

Wolfgang Planck wurde am 29. September 1959 als Sohn von Josef Planck und Andrea Planck (geborene Silbernagel) in Düsseldorf geboren.
Von 1965 bis 1969 besuchte er die Grundschule. Von 1969 bis 1975 besuchte er das Heinrich-Heine-Gymnasium in Düsseldorf. Er schloß seine Schulbildung mit der "Mittleren Reife" ab.
Danach (von 1975 bis 1978) machte er eine Schreinerlehre bei der Firma Wilh. Schäfer & Co KG. Außerdem nahm er an einem Kurs für Technisches Zeichnen an der Volkshochschule Düsseldorf teil. Seine Schreinerlehre schloß er mit der Gesellenprüfung ab. Von März 1978 bis Oktober 1979 leistete er Zivildienst an der Universitätsklinik in Düsseldorf.
Von 1979 bis 1981 arbeitete er als Bauzeichner im Architekturbüro Raumer. Gleichzeitig besuchte er die Abendschule.
Von 1981 bis 1984 studierte er an der Ingenieurschule für Bauwesen in Münster das Fach Architektur. Das Studium schloß er mit dem Ingenieur-Examen ab.
Seit Mitte 1984 ist er als Ingenieur im Amt für Stadtentwicklung und Stadtplanung in Bochum angestellt.

**10AW** Ü1 **starke und schwache verben**

**ich trete**
**ich trat**
**ich habe getreten**

**ich schäme mich**
**ich schämte mich**
**ich habe mich geschämt**

**ich weiß gründe**
**ich wußte gründe**
**ich habe gründe gewußt**

**ich bereue**
**ich bereute**
**ich habe bereut**

**ich falle auf die füße**
**ich fiel auf die füße**
**ich bin auf die füße gefallen**

**ich lerne dazu**
**ich lernte dazu**
**ich habe dazu gelernt**

**ich komme hoch**
**ich kam hoch**
**ich bin hochgekommen**

**ich ändere mich**
**ich änderte mich**
**ich habe mich geändert**

**ich pfeif drauf**
**ich pfiff drauf**
**ich habe drauf gepfiffen**

**ich sage jawoll**
**ich sagte jawoll**
**ich habe jawoll gesagt**

**ich trete**
**ich trat**
**ich werde treten**

**10B1** Ü1

lebte - verdiente - freute sich - meinte - antwortete - angelte - nähte zu - flirtete - klebte zu - spielte - hörte - schaute nach - lernte - eroberte - schützte - marschierte - suchte - fehlte - zeigte - besuchte - kostete - stöhnte - erzählte - suchte - dauerte - steckte - packte ein - machte kaputt - wartete - konnte - feierte - lachte - landete - baute - bestellte - ergänzte - brauchte - wohnte - machte auf - redete - holte - machte - räumte aus - schickte - hatte - sagte - übernachtete - kochte - fragte - schwitzte - gehörte - erzählte - mußte - zeigte - wollte - stellte

**10B2** Ü2

1a) schrieb - hat geschrieben
stieg ein - ist eingestiegen
stieg um - ist umgestiegen
stieg aus - ist ausgestiegen
schien - hat geschienen
b) schnitt - hat geschnitten
schnitt auf - hat aufgeschnitten
unterstrich - hat unterstrichen
griff an - hat angegriffen

2a) schloß - hat geschlossen
b) verlor - hat verloren
zog an - hat angezogen

3a) trank - hat getrunken
fand - hat gefunden
sprang - ist gesprungen
sang - hat gesungen
b) begann - hat begonnen
schwamm - ist geschwommen

4a) sprach - hat gesprochen
kam - ist gekommen
kam zurück - ist zurückgekommen
warf weg - hat weggeworfen
half - hat geholfen
b) aß - hat gegessen
vergaß - hat vergessen

5a) nahm - hat genommen
nahm mit - hat mitgenommen
nahm weg - hat weggenommen
b) las - hat gelesen
sah - hat gesehen
gab - hat gegeben
lag - hat gelegen
bat - hat gebeten

6 hob - hat gehoben

7a) schlief - hat geschlafen
fing an - hat angefangen
hielt auf - hat aufgehalten
verließ - hat verlassen
b) fuhr - ist gefahren
fuhr ab - ist abgefahren
trug - hat getragen
schlug auf - hat aufgeschlagen

8 rief - hat gerufen
rief an - hat angerufen
lief - ist gelaufen
lief weg - ist weggelaufen
lief zurück - ist zurückgelaufen

war - ist gewesen
hatte - hat gehabt

Ü3 1. fallen 2. gefallen 3. bitten 4. reiten 5. laden 6. fangen 7. halten 8. schließen 9. werfen 10. schleifen 11. liegen 12. untergehen

3 Ü4 standen - fielen ... um - fiel - sagte - fragte - wollte - hatte - wollte - erzählte - war - setzte - wollte - meldete - putzte - verdiente - hatte

Ü5 standen - fragte - antwortete - sagte - ging

3 Ü6 hatte ... gehabt - hatte ... zugemacht (geschlossen) - hatte ... geladen - war ... gefahren - hatte ... geworfen - hatte ... gerufen - waren ... untergegangen - hatten ... gehalten - war ... gekommen - hatte ... geholt und ... gebracht - hatte ... genommen und ... gebracht - hatte ... gestellt - hatte ... gemerkt

1 Ü2 1: die Brille - 2: die Taucherbrille - 3: das Gebiß - 4: das Portemonnaie - 5: der Klo(sett)deckel - 6: die Handtasche - 7: der Koffer - 8: die Schuhe - 9: der Fernseher - 10: der Radio-Cassettenrecorder - 11: der Schirm - 12: das Fahrrad - 13: die Skier - 14: das Schachbrett, die Schachfiguren - 15: das Surfbrett - 16: der Papagei - 17: die Säge - 18: der Schwimmreifen - 19: die Taschenuhr - 20: die Armbanduhr - 21: der Wecker

2 Ü4 1: das Kleid - 2: die Hose - 3: der Mantel - 4: das Jakket / der, das Sakko - 5: der Pelzmantel - 6: die Schuhe - 7: die Stiefel (PLURAL) - 8: das Unterhemd - 9: die Unterhose - 10: der Unterrock - 11: der Schal - 12: die Krawatte (der Schlips) - 13: der (Knie-)Strumpf / die Socke(n) - 14: der Büstenhalter - 15: die Mütze - 16: der Hut - 17: der Pullover - 18: das Hemd

5 Ü9 1. falsch - 2. richtig - 3. falsch - 4. richtig - 5. falsch - 6. richtig - 7. richtig - 8. falsch

Ü10 b)
- ● Kann ich Ihnen helfen?
- o Ich suche eine blaue Weste zu diesem Jackett.
- ● Eine Weste, eine blaue Weste, Moment. Schauen wir mal. Ja, da sind sie - nein. Augenblick! Übrigens, probieren Sie doch mal diesen Pullunder!
- o Ich möchte keinen Pullunder, ich suche eine Weste!
- ● Ja, ja, ich weiß. Es ist nur wegen der Größe. Ich brauche Ihre Größe. Probieren Sie doch bitte mal! So, sehr schön, nicht wahr?
- o Na ja, nicht schlecht. Aber jetzt zeigen Sie mir mal eine blaue Weste!
- ● Neunundsiebzig Mark, reine Wolle, nicht teuer.
- o Schön, das ist wirklich nicht zu teuer. Aber jetzt zeigen Sie mir eine blaue Weste! Oder haben Sie keine?
- ● Ja, also, das ist so: Wir haben keine Westen mehr.
- o Keine Westen mehr? Warum sagen Sie das nicht gleich?
- ● Sehen Sie, Westen sind nicht mehr modern, besonders für junge Menschen nicht. Erst Herren ab 60, 70 ... Dieser Pullunder steht Ihnen wirklich gut.
- o Ja, er gefällt mir ja auch.
- ● Na also, der sitzt genau richtig, hat eine elegante weite Form, schöne Farbe ... Oder wollen Sie noch einen anderen Pullunder probieren - oder eine helle Weste?
- o Sie haben also doch Westen?!

**11A7** Ü12 (Lösungsbeispiel)
- o Hier, hör mal: Eine gutaussehende junge Dame, 34 Jahre alt, einen Meter sechsundsechzig groß, blond und langhaarig, möchte einen intelligenten, liebevollen Partner kennenlernen.
- ● Was für ein Typ ist das?
- o Ein blonder, langhaariger.
- ● Und was für einen Mann möchte die kennenlernen?
- o Einen intelligenten, liebevollen.
- ● Nein, danke, das ist nichts für mich. Sind da auch noch andere?
- o Ja, hier: Ein nettes, gutaussehendes Mädchen sucht einen lieben Mann.
- ● Ach, ich bin doch zu alt.
- o Du? Du bist doch nicht zu alt! Du bist doch erst 48!
- ● Hör auf! Ich finde Heiratsanzeigen blöd. Du auch?

**11A8** Ü16 A2 - B8 - C6/7 - D1 - E3 - F5 - G4

**11A9** Ü17 3: der Eßplatz / das Eßzimmer - 2: der Wohnraum / das Wohnzimmer - 8: der Schlafraum / das Schlafzimmer - 7, 9: das Kinderzimmer - 4: die Küche - 11: das Bad / das Badezimmer - 6, 10: der Flur / die Diele - 5: die Toilette / das WC - 1: die Terrasse - 12: der Balkon / die Loggia

Ü18 (Beispiele)
Wohnzimmer: der Couchtisch, die Couch / das Sofa, das Bild, die Tischlampe, der Stuhl, der Tisch, der (Wohnzimmer-)Schrank
Schlafzimmer: das (Ehe-, Doppel-)Bett, das Kissen, die (Tages-)Decke, der (Schlafzimmer-)Schrank, der Stuhl, die (Frisier-)Kommode, der Spiegel, das Sideboard
Bad: die Dusche, das (Wasch-)Becken, der (Wasser-)Hahn, der Spiegel, die Toilette
Küche: der (Küchen-, Einbau-)Schrank, die Spüle, der Herd, der Kühlschrank
Terrasse: das Tischchen, der Klappstuhl

Ü19
- ● Oh, war das langweilig!
- o Aber die Wohnung ist wirklich hübsch.
- ● Finde ich nicht.
- o Doch, schön groß, und beide haben ein Arbeitszimmer. Das haben wir nicht. Und der Kleine hat auch ...
- ● Ein frecher Kerl! "Papa ist doof" - hast du das gelesen?
- o Ja, ja, und hast du die Küche gesehen? So hell und freundlich! So eine möcht' ich auch haben.
- ● Ich finde unsere viel schöner.
- o Ach so, du bist doch nie in der Küche!
- ● So, du findest ihre Wohnung also schön?!
- o Ja, sehr schön!
- ● Das kann ich wirklich nicht verstehen! Groß ist sie, aber alles andere ist ganz normal und langweilig.
- o Was ist langweilig?
- ● Die Möbel zum Beispiel!
- o Aber wir sprechen doch von der Wohnung!
- ● Die Möbel gehören zur Wohnung! Die sind sogar besonders wichtig!
- o Und wie findest du unsere Möbel?

**11A10** Ü20 1d; 2g; 3b; 4h; 5a; 6a; 7i; 8c; 9f; 10e

**11A11** Ü21 2. Heizung, Wasser: Etwa 60 Mark im Monat.
3. Ja, jeden Monat etwa 60 Mark.
4. Zwei Monatsmieten Kaution.
5. Alles zusammen 31 Quadratmeter.
6. Die Wohnung liegt direkt im Zentrum. Schuhstraße 28.
7. Haben Sie jetzt Zeit? ... Auch gut, 15 Uhr?

Ü22 (Lösungsbeispiel)
1. Wie groß sind das Wohnzimmer und das Schlafzimmer?
2. Welche Möbel sind im Wohnzimmer?

3. Ist da (auch) noch Platz für einen Schreibtisch?
4. Wie hoch sind die Nebenkosten?
5. Und wie hoch ist die Kaution?
6. Ist eine Bushaltestelle in der Nähe?
7. Und wie weit ist es bis zum Hauptbahnhof?
8. Wann ist die Wohnung frei?
9. Wann kann ich die Wohnung anschauen?
10. Vielen Dank. Ich komme dann. Auf Wiederhören!

**11AW** Ü1 Wohnung: Badewanne, Balkon, Dusche, Elektroherd, Kinderzimmer, Küche, Kühlschrank, Schlafzimmer, Sessel, Spüle, Terrasse, Wohnzimmer
Kleidungsstücke: Blusen, Hemden, Hosen, Hüte, Kleider, Krawatten, Mäntel, Röcke, Sakkos, Socken, Schuhe, Stiefel, Strümpfe

**11B3** Ü5 Gesucht!
1. Intelligente gutaussehende Dame mit rotem Haar
2. Kleines Haus mit großem Garten
3. Alter Schrank aus massivem Holz
4. Gebrauchtes Auto mit neuem Motor
5. Große Wohnung in guter Lage
6. Möbliertes Zimmer mit separatem Eingang
7. Preiswertes Appartement mit niedrigen Nebenkosten

**12A1** Ü2 (Lösungsbeispiel)
Wenn es keine Teiche mehr gibt, (dann) gibt es auch keine Frösche mehr, weil Frösche Teiche (Wasser) brauchen. Wenn es aber keine Frösche mehr gibt, dann gibt es auch keine Störche mehr, weil Störche Frösche fressen. Und wenn es keine Störche mehr gibt, (dann) gibt es auch keine Babys mehr, weil die Störche die Babys bringen. Und wenn es in Deutschland keine Babys mehr gibt, (dannn) sterben die Deutschen aus. Also: ohne Teiche keine Deutschen!

**12A2** Ü3 (Lösungsbeispiele)
2. Das Geschäft muß die Ware billiger verkaufen.
3. Das Geschäft muß dem Kunden eine neue Ware geben. (Wenn keine neue Ware mehr da ist, muß das Geschäft dem Kunden das Geld zurückgeben.)
4. Das Geschäft muß die Ware reparieren, und der Käufer muß dafür nichts bezahlen.

Ü4 (Lösungsbeispiele)

| Wünsche und Aussagen der Kundin: | Reaktionen und Angebote des Verkäufers: |
|---|---|
| Pullover hat Fehler. | Wir reparieren das. |
| Geld zurück - oder neuen? | Ja, in Gelb. |
| Steht mir nicht. | Probieren Sie: ähnliches Modell. |
| Nein! Dieser paßt zu anderen Sachen. | Tut mir leid. |
| Geld zurück! | Geht nicht. |
| Wie bitte?! Pullover hat Fehler! | Warum nicht aufgepaßt? |
| Erst zu Hause gesehen. | Hier war der Pullover in Ordnung! |
| Geschäftsführer sprechen. | Ich selbst Chef. |
| Sie können reparieren? | Ja. |
| Tun Sie das, aber: Kaufe nie mehr hier! | Ihre Sache. Also: Reparatur kostenlos. |

**12A4** Ü9 1b; 2i; 3d; 4j; 5k; 6f; 7e; 8a; 9l; 10h; 11c; 12g

**12A6** Ü12 2. Weil er Kraft benötigt. / Damit er kräftig wird.
3. Damit er seine Feinde besiegen kann.
4. Weil er essen will. / Damit er essen kann.
5. ....

**12AW** Ü1 Waagrecht: 1 Strauß; 2 rot; 3 Schere; 4 krank; 5 Mädchen; 6 Wein; 7 Vögel; 8 Bauch; 9 Blumen; 10 Jäger; 11 Hände; 12 Vorhänge
Senkrecht: 3 Steine; 4 Kuchen; 5 Maul; 6 Wolf; 13 Bäume; 14 Wald; 15 Kleider; 16 Ohren; 17 Sonnenstrahlen; 18 Augen; 19 Schule
Lösungswort: Großmutter

**9–12W** Ü3 (Lösungsbeispiele)
sehen: die Haustür, das Fenster, die dunklen Fenster, den Herrn im dritten Stock
öffnen: die Haustür, das Fenster, die dunklen Fenster
fragen: "Warum?", den Herrn im dritten Stock, "Haben Sie keinen Schlüssel?"
rufen: "Ja, die Tür ist zu.", "Haben Sie keinen Schlüssel?", "Man kann ja nicht schlafen!"
pfeifen: ein Lied, auf der Straße, vor einer Haustür
antworten: "Ja, die Tür ist zu."
runterwerfen: einen Schlüssel
fragen: "Warum?", den Herrn im dritten Stock, "Haben Sie keinen Schlüssel?"
brauchen: einen Schlüssel
aufmachen: die Haustür, das Fenster, die dunklen Fenster
stehen: auf der Straße, vor einer Haustür
schreien: "Warum?", auf der Straße, vor einer Haustür, "Ja, die Tür ist zu.", "Haben Sie keinen Schlüssel?", "Man kann ja nicht schlafen!"
spazierengehen: auf der Straße, vor einer Haustür
nicht verstehen: den Herrn im dritten Stock

Ü6 (Lösungsbeispiele)
Ausbildung/Studium: Werkstatt, Student(in), Germanistik, Berater(in), Magister, Klasse, Klassenzimmer, Schauspielausbildung, Lehrer(in), Schule, Universität, Dozent(in), Abitur, Meister(in), Anglistik, Ferien
Beruf/berufliche Tätigkeit: Werkstatt, Arbeiter(in), Hausmeister(in), Mitarbeiter(in), Sekretär(in), Arzt, Ärztin, Berater(in), Dolmetscher(in), Urlaub, Hausmann, Chef(in), Kollege, Kollegin, Lehrer(in), Hausfrau, bei Ford, Mittagspause, 8-Stunden-Tag, Besenbinder(in)

Ü7 (Lösungsbeispiele)
Koffer: Reise, Ferien
Fahrrad: Reise, naß, Ferien
Papagei: spielen, sprechen
Schuh: naß, Wanderung, Fuß
Wecker: Musik, aufstehen, Reise
Surfbrett: Ferien, naß
Skier: Winter, naß, Wanderung, Fuß, Ferien
Handtasche: Geld
Fernseher: Musik, Film
Schirm: Reise, naß
Gepäck: Reise, Wanderung, Ferien
Cassettenrecorder: Musik, spielen
Schachbrett: spielen

Ü10 (Lösungsbeispiele)
1: Wecker; 2: Eile; 3: Arbeit; 4: war; 5: kaputt; 6: anspringen; 7: Benzin; 8: Benzin; 9: tanken; 10: fuhr; 11: waren; 12: rot; 13: entgegen; 14: fuhr; 15: (Strassen-)Seite; 16: stießen; 17: stürzte; 18: um; 19: keiner/niemand; 20: verletzt; 21: schnell; 22: schuld; 23: Straße 24: fahren; 25: Strafe (Bußgeld); 26: zahlen; 27: verhaftet; 28: kaputt; 29: zur; 30: Reparatur

Ü12 a) 1: Hände; 2: Unfall; 3: Rabatt; 4: Bier; 5: Kaffee; 6: Obergeschoß; 7: Zahnbürste; 8: Beine
b) Hände (Gruppe 5); Unfall (Gruppe 1); Rabatt (Gruppe 6) Bier (Gruppe 3); Kaffee (Gruppe 4); Obergeschoß (Gruppe 7); Zahnbürste (Gruppe 4); Beine (Gruppe 5)
c) (Vorschläge)
1: Verkehr; 2: Obstgarten; 3: Alkohol; 4: am Morgen; 5: Körperteile; 6: Kauf; 7: Wohnung; 8: menschliche Eigenschaften

Ü13 (Lösungsbeispiele)
1. a) Wieso nicht?
   b) Entschuldigung, das habe ich nicht gewußt (gesehen).
2. Entschuldigen Sie bitte, hier ist Nichtraucher (hier dürfen Sie nicht rauchen).
3. Entschuldigung, kann ich (von) hier telefonieren?
4. a) Nein danke, du hast zuviel getrunken (du bist blau, du kannst gar nicht mehr fahren); fahr nicht!
   b) Komm, wir nehmen lieber ein Taxi (wir gehen lieber zu Fuß; wir rufen XY an, der/die kann uns nach Hause fahren).
5. Woher kennen Sie mich? Ich kenne Sie leider nicht. / Ich kann mich nicht an Sie erinnern.

6. a) Haben Sie auch schon gesehen, daß bei Neumeiers der Zeitungskasten nicht geleert ist, schon seit Tagen? Das ist doch seltsam! Was glauben Sie?
   b) XY, guten Tag. Bei meinen Nachbarn, Familie Neumeier in der X-Straße Nummer Y, ist seit Tagen der Zeitungskasten nicht geleert; die Garage ist auch schon seit ein paar Tagen offen, aber niemand ist da. Können Sie einmal vorbeikommen?
7. Entschuldigen Sie bitte, daß ich bei Ihnen geklingelt habe; aber ich habe meinen Haustürschlüssel vergessen/verloren. Und vielen Dank, daß Sie mir geholfen haben (mir die Haustür aufgemacht haben).
8. Guten Tag, Herr/Frau X, gestern abend war es wieder bis in die Nacht so laut bei Ihnen, daß ich nicht schlafen konnte. Und nicht nur gestern abend: Fast jeden Abend ist bei Ihnen so viel Lärm; und immer bis ein, zwei Uhr in der Nacht. Das ist verboten. Ich möchte Sie deshalb bitten, daß Sie wenigstens nach zehn Uhr abends nicht mehr so viel Lärm machen, denn Lärm macht krank.
9. a) Vielen Dank, aber ich hab' schon einen Staubsauger.
   b) Ich brauche keinen Staubsauger! Ich kann meine Wohnung auch ohne Staubsauger saubermachen.
   c) Was soll der Staubsauger denn kosten? ... So viel?! Das ist viel zu teuer!
10. --
11. Es war einmal ein armes kleines Mädchen, das hatte keine Eltern mehr, keine Wohnung und kein Bett; es hatte nur noch seine Kleider und ein Stückchen Brot. Es hatte aber ein gutes Herz. Es ging hinaus ins Feld. Da begegneten ihm andere arme Menschen, ein Mann und viele Kinder, die hatten auch nichts. Denen gab das arme Mädchen nach und nach alles, was es hatte: das Brot und seine Kleider, ja sogar sein Hemd. Und als es da stand und gar nichts mehr hatte, geschah etwas Wunderbares: Vom Himmel fielen Sterne, und es waren blanke Goldstücke. Die sammelte das arme Mädchen in sein neues Hemd; und es war reich bis an sein Lebensende.
12. --
13. --
14. Ich habe meine Uhr verloren: Sie ist rund, weiß, ...
15. Ich suche/möchte einen Pullover / ein T-Shirt / eine Hose, Größe .....
16. Phantastisch!/Super! Die/Das/Der steht dir wirklich toll! .....
17. Ich habe gesagt: Blau, und nicht so teuer! Haben Sie keine blauen?
18. --
19. Ist das Zimmer noch frei? Wo liegt es? Wie weit ist es bis zum Zentrum? Wie groß ist die Wohnung? Was gehört noch zur Wohnung? Welche Möbel sind in dem Zimmer? Wie hoch sind die Nebenkosten? Ist eine Bushaltestelle in der Nähe? Kann ich die Wohnung sehen? ...
20. Das ist doch ganz einfach! Ohne Teiche gibt es keine Frösche, weil Frösche Wasser brauchen. Und wenn es keine Frösche gibt, gibt es auch keine Störche mehr, weil Störche Frösche fressen. Und wenn es in Deutschland keine Störche mehr gibt, gibt es auch keine Babys mehr, weil Störche die Babys bringen. Und wenn es keine Babys mehr gibt, ... alles klar???
21. Ich habe vor einer Stunde eine Hose bei Ihnen gekauft. Zu Hause habe ich gesehen, daß sie ein kleines Loch hat - hier, sehen Sie! Haben Sie die gleiche Hose noch einmal? / Eine andere Hose möchte ich nicht. / Geben Sie mir bitte mein Geld zurück.
22. Zuerst darf die Straßenbahn fahren, weil sie auf der Vorfahrtsstraße fährt (und nicht abbiegt). Dann darf der Motorradfahrer fahren, weil er geradeaus fährt. Das Auto muß warten, weil es links abbiegt.
23. Der Wolf legte sich ins Bett und schlief weiter; er schnarchte. Da kam der Jäger zu dem Haus; er hörte das Schnarchen und wunderte sich. Er ging in das Haus der Großmutter, fand den Wolf und schnitt ihm den Bauch auf. Rotkäppchen und die Großmutter lebten noch. Danach taten sie schwere Steine in den Bauch des Wolfes, und der Jäger nähte den Bauch des Wolfes wieder zu.
    Als der Wolf wach wurde und trinken wollte, fiel er in den Brunnen und war tot.
24. a) Finden Sie, daß ich viel rauche? / Ich rauche doch gar nicht viel, nur 8-10 Zigaretten am Tag!
    b) Das frage ich mich auch.

**9-12K**

A Wörter
1b; 2d; 3c; 4b; 5a; 6c; 7d; 8c; 9b; 10d; 11c; 12d

B Grammatik
1d; 2a; 3d; 4b; 5a; 6b; 7a; 8d; 9d; 10c; 11b; 12c

C Orthographie
1/2: Schreibmaschine; 3: Zwei; 4: Buchstaben; 5: funktionieren; 6: Ihr; 7: Freund; 8: reparieren; 9: bringt; 10: ins; 11: zurück.
12: Heute; 13: neue; 14: Verkäufer; 15: freundlich; 16: teuer; 17: läuft; 18: Scheußlich.
19: Straße; 20: steht; 21: das; 22: Wasser; 23: Hast; 24: verstanden; 25: was; 26: Das; 27: Was; 28: Daß; 29: verstanden; 30: hast.
31: Ware; 32: hat; 33: Fehler; 34: darum; 35/36: Reparatur; 37: bezahlen.

D Lesen
1 Stockes - 2 Haben - 3 der - 4 zu - 5 keinen - 6 Ist - 7 schrie - 8 Ja - 9 Herr - 10 Ihnen - 11 schrie - 12 Haustür - 13 am - 14 Herr - 15 daß - 16 dann - 17 den - 18 Sie - 19 Nein - 20 Sie - 21 Herr - 22 nicht - 23 schrie - 24 warum - 25 Schlüssel - 26 ich - 27 sie - 28 Schlüssel - 29 ich - 30 Ich - 31 daß - 32 rief - 33 Fenster - 34 hier - 35 Pfeifen - 36 im - 37 Herr - 38 wenn - 39 haben - 40 Ich

# Grammatikübersicht

## Inhalt

## 1. Die Satzarten → 2B5

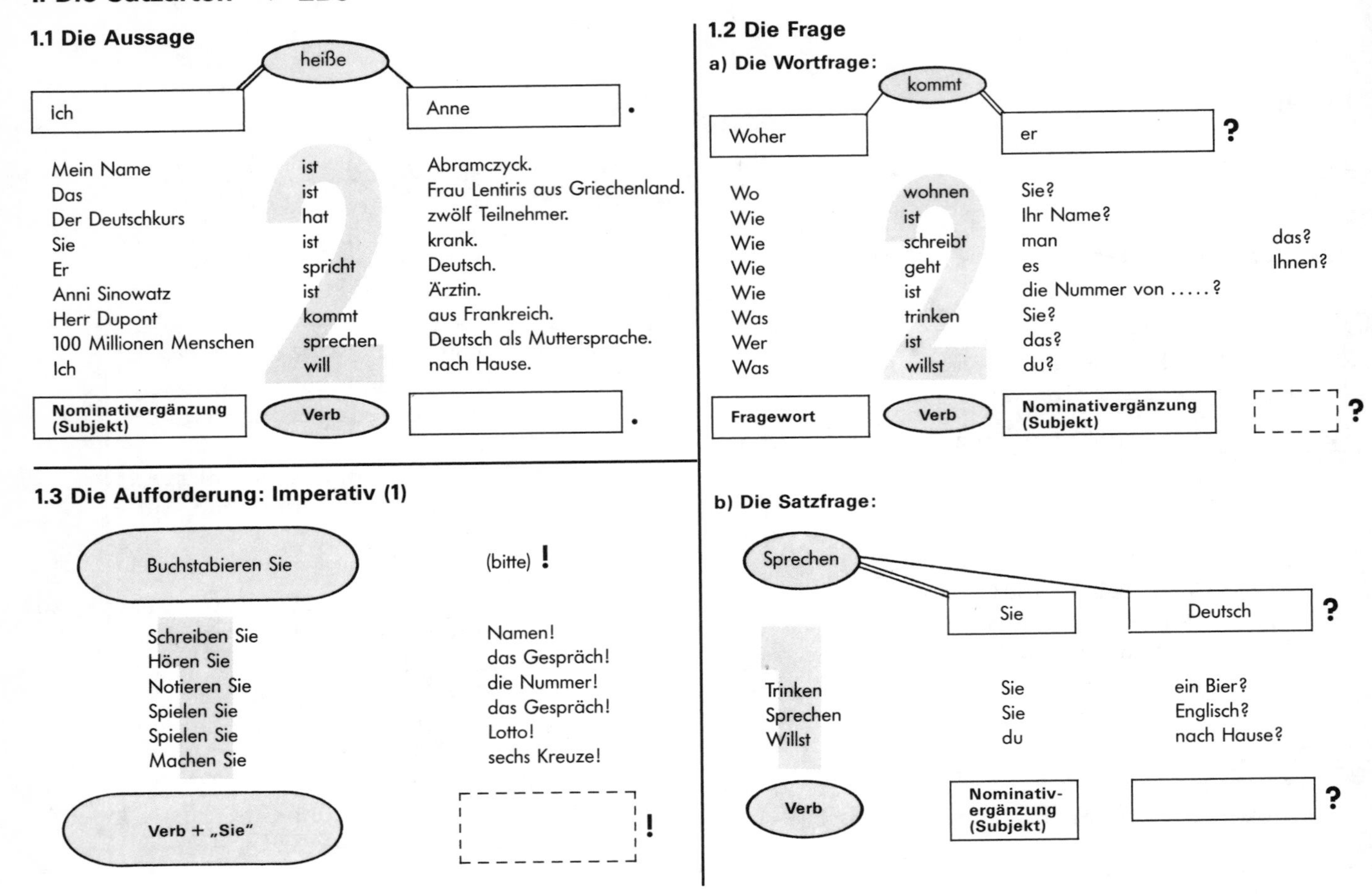


## 2. Die Klammer

### 2.1 Die Verbklammer

**① Modalverb + Vollverb → 9B3**

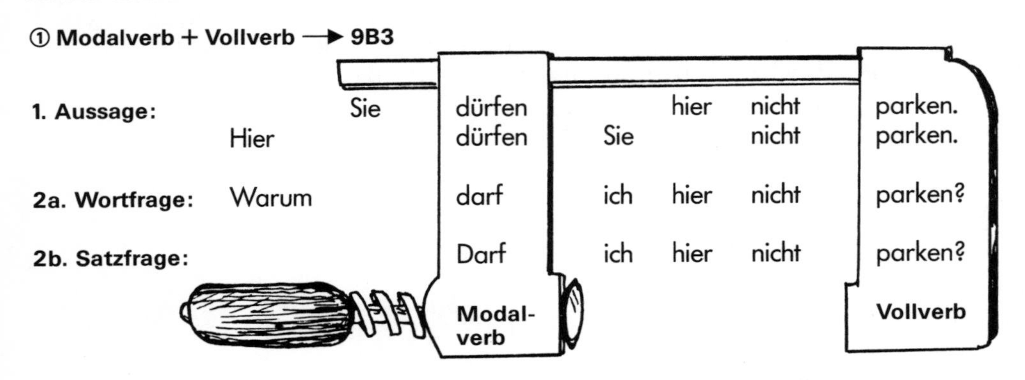

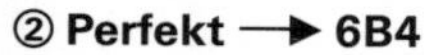

② **Perfekt → 6B4**

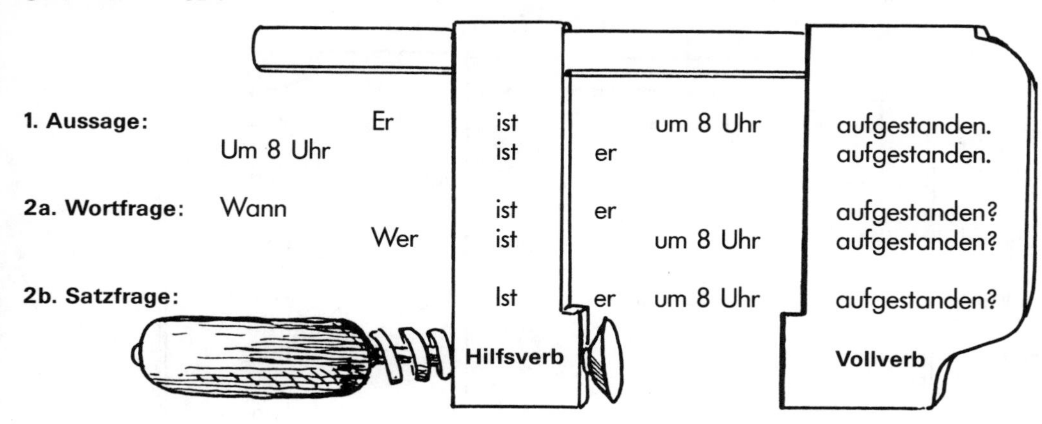


③ **Plusquamperfekt → 10B3**

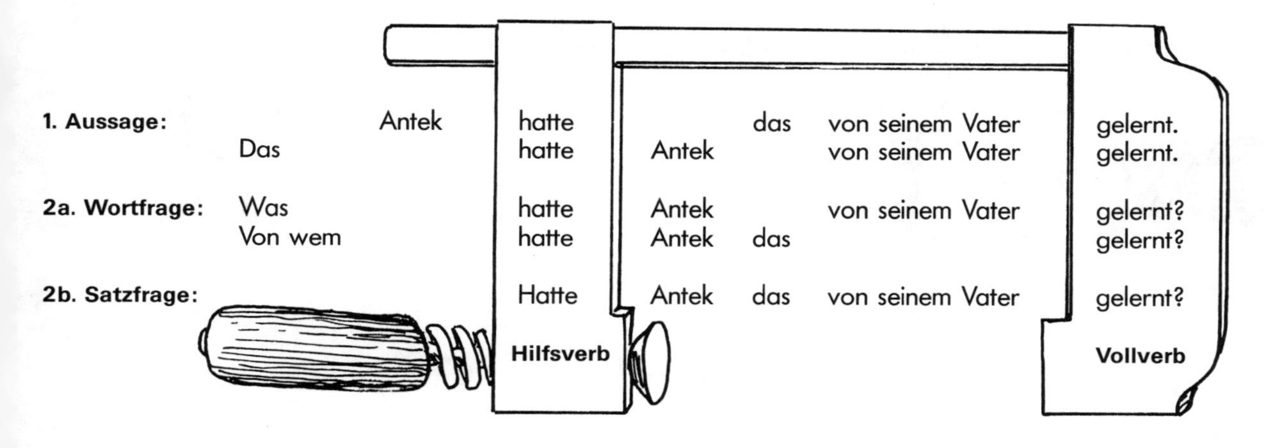


**2.2 Die Artikel-Nomen-Klammer → 11B3**

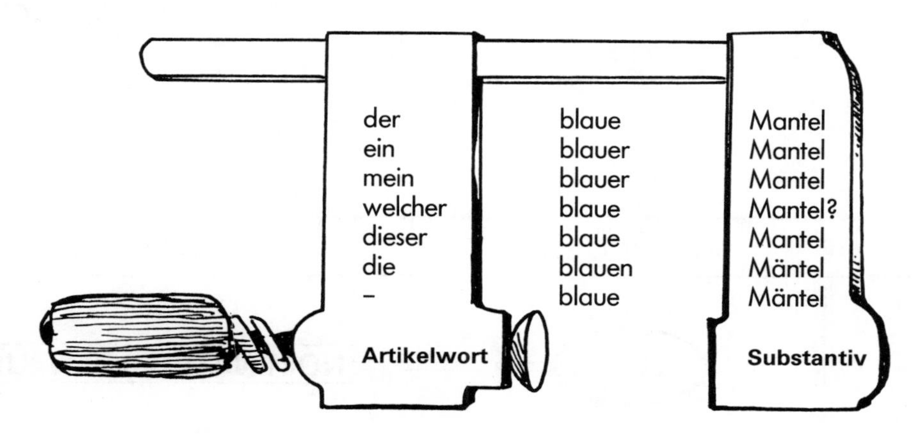

**2.3 Die Nebensatz-Klammer → 9B4, 10B4, 10B6, 12B1–12B4**

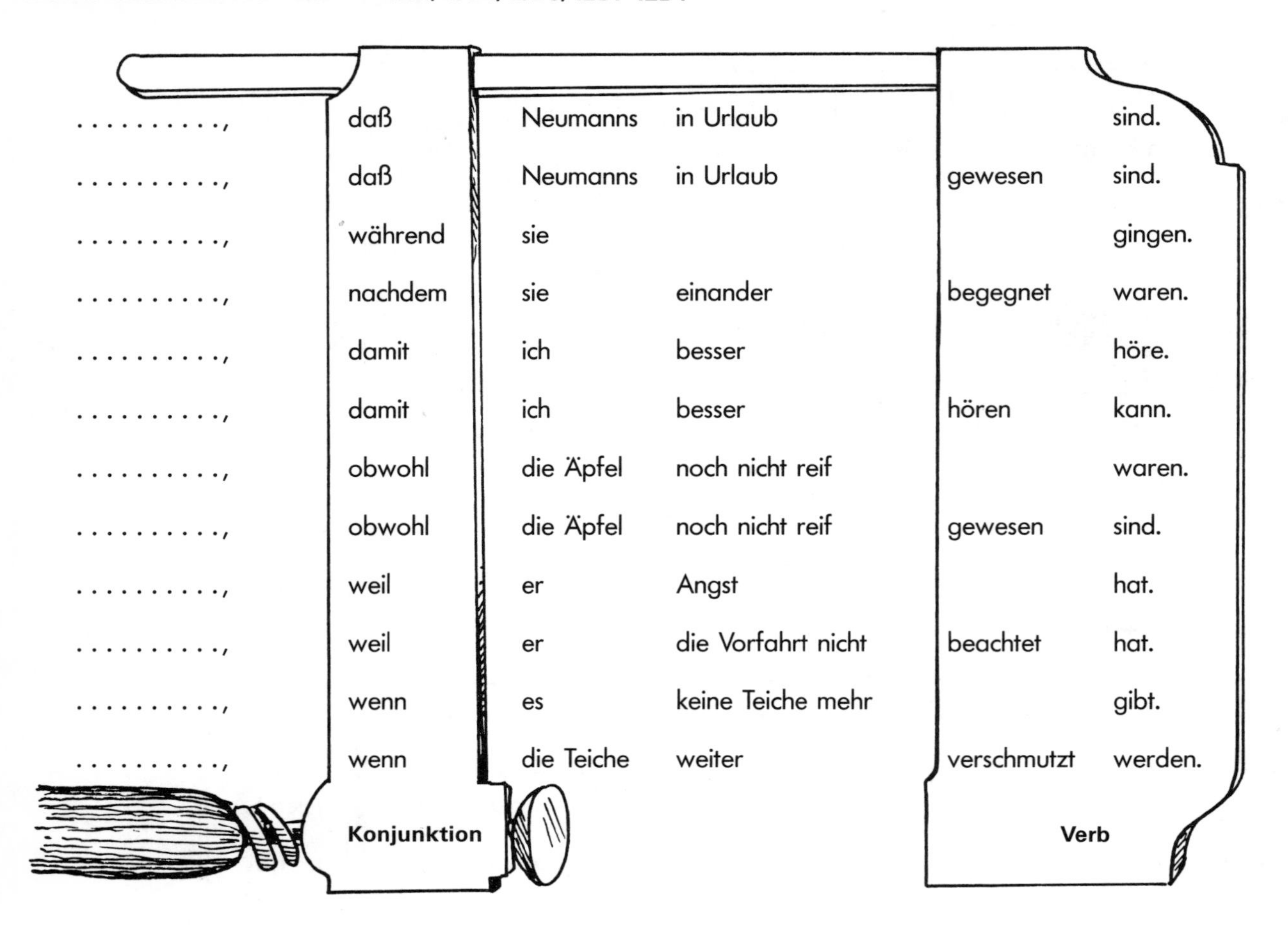


## 3. Hauptsatz und Nebensatz

**3.1 Stellung → 10B5**

**① Hauptsatz vor Nebensatz**

**② Nebensatz vor Hauptsatz**

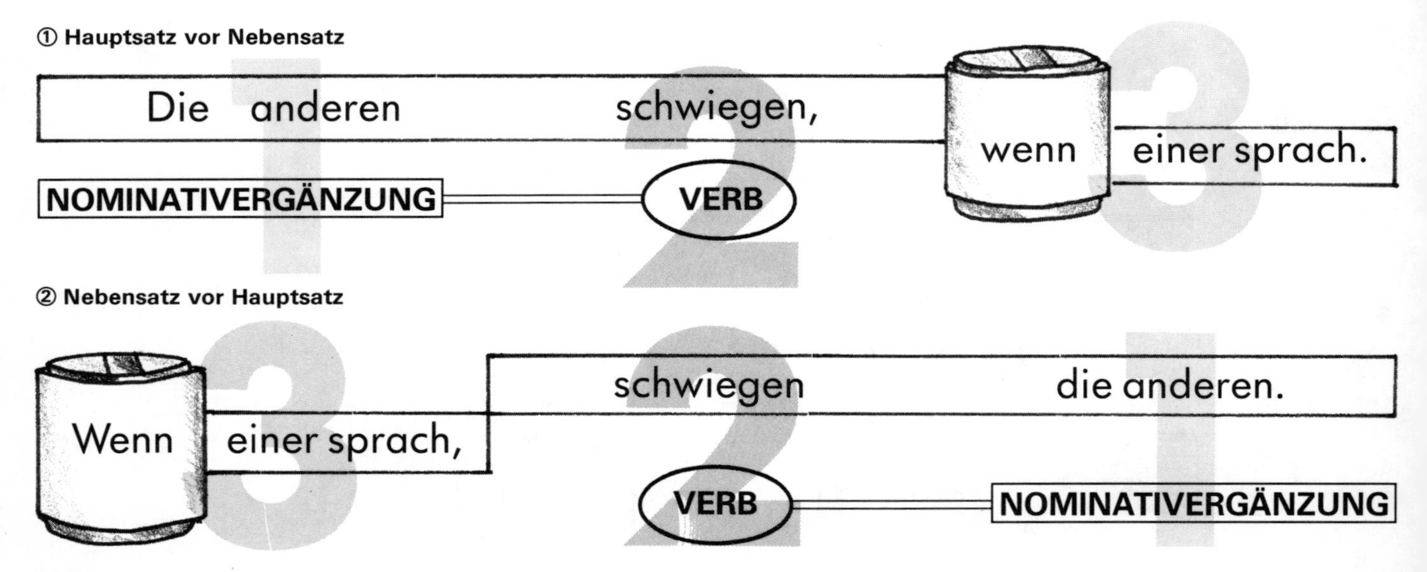

## 3.2 Nebensatz-Arten

### 3.2.1 Der „daß"-Satz → 9B4

| Herr A. | glaubt, | daß | Neumanns | in Urlaub | sind. |
|---|---|---|---|---|---|
| Frau R. | sagt, | daß | sie | das nicht | glaubt. |
| René | sieht, | daß | die Garage | offen | ist. |
| Fritz | hofft, | daß | die Sache | spannend | wird. |

**„daß"-Satz = Akkusativergänzung**

| | | | |
|---|---|---|---|
| Herr Ackermann | glaubt | : | Neumanns sind in Urlaub. |
| | | , | daß Neumanns in Urlaub sind. |
| René | sieht | : | Die Garage ist offen. |
| | | , | daß die Garage offen ist. |

Verb

| Nominativergänzung (Subjekt) |
|---|
| **Wer?** (oder **Was?**) |

| Akkusativergänzung |
|---|
| (**Wen?** oder) **Was?** |

### 3.2.2 Der Temporalsatz → 10B6, 10B4

**① Arten von Temporalsätzen**

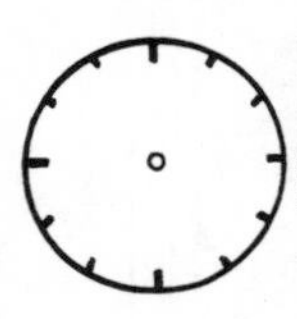

**Während** sie gingen, sprachen sie miteinander.
**Wenn** einer sprach, schwiegen die beiden anderen.
**Wenn** der eine zu Ende gesprochen hatte, sprach der zweite.
Sie gingen, gingen, gingen, **nachdem** sie einander zufällig begegnet waren.
**Als** das Mädchen eine Weile gegangen war, kam wieder ein Kind.
**Als** wir sechs waren, hatten wir Masern.

**② Gleichzeitigkeit**

**③ Vorzeitigkeit**

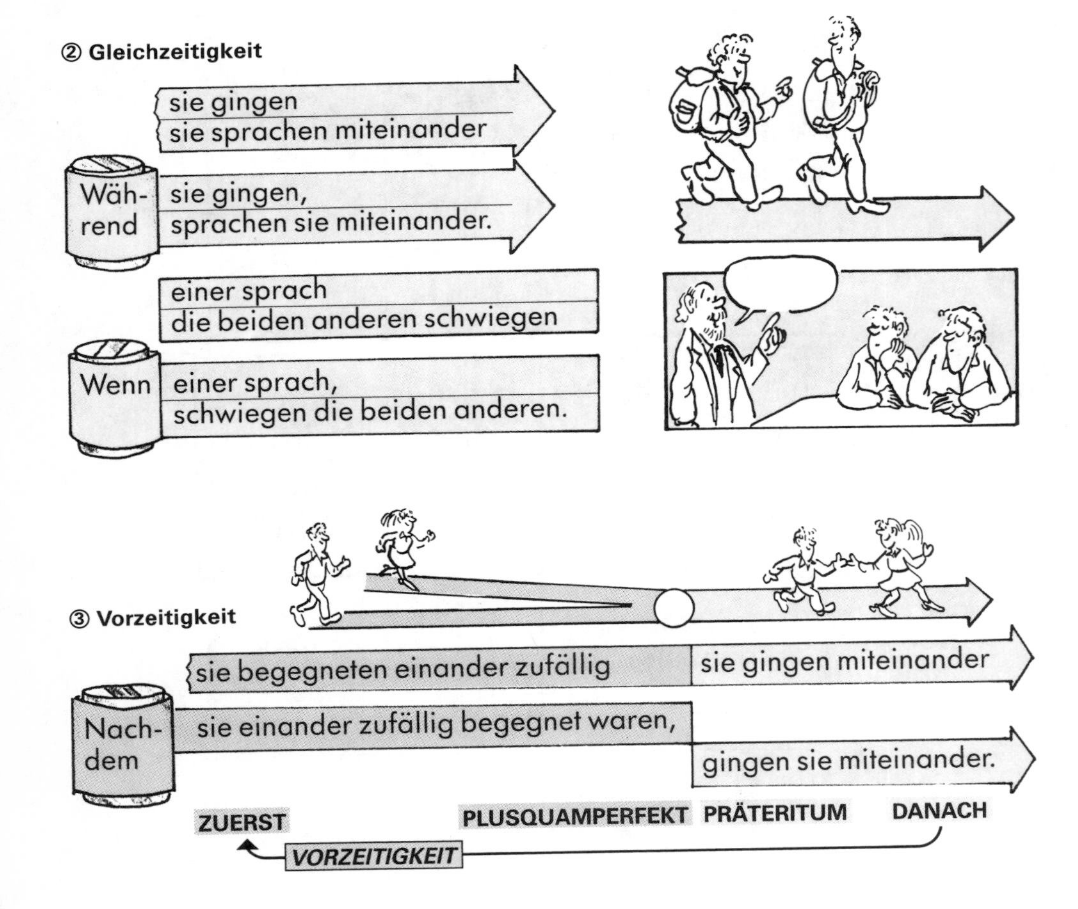


### 3.2.3 Der Relativsatz → 10B6

Ein Besenbinder ist ein Mann, **der** Besen macht.

Antek Pistole machte Besen, **die** nie kaputtgingen.
Das Mädchen hatte ein Stück Brot, **das** ihm jemand geschenkt hatte.
Sie sahen (das), **was** sich gezeigt hatte.
Sie sprachen über anderes, **was** sich früher gezeigt hatte.
„Schenk mir etwas, **womit** ich meinen Kopf bedecken kann!"

## 3.2.4. Der Konditionalsatz: Realis ⟶ 12B1

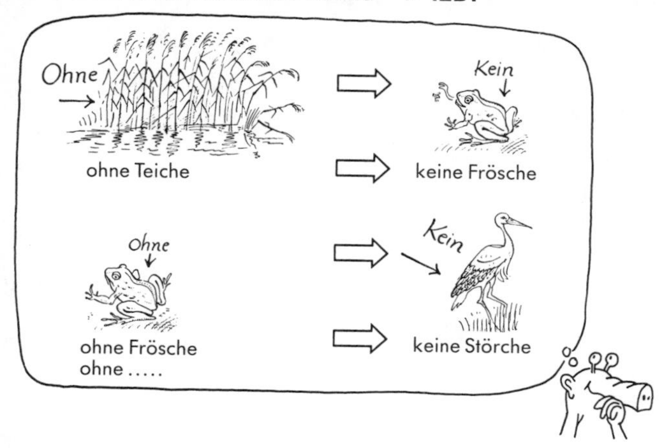


keine Teiche ⟶ keine Frösche ⟶ keine Störche ⟶ keine Babys .....

| KONDITIONALSATZ | HAUPTSATZ |
|---|---|

**Andere Möglichkeiten:**

**Angenommen,** / **Nehmen wir an,** / **Vorausgesetzt,** } es gibt keine Teiche mehr: **Dann** sterben die Frösche.

## 3.2.5 Der Kausalsatz ⟶ 12B2

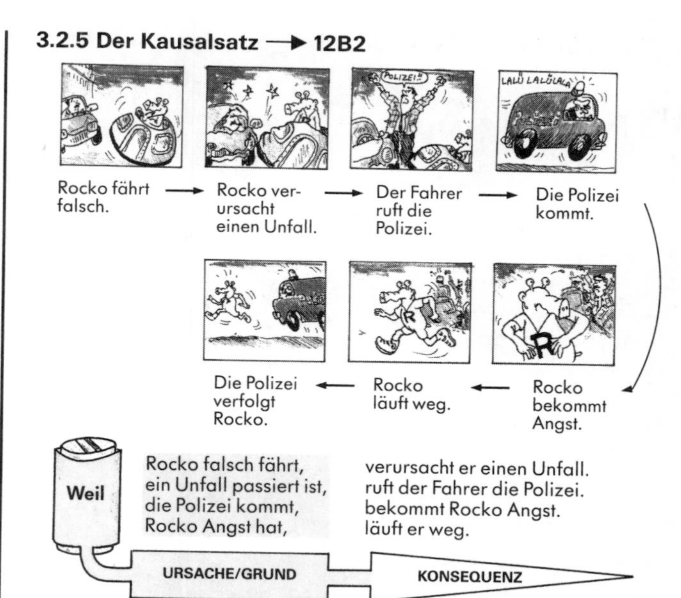


| **Weil** | Rocko falsch fährt, | verursacht er einen Unfall. |
|---|---|---|
| | ein Unfall passiert ist, | ruft der Fahrer die Polizei. |
| | die Polizei kommt, | bekommt Rocko Angst. |
| | Rocko Angst hat, | läuft er weg. |
| | URSACHE/GRUND | KONSEQUENZ |
| | KAUSALSATZ | HAUPTSATZ |

**Andere Möglichkeiten:**

1. Rocko hat Angst. **Deshalb** / **Daher** / **Aus diesem Grund** } läuft er weg.

2. a) Rocko läuft weg. **Denn** er hat Angst.
   b) Rocko läuft weg. Er hat **nämlich** Angst.

## 3.2.6 Der Finalsatz ⟶ 12B3

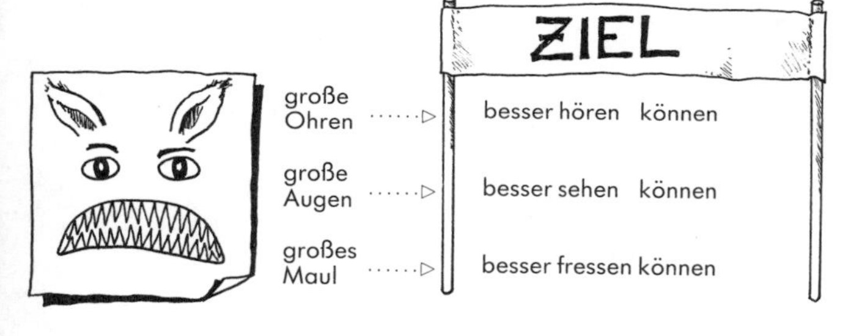


„Warum hast du so große Ohren / so große Augen / ein so großes Maul?"

| HAUPTSATZ | FINALSATZ |
|---|---|

**Andere Möglichkeit:** „um ..... zu" + INFINITIV (nur bei gleichem Subjekt!)

Der Wolf hat so große Ohren, **um** besser hören **zu** können.

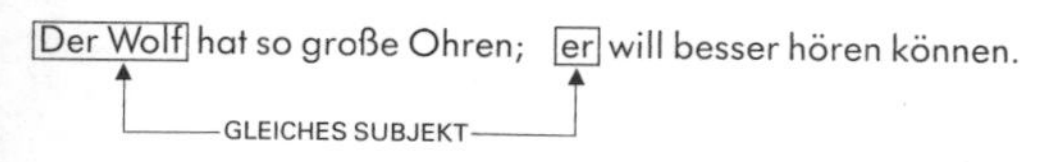


Der Säufer trinkt, **um zu** vergessen.

## 3.2.7 Der Konzessivsatz ⟶ 12B4

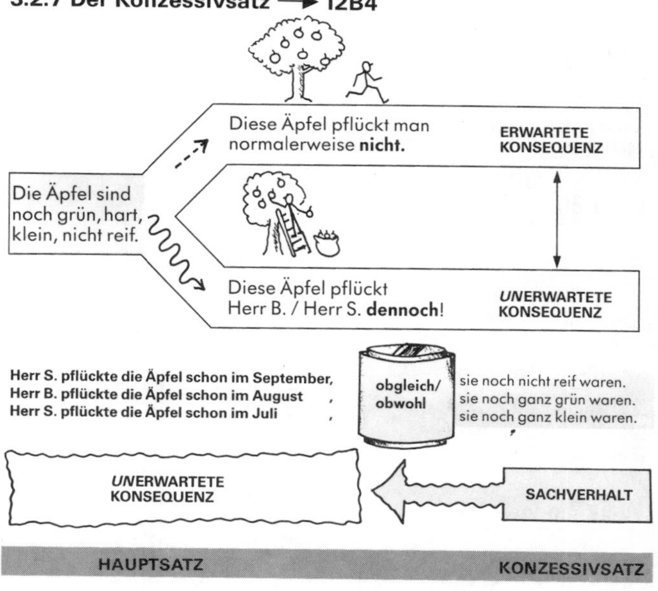


| HAUPTSATZ | KONZESSIVSATZ |
|---|---|

**Andere Möglichkeiten:**

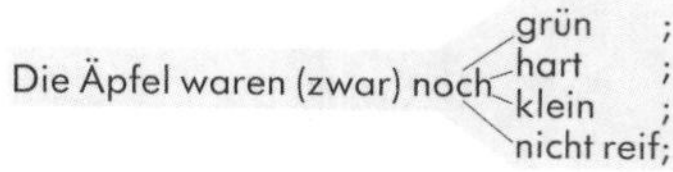


Die Äpfel waren (zwar) noch grün; / hart; / klein; / nicht reif; **dennoch** / **trotzdem** pflückte sie Herr S./B.

| HAUPTSATZ | HAUPTSATZ |
|---|---|

## 4. Das Verb und die Ergänzungen (Satzglieder) → 5B2, 7B2, 8B4

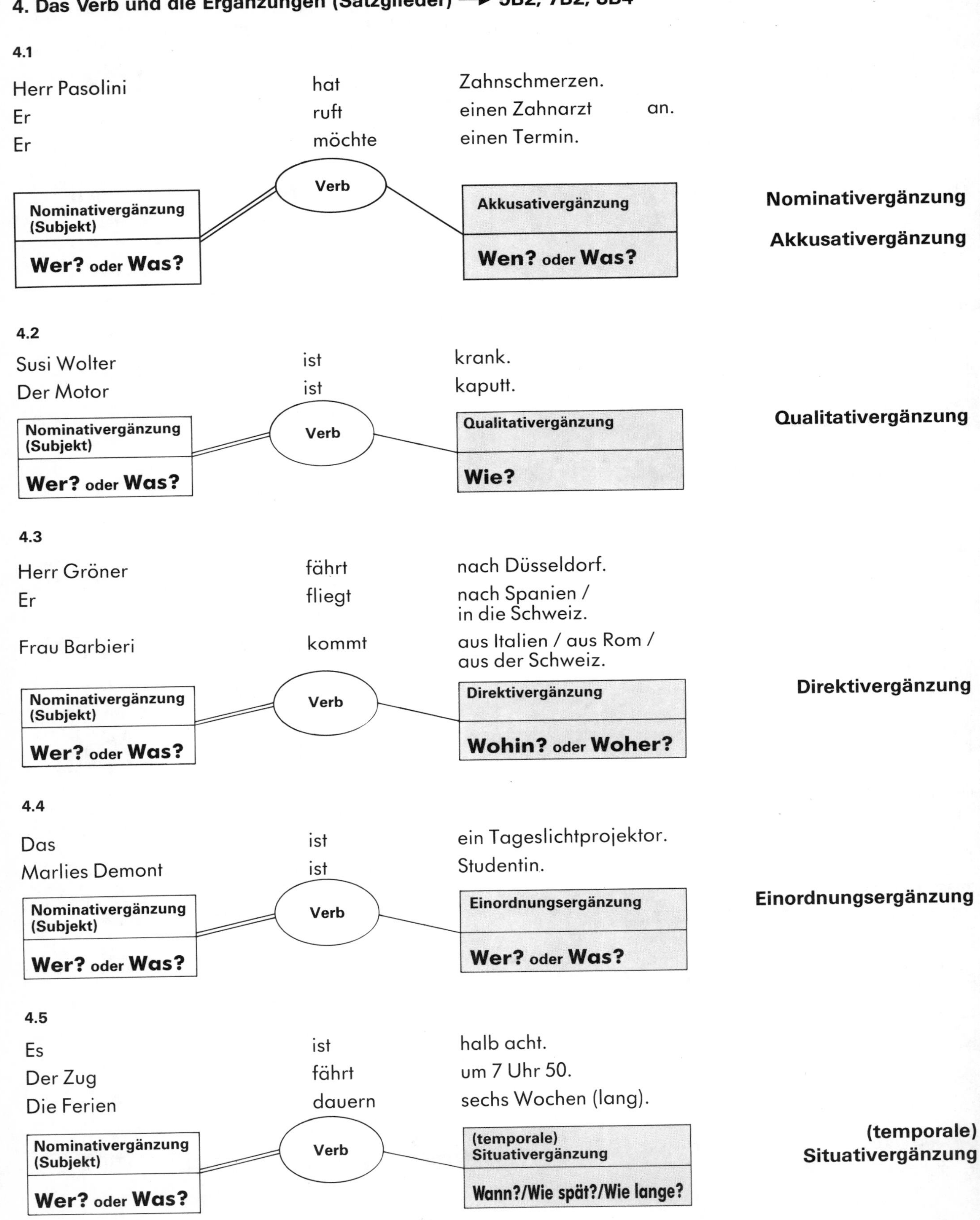

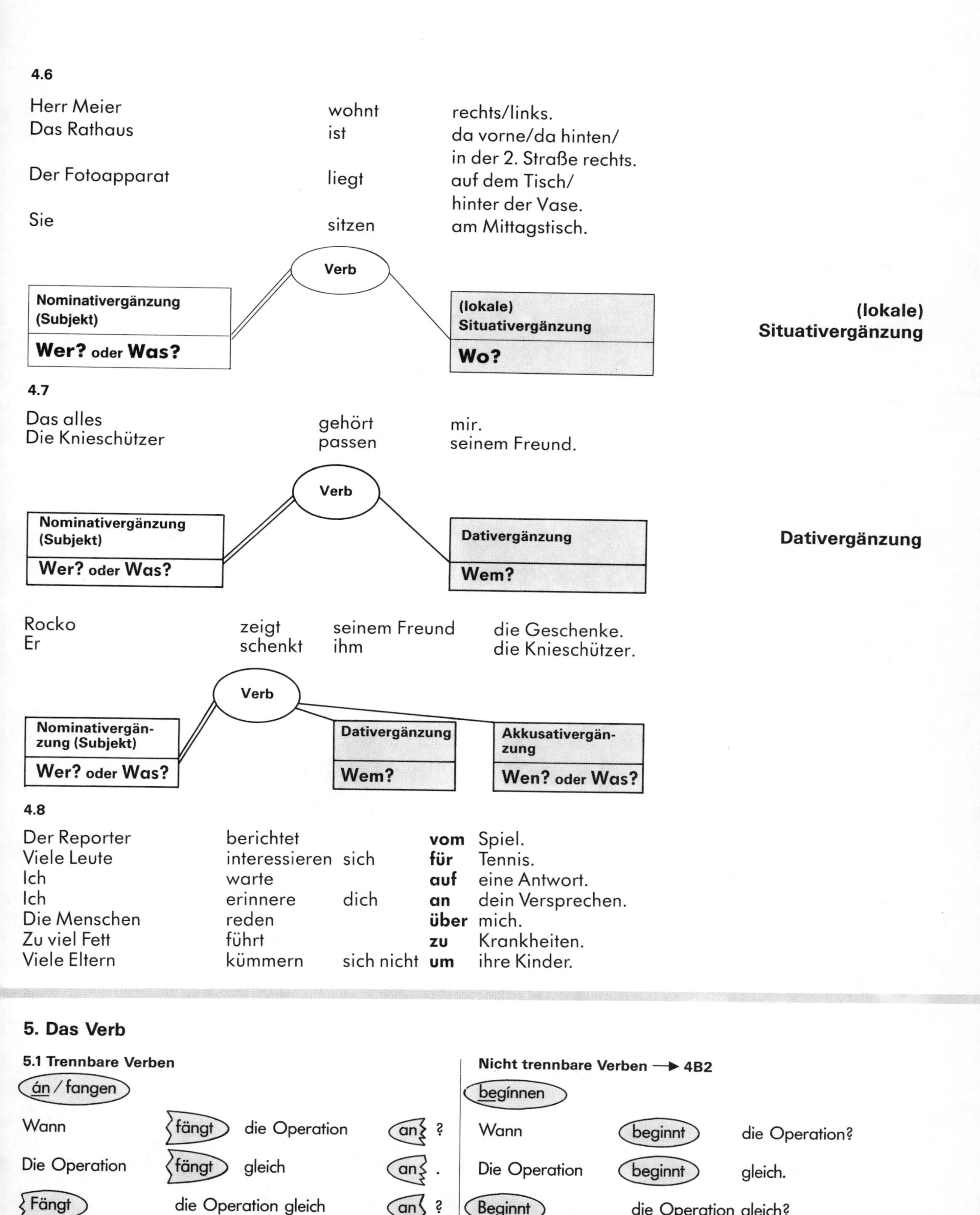

4.6
Herr Meier wohnt rechts/links.
Das Rathaus ist da vorne/da hinten/ in der 2. Straße rechts.
Der Fotoapparat liegt auf dem Tisch/ hinter der Vase.
Sie sitzen am Mittagstisch.
Verb
Nominativergänzung (Subjekt)
Wer? oder Was?
(lokale) Situativergänzung
Wo?
(lokale) Situativergänzung
4.7
Das alles gehört mir.
Die Knieschützer passen seinem Freund.
Verb
Nominativergänzung (Subjekt)
Wer? oder Was?
Dativergänzung
Wem?
Dativergänzung
Rocko zeigt seinem Freund die Geschenke.
Er schenkt ihm die Knieschützer.
Verb
Nominativergänzung (Subjekt)
Wer? oder Was?
Dativergänzung
Wem?
Akkusativergänzung
Wen? oder Was?
4.8
Der Reporter berichtet vom Spiel.
Viele Leute interessieren sich für Tennis.
Ich warte auf eine Antwort.
Ich erinnere dich an dein Versprechen.
Die Menschen reden über mich.
Zu viel Fett führt zu Krankheiten.
Viele Eltern kümmern sich nicht um ihre Kinder.
5. Das Verb
5.1 Trennbare Verben
án / fangen
Wann fängt die Operation an?
Die Operation fängt gleich an.
Fängt die Operation gleich an?
Nicht trennbare Verben → 4B2
begínnen
Wann beginnt die Operation?
Die Operation beginnt gleich.
Beginnt die Operation gleich?

### 5.2 Die Konjugation

### 5.2.1 Indikativ Aktiv

**① Präsens** → 3B5, 5B1, 9B1

**a) Verben**

| Infinitiv | | kommen | sprechen | heißen | antworten | |
|---|---|---|---|---|---|---|
| **Singular** | | | ⚠ | ⚠ | | |
| 1. Person | ich | komm- e | sprech- e | heiß- e | antwort- e | -e |
| 2. Person | du | komm- st | sprich- st | hei**ß**- t | antwort- est | -(e)st |
| | Sie | komm- en | sprech- en | heiß- en | antwort- en | -en |
| 3. Person | er / sie / es | komm- t | sprich- t | heiß- t | antwort- et | -(e)t |
| **Plural** | | | | | | |
| 1. Person | wir | komm- en | sprech- en | heiß- en | antwort- en | -en |
| 2. Person | ihr | komm- t | sprech- t | heiß- t | antwort- et | -(e)t |
| | Sie | komm- en | sprech- en | heiß- en | antwort- en | -en |
| 3. Person | sie | komm- en | sprech- en | heiß- en | antwort- en | -en |

| Hilfsverben | |
|---|---|
| sein | haben |
| ⚠ | ⚠ |
| bin | habe |
| bist | hast |
| sind | haben |
| ist | hat |
| sind | haben |
| seid | habt |
| sind | haben |
| sind | haben |

○ Was willst du?
● Ich bring dich nach Hause.
○ Das kannst du nicht!
● Natürlich kann ich!
Ich will nach Hause!
○ Hör auf! Das darfst du nicht!

○ Können Sie nicht lesen?
Hier dürfen Sie nicht parken!
Ich kann hier nicht raus.

**b) Modalverben**

| Infinitiv | | können | wollen | dürfen | mögen | sollen | müssen | |
|---|---|---|---|---|---|---|---|---|
| **Singular** | | | | | | | | |
| 1. Person | ich | k**a**nn- — | w**i**ll- — | d**a**rf- — | m**a**g- — | soll- — | mu**ß**- — | — |
| 2. Person | du | k**a**nn- st | w**i**ll- st | d**a**rf- st | m**a**g- st | soll- st | mu**ß**- **t** | -st |
| | Sie | könn- en | woll- en | dürf- en | mög- en | soll- en | müss- en | -en |
| 3. Person | er / sie / es | k**a**nn- — | w**i**ll- — | d**a**rf- — | m**a**g- — | soll- — | mu**ß**- — | — |
| **Plural** | | | | | | | | |
| 1. Person | wir | könn- en | woll- en | dürf- en | mög- en | soll- en | müss- en | -en |
| 2. Person | ihr | könn- t | woll- t | dürf- t | mög- t | soll- t | mü**ß**- t | -t |
| | Sie | könn- en | woll- en | dürf- en | mög- en | soll- en | müss- en | -en |
| 3. Person | sie | könn- en | woll- en | dürf- en | mög- en | soll- en | müss- en | -en |

## ② Perfekt ⟶ 6B2–6B7

### a) Regelmäßige Verben: Partizip II

| | „hab-en“ | | ge- | Stamm | -(e)t | |
|---|---|---|---|---|---|---|
| Was | hat | Herr Rasch | ge- | mach | -t | ? |
| Er | hat | die Sekretärin | | **be**such | -t | . |
| Er | hat | ihr etwas | | **er**zähl | -t | . |
| Sie | hat | Kaffee | ge- | koch | -t | . |
| Er | hat | mit der Sekretärin | ge- | flir**t** | -et | . |
| Sie | haben | einen Spaziergang | ge- | mach | -t | . |
| Er | hat | sie | | fotograf**ier** | -t | . |
| Er | hat | auf Herrn Meinke | ge- | war**t** | -et | . |
| Er | hat | mit Herrn Meinke | ge- | re**d** | -et | . |
| Er | hat | einen Hamburger | ge- | hol | -t | . |

„hab-en“ ⟶ **Perfekt (Aktiv)** ⟵ ge- Stamm -(e)t

### b) Unregelmäßige Verben: Partizip II

| | „hab-en“ | | | ge- | Perfekt-Stamm | -en | |
|---|---|---|---|---|---|---|---|
| Sie | hat | | an- | ge- | ruf | -en | . |
| Das | habe | ich | | | **ver**gess | -en | . |
| Ich | habe | mein Geld | | | **ver**lor | -en | ! |
| Wo | hast | du es | | ge- | fund | -en | ? |
| Sie | haben | nichts | | ge- | seh | -en | . |

„hab-en“ ⟶ **Perfekt (Aktiv)** ⟵ ge- Perfekt-Stamm -en

### c) Trennbare Verben – nicht trennbare Verben: Partizip II

| Infinitiv | Partizip II | Infinitiv | Partizip II |
|---|---|---|---|
| **ein**/kaufen | **ein** - ge - kauf - t | **be**suchen | **be**such - t |
| **an**/rufen | **an** - ge - ruf - en | **er**zählen | **er**zähl - t |
| **mit**/nehmen | **mit** - ge - nomm - en | **ver**gessen | **ver**gess - en |
| **auf**/stehen | **auf** - ge - stand - en | **ver**lieren | **ver**lor - en |
| **um**/steigen | **um** - ge - stieg - en | | |
| **kaputt**/machen | **kaputt** - ge - mach - t | | |
| **aus**/räumen | **aus** - ge - räum - t | | |
| | PRÄFIX - ge - STAMM - {t / en} | | STAMM - {t / en} |

### d) Verben auf „-ieren“: Partizip II

| Infinitiv | Partizip II |
|---|---|
| dikt**ieren** | dikt**ier** - t |
| fotograf**ieren** | fotograf**ier** - t |
| telefon**ieren** | telefon**ier** - t |
| | **ier - t** |

### e) Perfekt mit „haben“ oder mit „sein“

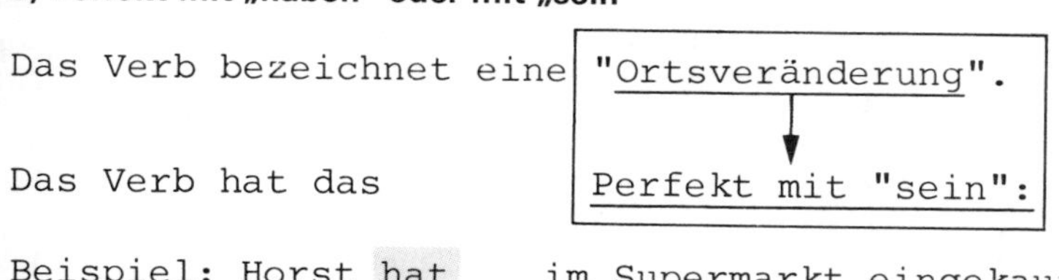
Das Verb bezeichnet eine "Ortsveränderung".
Das Verb hat das Perfekt mit "sein":

Beispiel: Horst hat im Supermarkt eingekauft.
Dann ist er nach Hause gefahren.

**Das Perfekt mit „haben“ – das Perfekt mit „sein“**

| | „haben“ | | Partizip II | |
|---|---|---|---|---|
| Er | hat | sich | geschnitten | . |
| Er | hat | Kaffee | getrunken | . |
| Er | hat | Brötchen | gegessen | . |
| Er | hat | die Zeitung | gelesen | . |
| Er | hat | den Bus | genommen | . |
| Er | hat | einen Brief | geschrieben | . |
| Sie | hat | keine Zeit | gehabt | . |

| | „sein“ | | Partizip II | |
|---|---|---|---|---|
| Er | ist | um acht Uhr | aufgestanden | . |
| Er | ist | ins Bad | gegangen | . |
| Er | ist | in die Stadt | gefahren | . |
| Er | ist | einmal | umgestiegen | . |
| Sie | ist | schließlich | gekommen | . |
| Er | ist | müde | gewesen | . |

Achtung! ⚠
Auch „bleiben“ und „sein“ haben ein Perfekt mit „sein“.

## f) Die Konjugation: Perfekt

| | | Perfekt mit „haben" | | Perfekt mit „sein" | |
|---|---|---|---|---|---|
| **Singular** | | | | | |
| 1. Person | ich | habe | gesprochen | bin | gegangem |
| 2. Person | du | hast | gesprochen | bist | gegangen |
| | Sie | haben | gesprochen | sind | gegangen |
| 3. Person | er / sie / es | hat | gesprochen | ist | gegangen |
| | | **PRÄSENS von „haben"** | **+ PARTIZIP II** | **PRÄSENS von „sein"** | **+ PARTIZIP II** |

| | | Perfekt mit „haben" | | Perfekt mit „sein" | |
|---|---|---|---|---|---|
| **Plural** | | | | | |
| 1. Person | wir | haben | gesprochen | sind | gegangen |
| 2. Person | ihr | habt | gesprochen | seid | gegangen |
| | Sie | haben | gesprochen | sind | gegangen |
| 3. Person | sie | haben | gesprochen | sind | gegangen |
| | | **PRÄSENS von „haben"** | **+ PARTIZIP II** | **PRÄSENS von „sein"** | **+ PARTIZIP II** |

## ③ Präteritum ➔ 4B3, 10B1

### Präteritum von „sein" und „haben"

| Infinitiv | | haben | | sein | |
|---|---|---|---|---|---|
| **Singular** | | | | | |
| 1. Person | ich | ha-**tt**-e | -e | **war**-— | -— |
| 2. Person | du | ha-**tt**-est | -est | **war**-st | -st |
| | Sie | ha-**tt**-en | -en | **war**-en | -en |
| 3. Person | er / sie / es | ha-**tt**-e | -e | **war**-— | -— |
| **Plural** | | | | | |
| 1. Person | wir | ha-**tt**-en | -en | **war**-en | -en |
| 2. Person | ihr | ha-**tt**-et | -et | **war**-t | -t |
| | Sie | ha-**tt**-en | -en | **war**-en | -en |
| 3. Person | sie | ha-**tt**-en | -en | **war**-en | -en |

-tt- ← Präteritum-signal → war

### Präteritum: unregelmäßige Verben

Die Römer eroberten ganz Gallien.

Das war um 50 vor Christus.

Sie schützten die Grenze zwischen Gallien und Germanien.

Plötzlich kamen die Germanen; sie sangen laut, marschierten nach Gallien und griffen die Römer an.

Sofort verließ die erste römische Legion das Lager.

| Infinitiv | | kommen | verlassen | fahren | verlieren | |
|---|---|---|---|---|---|---|
| **Singular** | | | | | | |
| 1. Person | ich | kam- — | verließ- — | fuhr- – | verlor- — | -— |
| 2. Person | du | kam- st | verließ- **t** | fuhr- st | verlor- st | -st |
| | Sie | kam- en | verließ- en | fuhr- en | verlor- en | -en |
| 3. Person | er / sie / es | kam- — | verließ- — | fuhr- — | verlor- — | -— |
| **Plural** | | | | | | |
| 1. Person | wir | kam- en | verließ- en | fuhr- en | verlor- en | -en |
| 2. Person | ihr | kam- t | verließ- t | fuhr- t | verlor- t | -t |
| | Sie | kam- en | verließ- en | fuhr- en | verlor- en | -en |
| 3. Person | sie | kam- en | verließ- en | fuhr- en | verlor- en | -en |

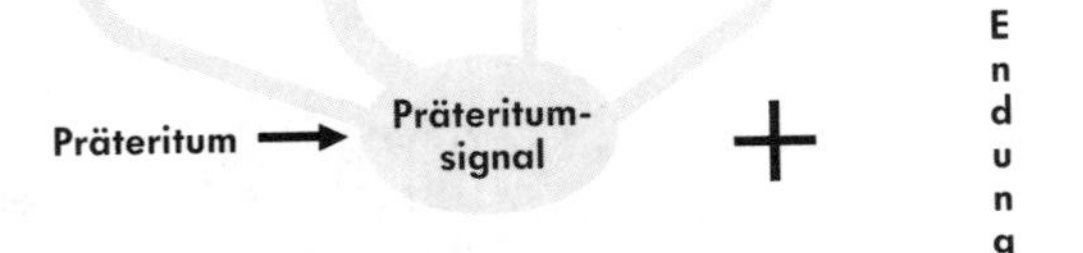


### Präteritum: regelmäßige Verben

**DIE GESCHICHTE VON ANTEK PISTOLE**
**Ein Roman aus Margarinien**

In einem kleinen Dorf in Margarinien lebte vor 70 Jahren Antek Pistole, der Besenbinder.

Er arbeitete Tag für Tag und machte Besen, sehr gute Besen.
Er verkaufte sie und kaufte sich für das Geld Brot, Wurst und eine Flasche Bier.

In dem kleinen Dorf lebten damals nur 311 Leute.
Bald hatten alle einen Besen von Antek.

Da mußte Antek in die große Stadt fahren...

| Infinitiv | | leben | arbeiten | müssen | |
|---|---|---|---|---|---|
| **Singular** | | | | | |
| 1. Person | ich | leb- t -e | arbeit- et -e | muß- t -e | -e |
| 2. Person | du | leb- t -est | arbeit- et -est | muß- t -**est** | -**est** |
| | Sie | leb- t -en | arbeit- et -en | muß- t -en | -en |
| 3. Person | er / sie / es | leb- t -e | arbeit- et -e | muß- t -e | -e |
| **Plural** | | | | | |
| 1. Person | wir | leb- t -en | arbeit- et -en | muß- t -en | -en |
| 2. Person | ihr | leb- t -**et** | arbeit- et -**et** | muß- t -**et** | -**et** |
| | Sie | leb- t -en | arbeit- et -en | muß- t -en | -en |
| 3. Person | sie | leb- t -en | arbeit- et -en | muß- t -en | -en |

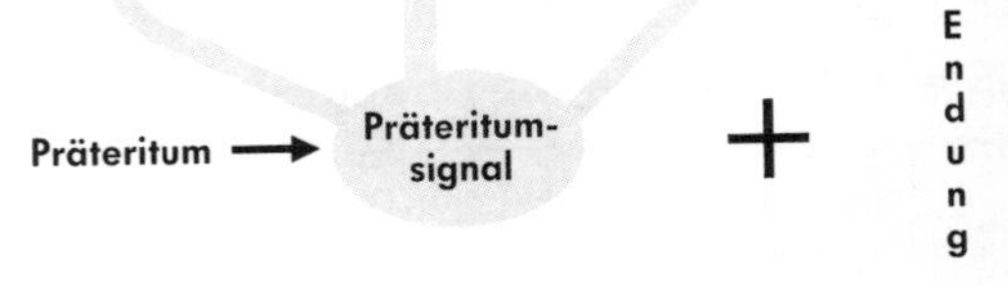

## ④ Plusquamperfekt ⟶ 10B3

**ANTEK PISTOLE**

Antek Pistole war ein Besenbinder.
Antek hatte das Besenbinden von seinem Vater gelernt, und der hatte es auch von seinem Vater gelernt usw.

Das Gespräch der drei Gehenden

...und wenn der eine zu Ende gesprochen hatte, sprach der zweite, und dann der dritte,...
...sie waren aber keine Brüder, waren nur Männer, die gingen, gingen, gingen, nachdem sie einander zufällig begegnet waren.

| | | Plusquamperfekt mit „haben" | | Plusquamperfekt mit „sein" | |
|---|---|---|---|---|---|
| **Singular** | | | | | |
| 1. Person | ich | hatte | gelernt | war | begegnet |
| 2. Person | du | hattest | gelernt | warst | begegnet |
| | Sie | hatten | gelernt | waren | begegnet |
| 3. Person | er<br>sie<br>es | hatte | gelernt | war | begegnet |
| **Plural** | | | | | |
| 1. Person | wir | hatten | gelernt | waren | begegnet |
| 2. Person | ihr | hattet | gelernt | wart | begegnet |
| | Sie | hatten | gelernt | waren | begegnet |
| 3. Person | sie | hatten | gelernt | waren | begegnet |
| | | **Präteritum** von „haben" + | Partizip II | **Präteritum** von „sein" + | Partizip II |

## 6. Das Substantiv

### 6.1 Das Genus ⟶ 3B1

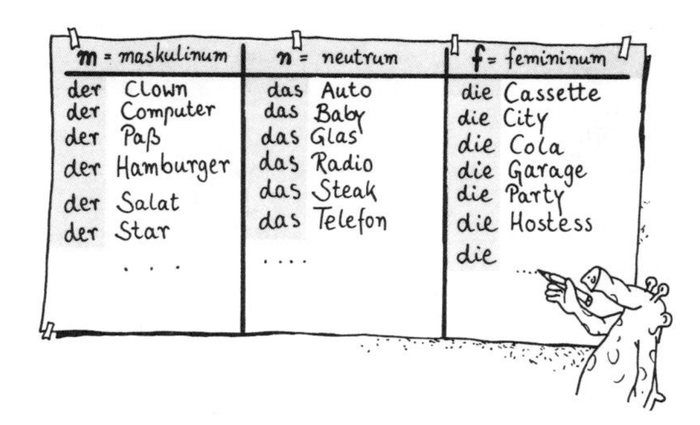


### 6.2 Der unbestimmte Artikel – Der bestimmte Artikel ⟶ 3B2

Das ist **ein** Clown.

**Der** Clown heißt Pippo.

Das ist **ein** Baby.

**Das** Baby ist drei Monate alt.

Das ist **eine** Hostess.

**Die** Hostess spricht Deutsch, Englisch und Französisch.

### 6.3 „ein-" – „kein-" ⟶ 3B6

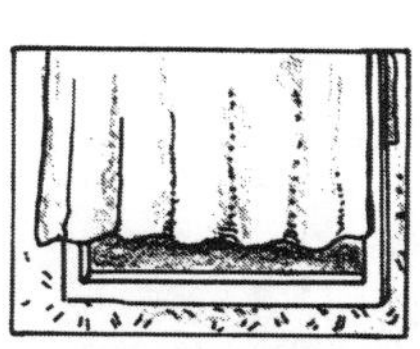

„Was ist das? Ist das **ein** Bild?" –

„Nein, das ist **kein** Bild,

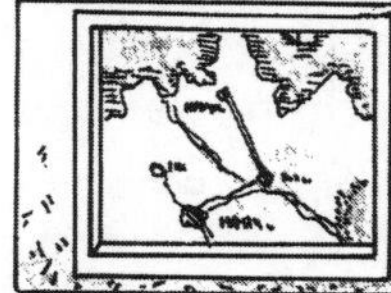

das ist **eine** Landkarte!"

## 6.4 Singular – Plural ➜ 4B1

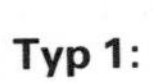
Typ 1:

| | maskulinum | neutrum | maskulinum | femininum |
|---|---|---|---|---|
| **Singular** | **der** Arm | **das** Bein | **der** Stuhl | **die** Hand |
| **Plural** | die Arm-**e**<br>die -**e** | die Bein-**e**<br>die -**e** | die Stühl-**e**<br>die ¨ -**e** | die Händ-**e**<br>die ¨ -**e** |

Typ 3:

| | maskulinum | neutrum | (maskulinum) | (femininum) |
|---|---|---|---|---|
| **Singular** | **der** Finger | **das** Essen<br>-er, -el, -en | **der** Vat[er] | **die** Mutt[er]<br>⚠ |
| **Plural** | die Finger-—<br>die -— | die Essen-—<br>die -— | die Väter-—<br>die ¨ -— | die Mütter-—<br>die ¨ -— |

Typ 2a:

| | femininum | (maskulinum) | (neutrum) |
|---|---|---|---|
| **Singular** | **die** Lipp-e<br>-e | **der** Nam-e<br>⚠ | **das** Aug-e<br>⚠ |
| **Plural** | die Lippe-**n**<br>die -**n** | die Name-**n**<br>die -**n** | die Auge-**n**<br>die -**n** |

Typ 4:

| | neutrum | | (maskulinum) |
|---|---|---|---|
| **Singular** | **das** Bild | **das** Glas<br>1silbig | **der** Mann<br>⚠ |
| **Plural** | die Bild-**er**<br>die -**er** | die Gläs-**er**<br>die ¨ -**er** | die Männ-**er**<br>die ¨ -**er** |

Typ 2b:

| | femininum | (maskulinum) | (neutrum) |
|---|---|---|---|
| **Singular** | **die** Wohnung<br>Konsonant | **der** Schmerz<br>⚠ | **das** Ohr<br>⚠ |
| **Plural** | die Wohnung-**en**<br>die -**en** | die Schmerz-**en**<br>die -**en** | die Ohr-**en**<br>die -**en** |

Typ 5:

| | maskulinum | neutrum | femininum |
|---|---|---|---|
| **Singular** | **der** Clown | **das** Steak<br>Fremdwort | **die** Party |
| **Plural** | die Clown-**s** | die Steak-**s** | die Party-**s** |
| | | die -s | |

## 6.5 Deklination

### ① Artikel und Substantiv ➜ 7B1

| | maskulinum | | | neutrum | | | femininum | | |
|---|---|---|---|---|---|---|---|---|---|
| **Singular** | | | | | | | | | |
| Nominativ | der | /ein-— | Tisch | das | /ein-— | Buch | die | /ein-e | Vase |
| Akkusativ | den | /ein-en | Tisch | das | /ein-— | Buch | die | /ein-e | Vase |
| Dativ | dem | /ein-em | Tisch | dem | /ein-em | Buch | der | /ein-er | Vase |
| Genitiv | des | /ein-es | Tisches | des | /ein-es | Buches | der | /ein-er | Vase |
| **Plural** | | | | | | | | | |
| Nominativ | die | /— | Tische | die | /— | Bücher | die | /— | Vasen |
| Akkusativ | die | /— | Tische | die | /— | Bücher | die | /— | Vasen |
| Dativ | den | /— | Tischen | den | /— | Büchern | den | /— | Vasen |
| Genitiv | der | /— | Tische | der | /— | Bücher | der | /— | Vasen |

*Genauso wie* ein Tisch: **k**ein Tisch, ein Buch: **k**ein Buch, eine Vase: **k**eine Vase

② **Demonstrativpronomen + Substantiv** ⟶ **11B1**

| | maskulinum | | neutrum | | femininum | |
|---|---|---|---|---|---|---|
| **Singular** | | | | | | |
| Nominativ | dies-er | Rock | dies-es | Kleid | dies-e | Bluse |
| Akkusativ | dies-en | Rock | dies-es | Kleid | dies-e | Bluse |
| Dativ | dies-em | Rock | dies-em | Kleid | dies-er | Bluse |
| Genitiv | dies-es | Rockes | dies-es | Kleides | dies-er | Bluse |
| **Plural** | | | | | | |
| Nominativ | dies-e | Röcke | dies-e | Kleider | dies-e | Blusen |
| Akkusativ | dies-e | Röcke | dies-e | Kleider | dies-e | Blusen |
| Dativ | dies-en | Röcken | dies-en | Kleidern | dies-en | Blusen |
| Genitiv | dies-er | Röcke | dies-er | Kleider | dies-er | Blusen |

dér (betont) = dieser — dás (betont) = dieses — díe (betont) = diese

- ● Wie gefällt dir **dieses Kleid?**
- ○ **Welches**?
- ● **Dás da,** das grüne.

③ **Fragepronomen + Substantiv** ⟶ **11B2**

| | maskulinum | | neutrum | | femininum | |
|---|---|---|---|---|---|---|
| **Singular** | | | | | | |
| Nominativ | welch-er | Rock | welch-es | Kleid | welch-e | Bluse |
| Akkusativ | welch-en | Rock | welch-es | Kleid | welch-e | Bluse |
| Dativ | welch-em | Rock | welch-em | Kleid | welch-er | Bluse |
| Genitiv | welch-es | Rockes | welch-es | Kleides | welch-er | Bluse |
| **Plural** | | | | | | |
| Nominativ | welch-e | Röcke | welch-e | Kleider | welch-e | Blusen |
| Akkusativ | welch-e | Röcke | welch-e | Kleider | welch-e | Blusen |
| Dativ | welch-en | Röcken | welch-en | Kleidern | welch-en | Blusen |
| Genitiv | welch-er | Röcke | welch-er | Kleider | welch-er | Blusen |

④ **Possessivpronomen + Substantiv** ⟶ **8B3**

| | | | | | | | | | |
|---|---|---|---|---|---|---|---|---|---|
| **Singular** | | | | | | | | | |
| Nominativ | mein | - — | Koffer | mein | - — | Buch | mein | - e | Tasche |
| Akkusativ | mein | - en | Koffer | mein | - — | Buch | mein | - e | Tasche |
| Dativ | mein | - em | Koffer | mein | - em | Buch | mein | - er | Tasche |
| Genitiv | mein | - es | Koffers | mein | - es | Buches | mein | - er | Tasche |
| **Plural** | | | | | | | | | |
| Nominativ | mein | - e | Koffer | mein | - e | Bücher | mein | - e | Taschen |
| Akkusativ | mein | - e | Koffer | mein | - e | Bücher | mein | - e | Taschen |
| Dativ | mein | - en | Koffern | mein | - en | Büchern | mein | - en | Taschen |
| Genitiv | mein | - er | Koffer | mein | - er | Bücher | mein | - er | Taschen |
| **Vergleichen Sie:** | der / ein | - — | Koffer | das / ein | - — | Buch | die / ein | - e | Tasche |

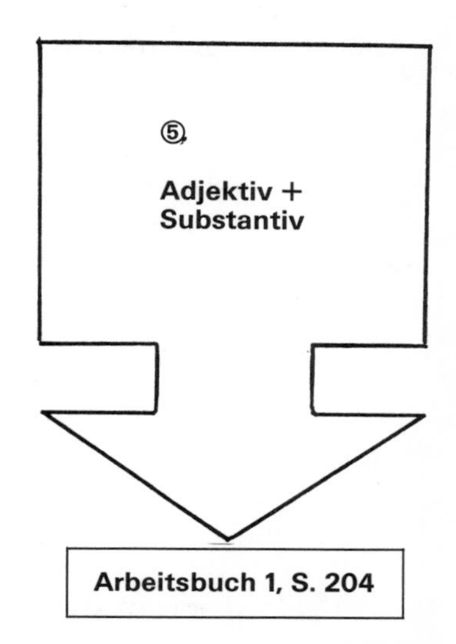


**Arbeitsbuch 1, S. 204**

## 7. Das Adjektiv

### 7.1 Das Adjektiv: prädikativer Gebrauch – attributiver Gebrauch ➝ 11B4

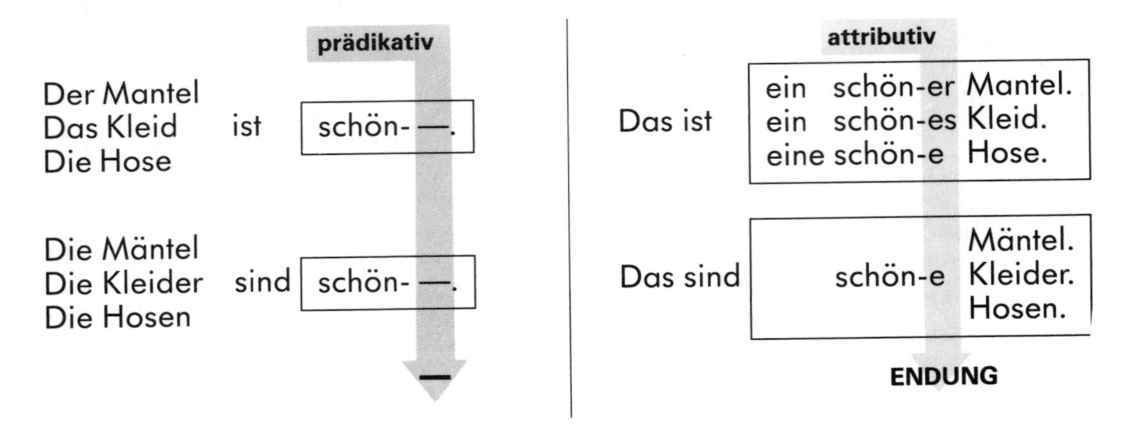


### 7.2 Das Adjektiv: Deklination ➝ 11B3

① **Variante A: Bestimmter Artikel + Adjektiv + Substantiv**

| | maskulinum | neutrum | femininum |
|---|---|---|---|
| **Singular** | | | |
| Nominativ | der blau-e Mantel | das rot-e Kleid | die grün-e Hose |
| Akkusativ | den blau-en Mantel | das rot-e Kleid | die grün-e Hose |
| Dativ | dem blau-en Mantel | dem rot-en Kleid | der grün-en Hose |
| Genitiv | des blau-en Mantels | des rot-en Kleides | der grün-en Hose |
| **Plural** | | | |
| Nominativ | die blau-en Mäntel | die rot-en Kleider | die grün-en Hosen |
| Akkusativ | die blau-en Mäntel | die rot-en Kleider | die grün-en Hosen |
| Dativ | den blau-en Mänteln | den rot-en Kleidern | den grün-en Hosen |
| Genitiv | der blau-en Mäntel | der rot-en Kleider | der grün-en Hosen |

**Genauso:** Bestimmter Artikel + Adjektiv

② **Variante B: Unbestimmter Artikel + Adjektiv + Substantiv**

| | maskulinum | neutrum | femininum |
|---|---|---|---|
| **Singular** | | | |
| Nominativ | ein blau-er Mantel | ein rot-es Kleid | eine grün-e Hose |
| Akkusativ | einen blau-en Mantel | ein rot-es Kleid | eine grün-e Hose |
| Dativ | einem blau-en Mantel | einem rot-en Kleid | einer grün-en Hose |
| Genitiv | eines blau-en Mantels | eines rot-en Kleides | einer grün-en Hose |
| **Plural** | | | |
| Nominativ | — blau-e Mäntel | — rot-e Kleider | — grün-e Hosen |
| Akkusativ | — blau-e Mäntel | — rot-e Kleider | — grün-e Hosen |
| Dativ | — blau-en Mänteln | — rot-en Kleidern | — grün-en Hosen |
| Genitiv | — blau-er Mäntel | — rot-er Kleider | — grün-er Hosen |

**Genauso:** Unbestimmter Artikel + Adjektiv

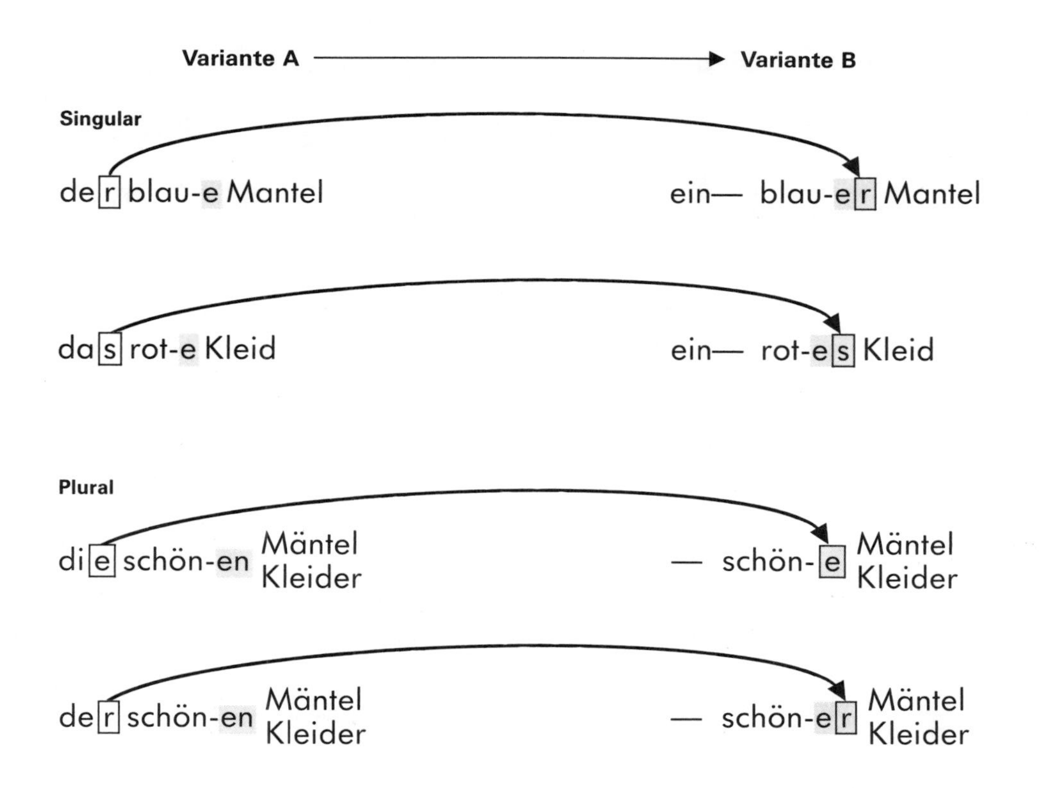


③ **Variante C: Possessivpronomen + Adjektiv + Substantiv**

| | maskulinum | neutrum | femininum | |
|---|---|---|---|---|
| **Singular** | | | | |
| Nominativ | dein blau-er Mantel | dein rot-es Kleid | deine grün-e Hose | = **Variante B** |
| Akkusativ | deinen blau-en Mantel | dein rot-es Kleid | deine grün-e Hose | |
| Dativ | deinem blau-en Mantel | deinem rot-en Kleid | deiner grün-en Hose | |
| Genitiv | deines blau-en Mantels | deines rot-en Kleid(e)s | deiner grün-en Hose | |
| **Plural** | | | | |
| Nominativ | deine blau-en Mäntel | deine rot-en Kleider | deine grün-en Hosen | = **Variante A** |
| Akkusativ | deine blau-en Mäntel | deine rot-en Kleider | deine grün-en Hosen | |
| Dativ | deinen blau-en Mänteln | deinen rot-en Kleidern | deinen grün-en Hosen | |
| Genitiv | deiner blau-en Mäntel | deiner rot-en Kleider | deiner grün-en Hosen | |

**Genauso**: „kein-" + Adjektiv + Substantiv

④ **Variante D: Adjektiv + Substantiv**

| | maskulinum | neutrum | femininum | |
|---|---|---|---|---|
| **Singular** | | | | |
| Nominativ | — blau-er Mantel | — rot-es Kleid | — grün-e Hose | |
| Akkusativ | — blau-en Mantel | — rot-es Kleid | — grün-e Hose | |
| Dativ | — blau-em Mantel | — rot-em Kleid | — grün-er Hose | |
| Genitiv | — blau-en Mantels | — rot-en Kleid(e)s | — grün-er Hose | |
| **Plural** | | | | |
| Nominativ | — blau-e Mäntel | — rot-e Kleider | — grün-e Hosen | = **Variante B** |
| Akkusativ | — blau-e Mäntel | — rot-e Kleider | — grün-e Hosen | |
| Dativ | — blau-en Mänteln | — rot-en Kleidern | — grün-en Hosen | |
| Genitiv | — blau-er Mäntel | — rot-er Kleider | — grün-er Hosen | |

## 8. Personalpronomen und Possessivpronomen

### 8.1 Das Personalpronomen

| | Nominativ | Akkusativ | Dativ |
|---|---|---|---|
| **Singular** | | | |
| 1. Person | ich | mich | mir |
| 2. Person | du<br>Sie | dich<br>Sie | dir<br>Ihnen |
| 3. Person | er<br>sie<br>es | ihn<br>sie<br>es | ihm<br>ihr<br>ihm |
| **Plural** | | | |
| 1. Person | wir | uns | uns |
| 2. Person | ihr<br>Sie | euch<br>Sie | euch<br>Ihnen |
| 3. Person | sie | sie | ihnen |
| | **Wer?** | **Wen?** | **Wem?** |

---

### 8.2 Das Possessivpronomen

| Personal-pronomen | Possessivpronomen + Substantiv | | |
|---|---|---|---|
| | maskulinum | neutrum | femininum |
| ich | mein -— Koffer | mein -— Buch | mein - e Tasche |
| du | dein -— Koffer | dein -— Buch | dein - e Tasche |
| Sie | Ihr -— Koffer | Ihr -— Buch | Ihr - e Tasche |
| er | sein -— Koffer | sein -— Buch | sein - e Tasche |
| sie | ihr -— Koffer | ihr -— Buch | ihr - e Tasche |
| es | sein -— Koffer | sein -— Buch | sein - e Tasche |
| wir | unser -— Koffer | unser -— Buch | uns(e)r - e Tasche |
| ihr | euer -— Koffer | euer -— Buch | eu(e)r - e Tasche |
| Sie | Ihr -— Koffer | Ihr -— Buch | Ihr - e Tasche |
| sie | ihr -— Koffer | ihr -— Buch | ihr - e Tasche |
| **Vergleichen Sie:** | ein -— Koffer | ein -— Buch | ein - e Tasche |

## 9. Präpositionen → 7B4, 7B5, 8B5

### 9.1 mit dem Akkusativ

| | |
|---|---|
| | Wir sind **bis** einen Tag nach Weihnachten in Berlin. |
| | Der Einbrecher ist **durch** das Fenster in die Wohnung gestiegen. |
| | Wir brauchen 800 Mark **für** die Miete. |
| | **Ohne** einen Angelschein ist Angeln verboten. |
| | Das Auto fährt **gegen** die Wand. |
| | Wer schaut da **um** die Ecke? |

**bis durch für ohne gegen um**

AKKUSATIV

### 9.2 mit dem Dativ

| | |
|---|---|
| | Mustafa kommt aus **der** Türkei. |
| | Er war bei**m** (= bei dem) Arzt. |
| | Der Supermarkt liegt gegenüber **dem** Rathaus. |
| | Fährst du mit **uns** nach Italien? Wir fahren mit **dem** Auto. |
| | Der Tannenbaum ist mit Kerzen geschmückt. |
| | Er ist nach **dem** Frühstück in die Stadt gefahren. |
| | Er sucht seinen Ring schon seit **einer** Stunde. |
| | Er kommt vo**m** (= von dem) Arzt. |
| | Die Ferien dauern vo**m** achtzehnten Juni ..... ..... bis zu**m** dritten August. |
| | Der Fuchs läuft zu**m** (= zu dem) Raben. |

DATIV

**aus bei gegenüber mit nach seit von zu**

### 9.3 Wechselpräpositionen

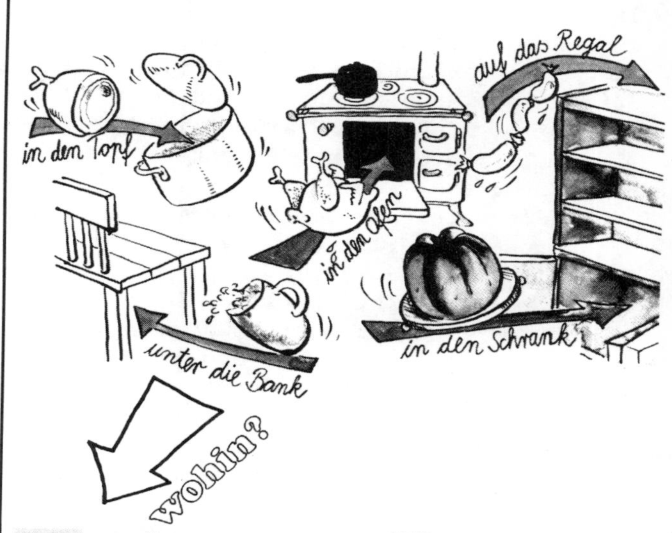


wohin?

**Wohin** tut/stellt sie das Essen? –

Sie tut/stellt das Essen .....

..... in **den** Topf.
..... an **die** Wand.
..... auf **den** Tisch.
..... unter **die** Bank.
..... vor **den** Mann.
..... hinter **die** Tür.
..... neben **das** Bett.
..... zwischen **die** Bücher.

**Wo** ist/steht das Essen?

Das Essen ist/steht .....

..... **im** (= in **dem**) Topf.
..... an **der** Wand.
..... auf **dem** Tisch.
..... unter **der** Bank.
..... vor **dem** Mann.
..... hinter **der** Tür.
..... neben **dem** Bett.
..... zwischen **den** Büchern.

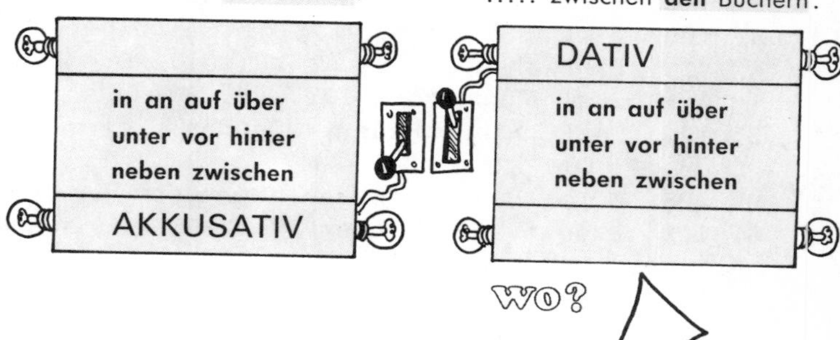

**in an auf über unter vor hinter neben zwischen**

AKKUSATIV

DATIV

**in an auf über unter vor hinter neben zwischen**

wo?

# Quellennachweis für Texte und Abbildungen

S. 14 Foto: Barbara A. Stenzel, München
S. 16 Karte: Polyglott Verlag, München
S. 26 Foto: Sabine Wenkums, München
S. 31 Foto Personalausweis: Barbara A. Stenzel, München
S. 34 Fotos: Arbeiterin: Herrad Meese, München
Paßfoto: Bjarne Geiges, München;
Studentin und Lehrerin: Sabine Wenkums, München
S. 38 Foto: aus: Tony Spiteris, Griechische und etruskische Malerei, Band 3 der Weltgeschichte der Malerei, Hg. Claude Schaffner, Editions Rencontre, Lausanne/Paris 1966, S. 70
S. 39 Foto: (wie S. 38) S. 73
S. 43 Foto: aus: Alte Berliner Läden, © 1982 Nicolaische Verlagsbuchhandlung, Berlin
S. 45 Fotos: Schiff: Bjarne Geiges, München;
alle anderen Fotos: Süddeutscher Verlag, München
S. 48 Foto: aus: Georges Charensol, Die großen Meister der modernen Malerei, s.o., Lausanne/Paris 1967, S. 52
S. 57 Weltzeitkarte aus: Lufthansa Bordbuch © Deutsche Lufthansa AG
S. 82 Fotos: Süddeutscher Verlag, München
Johannes R. Becher, Ende, aus: Gedichte 1949-1958, S. 195, © Aufbauverlag Berlin und Weimar 1973; Hermann Hesse, Im Nebel, aus: Stücke I. © Suhrkamp Verlag Frankfurt am Main 1977; Bertolt Brecht, Der Radwechsel, aus: Gesammelte Werke IV. © Suhrkamp Verlag Frankfurt am Main 1967; Ingeborg Bachmann, Schatten Rosen Schatten, aus: Werke Band I, S. 133, R. Piper & Co. Verlag, München 1978
S. 83 Foto: Joachim Thode, Mönkeberg, von einer Aufführung des Stücks "Selbstbezichtigung" von Peter Handke durch die Bühnen der Stadt Kiel; Peter Handke, Selbstbezichtigung, aus: Stück I., © Suhrkamp Verlag Frankfurt am Main 1972, S. 69-70
S. 86 Stadtplanausschnitt: Heinz Fleischmann Gmbh & Co., München
S. 87 Stadtplan: Verkehrsamt der Stadt Köln
S. 95 Foto u.: Bavaria Verlag Gauting; Foto o.: Bjarne Geiges, München
S. 112 Foto: Angelika Sulzer, Wuppertal
S. 120 f. Text und Zeichnung "Die Geschichte von Tante Mila und dem Patentbesenverkäufer" aus: Ursula Wölfel, "Dreißig Geschichten von Tante Mila", Hoch-Verlag, Düsseldorf 1977, S. 46-47
S. 122 Ü5 Text: Klaus Haase, München; Foto: Barbara A. Stenzel, München
S. 123 Foto: Bjarne Geiges, München
S. 128 Rudolf Otto Wiemer, "starke und schwache verben", aus: "Beispiele zur deutschen Grammatik", © Wolfgang Fietkau Verlag, Berlin 1971, S. 18-19
S. 133 ff. Zeichnung und zusammengefaßter und nacherzählter Text nach: "Die letzte Geschichte von Tante Mila und den Patentbesen" und "Die vorletzte Geschichte von Tante Mila und den Patentbesen", s. S. 18, ebda., S. 49
S. 142 Foto: Bjarne Geiges, München
S. 147 Foto Nr. 5: Dieter Kramer, Berlin; alle anderen Fotos: Bjarne Geiges, München
S. 148 Zeichnung u.: Dietmar Lochner, Hamburg
S. 152 Ausschnitt Wohnungsmietvertrag: Hg. Verlagsgesellschaft des Deutschen Mieterbundes mbH, Köln
S. 156/195 Marie Marcks, Zeichnung aus: Süddeutsche Zeitung vom 28.2.85
S. 158 Liebermann, Zeichnung aus: ADAC Motorwelt 6/86, München, S. 158
S. 159 Verkehrsskizzen: Heinrich Vogel Verlag, München
S. 161 Zeichnung u. aus: Antoine de Saint-Exupéry, "Der Kleine Prinz", Karl Rauch Verlag, Düsseldorf
S. 170 Verkehrsskizze: Heinrich Vogel Verlag, München
S. 173 Lückentext nach Carlo Manzoni, "Der Schlüssel", aus: "100 x Signor Veneranda", © by Albert Langen Georg Müller Verlag, München

Alle anderen Fotos: Ulrike Kment, München